„Dem Calmont gegenüber“

Das adlige Frauenkloster Stuben an der Mosel

Dokumentation
von Kurt
Bergen

1137  2002

Inhaltsverzeichnis

Liebe Leserinnen und Leser,

mit diesen Aufzeichnungen möchte ich Sie Anteil haben lassen an den manchmal auch allzumenschlichen Geschichten, welche sich hinter Klostermauern abspielen. Heiteres und nachdenkliches aus dem Klosterleben. Alle mir bekannten Quellen habe ich hier aufgenommen. Deshalb kann es vorkommen, dass einiges mehrmals benannt wird. Da einige Bilder über 70 Jahre alt sind, bitte ich Sie die schlechte Bildqualität zu entschuldigen.
Bedanken möchte ich mich an dieser Stelle bei all denen, die mir bei meinen Nachforschungen geholfen haben. Besonders bei den Einwohnern von Bremm, Neef, St. Aldegund, Eller, Ediger, Ernst, Bullay, Traben-Trarbach, Urschmitt, Düngenheim, Kövenig, Gevenich, Lutzerath, Kobern-Gondorf, Merl, Alf, Senheim und Burgen. Entspannen und genießen Sie nun:

„Dem Calmont gegenüber".

Neef/Mosel, im Februar 2002

Kurt Bergen

Luftaufnahme der Moselschleife bei Bremm
„Vervielfältigung mit Genehmigung des Landesamtes für Vermessung und Geobasisinformation Rheinland-Pfalz vom 08.05.01 – Az.: S1/26722-1.500/479"

Das Kloster Stuben

(Gedicht von Kurt Bergen)

Hier sind nun alle die Geschichten
von Nonnen an dem Moselstrand.
Man könnt noch viel dazu berichten,
doch dann ich nie ein Ende fand.

Sehr viel kommt hier ans Tageslicht,
vom Kloster mit den edlen Damen,
doch alle Namen kennt man nicht,
aus welchem Ort sie alle kamen.

Heut hört man noch sehr viele Sagen,
ob alles stimmt, dass weiß man nicht,
von Geschichten aus vergangenen Tagen,
doch einiges bring ich hier ans Licht.

Hier kehrten ein sehr viele Buben
und heute wird es restauriert,
besucht doch mal das Kloster Stuben,
ob sich alles hat für uns rentiert.

Die Heimat werd ich immer lieben,
da nirgends ich was schöneres fand,
für Euch hab ich dies Buch geschrieben,
besucht auch Ihr das Stubener Land.

Stumme Zeugen einer großen Vergangenheit

Sonntag Morgen ca. 9.00 Uhr im Mai 2001. Ich sitze vor der Ruine des Klosters Stuben auf einer Bank. Die ersten Sonnenstrahlen aus Richtung Eller erreichen die Klostermauern. Gegenüber im Calmont, in den steilsten Weinlagen Europas, höre ich Menschen sich unterhalten. Es sind Wanderer, die den neuen Calmont Klettersteig begehen. Etwas schaue ich ihnen noch nach, dann wende ich mich wieder dem Kloster zu. Ich lasse die Mauern der Ruine auf mich wirken und denke so vor mich hin. Was könnten diese Mauern alles erzählen? Und da kommt mir eine Idee! Ich lasse stumme Zeitzeugen erzählen. Sei es Stein, Glas, Holz, Keramik, Eisen oder sonstiges. Ich begann nachzuforschen nach diesen Zeugen aus der Vergangenheit. Es war wie ein Puzzle. Viele Teile ergaben langsam ein Bild, zwar unvollständig, aber interessant. Ein Bild, welches nie vollständig wird. Es bleiben noch sehr viele Fragen. Einige werde ich versuchen zu lösen. Bei dieser Lösung helfen mir dann diese stummen Zeugen. Es wird mit diesen Aufzeichnungen wieder etwas Licht in die wechselhafte Geschichte des Klosters von der Nikolausinsel kommen.

Wappen mit dem Stubener Doppelkreuz

Neef

Düngenheim

Spuren des Kloster Stuben findet man auch in folgenden Orten, die wir hier auch benennen wollen:

- Alflen
- Cliding
- Beuren
- Clotten
- Cochem
- Emmel
- Ellenz
- Ernsche
- Edegre
- Eller
- Faydt
- Gappenach
- Kollig
- Keriche
- Poltersdorf
- Polch
- Schmidt
- Seynheim
- Spehe
- St. Aldegund
- Valwey
- Urschmitt
- Urmersbach

Wir machen nun eine Reise in die Vergangenheit. Blicken wir einmal von einer der schönsten Moselschleifen herauf zum Calmont. Auf dem Calmont, einem spätrömischen Bergheiligtum zeigen sich an der Oberfläche Spuren eines Gebäudes. Zahlreiche Ziegelreste fand man. Bei verschiedenen Raubgrabungen, wobei u.a. auch eine Zisterne ausgehoben wurde, kamen an nennenswerten Funden mehr als 120 Münzen des frühen 2. bis späten 4. Jahrhunderts (Schlussmünze: vor 388), eine Scheibenfibel, 12 Terrakottenfragmente und zahlreiche Keramikscherben, die weitgehend der mittleren Kaiserzeit angehören, zutage. Von dem als Signalstation gedeuteten Berggrat, hat man einen sehr guten Blick auf die Moselschleife.

Im Jahre 1910 schreibt C. Hauptmann in dem Buch:
„Von Cochem bis Bernkastel“ folgendes über den Calmont:

Nun wandern wir die warme sonnige Straße hinauf, welche die Steilhänge des 381 Meter hohen Calmond begleiten, näher und näher rückt uns die Ruine des Klosters Stuben, deren Trümmer sich dunkel von den frühlingsgrünen Wiesen abheben.

Aber wir freuen uns der herrlichen Ausschau, die sich uns hier von unserer Straße zeigt. Gerade vor uns und rechter Hand steigen die steilen Schieferhänge des Calmond zu schwindelnder Höhe hinauf. In ihrem der Mittagssonne zugekehrten Halbrund klettert die Rebe bis zur äußersten Grenze ihres Gedeihens empor, wo struppiges Gebüsch an ihre Stelle tritt.

Calmond und Ruine Stuben von Bremm gesehen.

In der Mitte des 4. Jahrhunderts standen hier Gebäude (Landgut)

Modell eines Landsitzes Bollendorf a. d. Sauer
(siehe Seite 59 des Buches „10 Jahre Ausgrabung an Mittelrhein und Mosel von H. Eiden)
Rekonstruktion

In einem Umkreis von ca. 80 Meter um die Ruine wurden römische Keramik- und Ziegelreste aus dem 4. Jahrhundert gefunden.

Herstellung eines Mörtels

Kalkstein brennen, löschen und den gewonnenen Kalkteig mit Sand vermischen.

Mörtelreste

Herstellung eines römischen Estrichs

In den gewonnenen Mörtel zerstoßene Stücke von Ziegeln beigeben. Besonders die Beimischung von Ziegelstücken ist ein Kennzeichen des römischen Estrichs. Ziegelhaltiger Mörtel hat eine hydrauliche Eigenschaft. Er wurde deshalb von den Römern hauptsächlich da angewandt, wo es sich darum handelte, Feuchtigkeit abzuhalten, so zum Estrich und Sockelbau oder wasserdichte Räume und Bäder. In der romanischen Zeit ist dieser mit Ziegelstücken versetzte Mörtel bei uns nicht mehr nachzuweisen.

Estrich

Römischer Ziegel, vermauert in der Rückwand

Im Hohen Mittelalter lebte hier ein frommer Mann mit Namen Egelolf. Dieser Egelolf übergab seinen Hof, mit Weinbergen und einer Kapelle dem Abt Richard von Springiersbach mit dem Wunsch, es sollte hier ein Kloster entstehen, in welchem seine Tochter Gisela, zu Ehren Gottes, dienen sollte. So begann nun die wechselhafte Geschichte des adligen Nonnenklosters Stuben.

Anwesen Egelolfs (Rekonstruktion)

Bei Ausgrabungen im Mai 2001 vom Amt für Denkmalpflege in Koblenz fand man Mauern eines Turmes. Hierbei handelt es sich um Egelolfs Bergfried. Innenmaß 7,30 x 7,30 Meter mit einer Mauerdicke von 1,70 Meter.

Grundmauer Turm während den Ausgrabungen

Egelolfs Turm (Rekonstruktion)

Der frühmittelalterliche Friedhof auf dem Petersberg bei Neef

(Auszug: „10 Jahre Ausgrabung an Mittelrhein und Mosel“ von Hans Eiden)

Neef, Petersberg – Gräbergruppe nach der Ausgrabung

Etwa 250 m westlich der Friedhofskapelle zeigt der Berggrat eine leichte Einsattelung, ebenfalls mit Spuren römerzeitlicher Bebauung. Im Bereich dieser Bautrümmer wurde in nachrömischer Zeit ein Friedhof angelegt.

Um die Befunde zu sichern und weiteren Schaden zu verhindern, setzten wir im Frühjahr 1973 eine Nachuntersuchung an. Dabei wurden auf der westlichen Hangseite des Sattels noch 89 geostete Gräber eines frühmittelalterlichen Reihenfriedhofes auf engstem Raum festgestellt. Die meisten Grabgruben waren als reine Erdgräber in den Schieferfels eingetieft und mit großen Platten (meist Schiefer) abgedeckt.

Die Lage des Friedhofes, bei dem eine kleine Kirche nicht gefehlt haben wird, auf dem Berggrat ist ungewöhnlich. Die zugehörige Siedlung wird im Moseltal auf der nördlich gelegenen Landzunge im Flussbogen zu suchen sein im Bereich der Ruine des Klosters Stuben, das zu Beginn des 12. Jahrhunderts auf dem Anwesen eines adeligen Grundbesitzers mit Namen Egelolfs gegründet wurde.

Während des Umbaus

Vor seinem Tod erwarb der Abt Richard von Springiersbach (gest. 1158) von der Abtei Arnstein an der Lahn für 80 Pfund Silber deren Güter in Neef und Bremm, die Graf Ludwig dieser Abtei geschenkt hatte. Von den Nachfolgern des Erzbischofs Albero, Hillin und Arnold wurde Stuben mit Schenkungen bedacht. Stuben bekam Patronatsrecht und die Einkünfte der Filialkirche in Urschmitt, Erzbischof Johann von Trier fügte dasselbe von der Filialkirche Düngenheim hinzu. Das Kloster wurde von allen Seiten unterstützt, Hillin gab dem Kloster die von ihm erbaute Peterskapelle mit ihren Gefällen.

Friedhof mit Peterskapelle auf dem Eulenköpfchen bei Neef M. Bätz

Die Kapelle des Egelolfs war bald zu klein. Man baute nun eine größere Klosterkirche. Erzbischof Johann von Trier weihte im Jahr 1190, die inzwischen an der Kapelle von 1137 entstandene neue Klosterkirche von Stuben ein. Man blieb aber bei dem von Abt Richard von Springiersbach vor 1137 vorgenommenen Ausbau des Hofes Egelolfs, an den die erforderlichen Nebengebäude angefügt wurden.

Bauarbeiter

Die Mauern von Egelolfs Kapelle im September 2001 während den Ausgrabungen

Die Fundamente

Beim Bau der Fundamente hatte der mittelalterliche Baumeister manche schwierige Aufgabe zu lösen. In Stuben besteht der Untergrund aus einem Kies-Sand-Gemisch. Bei welcher Tiefe ist also der Untergrund hinreichend tragfähig, und wie wird es konstruiert? Der Werkmeister ließ die Ausschachtungsarbeiten beenden, wenn er den Boden der Baugrube als tragfähig einschätzte. Er verließ sich dabei auf seine Erfahrung und sein Gefühl. Die heutige Klosterruine steht auf den Fundamenten der im Jahre 1190 eingeweihten Klosterkirche.

Beim Aufsuchen der Fundamente an der Moselseite des Klosters fand man im Jahre 2001 römische Ziegel- und Keramikreste

Fundamente Egelolfs Kapelle (westliche Mauer)

Geschichte des Klosters

Nun beginnt die Geschichte von Kloster Stuben, auch Insula St. Nicolai genannt, die von der Mosel umflossene Landzunge, welche in älteren Schriften als eine Insel benannt wird. Egelolfs Wunsch, hier ein Kloster zu errichten, in welchem seine Tochter Gisela mit Jungfrauen und Witwen die Erfüllung finden sollten, wurde nun in die Tat umgesetzt. Es wurde umgebaut.

Die Kapelle des heiligen Nikolaus, also Egelolfs Kapelle, konnte für Gottesdienste des zunächst kleinen Konvents, der in ihr das Chorgebet hielt, übernommen werden. Der Trierer Erzbischof Albero bestätigte 1137 die Umwandlung des Hofes in ein Kloster und setzte die Zahl der aufzunehmenden Schwestern auf höchstens 100 fest. Der Hof Egelolfs mit seinen Weinbergen reichte zum Lebensunterhalt für 100 Nonnen in keiner Weise. Deshalb auch die Begrenzung auf 100 Nonnen. Albero schenkte dem neugegründeten Kloster 1140 die ihm überlassenen Einkünfte von Pfalzgraf Wilhelm. Einkünfte der Filialkirche in Neef und den Zehnten von den Feldern in Düngenheim.

Ein Chronist erzählt:

Die umwohnenden Ritter belästigten bald das Kloster, sie drangen, ihr Fässchen Wein mit sich führend, in den Klosterhof ein, hielten dort wüste Zechgelage und liefen den Nonnen gar bis in ihre Klausur nach. Der Unbändigste unter allen war aber der Herr von Arras. Es bedurfte vieler Mühe, sogar des Kirchenbannes, dem Kloster endlich wieder seine Ruhe zu verschaffen.

Die Geschichte der Staurothek

Heinrich von Ulmen erbeutete ein kunstgeschichtlich unschätzbares Kreuzreliquiar, das er nach Rückkehr von dem Kreuzzug aus Konstantinopel dem Frauenkloster schenkte, wo seine Schwester Irmingard als Meisterin das Konvent leitete.

Dieses unschätzbare Kunstwerk führte seit 1208 zahlreiche Wallfahrer aus der Nähe und der Ferne dahin. In den drei Sommermonaten des ersten Jahres betrugen die milden Gaben über vierhalbhundert Goldgulden, eine damals gewiss bedeutende Summe.

In der Schenkungsurkunde am Vorabend des Laurentiusfesten des Jahres 1208 heißt es: Zu seinem Glücke besitzt irdische Schätze, wer vermittels derselben ewige zugewinnen trachtet, einen Schatz allerliebste, zum Heil seiner Seele und der Seele seiner Gattin Irmgardis. Seine Bedingung: Das Kloster soll dieses Kreuzreliquiar niemals veräußern und nie verpfänden.

Die Staurothek in ihren Einzelheiten

Die Staurothek wiegt ca. 11 kg, ist 48 cm lang, 35 cm breit und 6 cm hoch.

a) Der Schiebedeckel
Das Zentrum des Deckels ist mit 9 Emailbildern und anschließenden Stein- und Bilderbordüren verziert, und ist von unschätzbarem Wert. Im übrigen ist der Deckel mit Smaragden, geschliffenen Natursteinen, Saphiren, Almandinen, Perlen und Rosetten besetzt.

b) Die Kreuzlade

Die Kreuzlade, aus Sykomorenholz bestehend, ist mit feuervergoldetem Silber verkleidet. Unter Cherubim- und Seraphim-Gestalten sind Reliquienbehälter angebracht, welche wertvolle Reliquien aus dem Leben Christi enthalten haben sollen. Auf den Seitenwänden und der Rückseite der Lade sind ziselierte Schrift- und Ornamentbänder zu sehen. In die Rückwand ist ein geschmücktes Patriarchenkreuz mit Akanthusranken ziseliert.

Die Inschriften lauten von oben nach unten gelesen:
Auf der linken Seite:

I. Die Dornenkrone des die Menschen liebenden Christus, unseres Gottes
II. Die Windeln des Jesu Christi des Sohnes Gottes
III. Das Grabtuch des unsterblichen Christus und Gottes
IV Das Kopftuch der hochheiligen Gottesgebärerin
V. Der Gürtel der heiligen Jungfrau und Gottesgebärerin vom Bischof von Zela

Auf der rechten Seite:

I. Der Purpurmantel des lebenspendenden Jesus Christus
II. Das Leintuch unseres Schöpfers und Gottes Christus
III. Der Schwamm des geduldigen Christus unseres Heilands
IV. Der Gürtel der allzeit jungfräulichen Gottesgebärerin
V. Das ehrwürdige Haar des heiligen Johannes des Vorläufers

Es wurden jedoch im Laufe der Zeit einige der in der Kreuzlade eingeschlossenen Reliquien entnommen oder gegen andere ausgetauscht. Als die Lade nach Limburg kam, fand man nur noch sieben Reliquien darin. Heute sind auch diese Reliquien nicht mehr in der Kreuzlade, sondern werden hinter Kristallfensterchen in einem großen Reliquienkreuz aufbewahrt.

Heinrich von Ulmen und der Vierte Kreuzzug

(Gekürzte Fassung einer Facharbeit am Martin-von-Cochem Gymnasium)

Bernhard Kreutz

Vorwort

Heinrich von Ulmen ist wohl einer der bekanntsten Kreuzfahrer der Eifel. Bekannt vor allem dadurch, dass er unter anderen Reliquienschätzen die berühmte Limburger Staurothek nach Beendigung des Vierten Kreuzzuges mit in seine Heimat gebracht hat. Der Beitrag beschäftigt sich mit dem Leben dieses Kreuzfahrers, soweit sich dieses überhaupt anhand von Daten und Ereignissen nachvollziehen lässt. Hierbei wird ein Schwerpunkt auf den Zeitabschnitt von 1202 bis 1208 gelegt. Es wird der

Frage nachgegangen, wie die Schätze eigentlich in Heinrichs Besitz kamen. Dabei wird deutlich, dass sich das wirkliche Geschehen nicht vollständig und eindeutig feststellen lässt. Keiner der aufgeführten Historiker hat vollkommen Recht oder Unrecht.

Engel mit Zepter

1. Das Leben Heinrichs

1. Das Geschlecht der Ulmener Ritter bis Heinrich

Die ersten nachweisbaren Personen des Ulmener Rittergeschlechts sind die Bürger Heinrich (Henricus), Rudolf und Johannes.

Sie werden im Jahre 1130 in einer Urkunde des Pfalzgrafen Wilhelm als Zeugen genannt. In einer anderen Schenkungsurkunde des Pfalzgrafen an das Kloster Springiersbach treten die drei Brüder im Jahre 1136 wieder auf; in dieser Urkunde werden sie als pfalzgräfliche Ministerialen erwähnt.

Nach dem Tode des Grafen am 13. 02. 1140 zieht der deutsche König Konrad III. (von 1138 bis 1152) dessen abgabenfreie Allodialgüter für die Krone ein. Dazu gehörten Cochem, Kaisersesch und das sogenannte "Cröver Reich". Zu diesen Allodialgütern muss auch die Burg Ulmen gehört haben, denn am 01. 08. 1143 treten die Brüder Heinrich und Rudolf in einer Schutzurkunde König Konrads unter den Zeugen als Reichsdienstmannen auf. Die Ulmener Ritter stiegen also nach Pfalzgraf Wilhelms Tod von der pfalzgräflichen Ministerialität zur Reichsunmittelbarkeit auf.

Die beiden Söhne Rudolfs hießen Heinrich und Sybert, dessen ältester Sohn war Heinrich von Ulmen, der Kreuzfahrer.

2. Der Lebenslauf Heinrichs von Ulmen

Die Quellenlage zum Leben Heinrichs ist bis auf seine Schenkungen an verschiedene Klöster recht spärlich. Kenntnis über seine Teilnahme am Vierten Kreuzzug vermittelt der französische Chronist Geoffry (Gottfried) von Villehardouin, der selbst daran teilnahm. Er erwähnte Heinrich bei der Ankunft der deutschen Kreuzritter in Venedig neben anderen Rittern aus dem Rheinland, Graf Berthold von Katzenelnbogen, Werner von Bolanden, Dieter von Diez und Wierich von Daun. Nach seiner Rückkehr taucht Heinrich in den Urkunden seiner Schenkungen auf. Der Zisterziensermönch Cäsarius von Heisterbach, dessen Kloster der Kreuzfahrer zwei Reliquien überließ, berichtet ausführlich über ihn.

Aus diesen Quellen ergibt sich folgender Lebenslauf:

- um 1175	Geburt Heinrichs
- 1202	Heinrich trifft mit anderen deutschen Kreuzrittern unter der Führung des italienischen Markgrafen Bonifaz von Montferrat in Venedig ein.
- 24. 11. 1202	Teilnahme an der Eroberung der dalmatischen Stadt Zara durch die Venezianer und Kreuzfahrer
- 12.04.1204	Beteiligung an der Erstürmung und Plünderung Konstantinopels
	anschließend Rückkehr nach Deutschland,
- Winter 1207/08	Schenkung einer Kreuzeslade an St. Eucharius in Trier
- 11.04.1208	Schenkung des Hauptes des hl. Pantaleon an St. Pantaleon in Köln
- Sommer 1208	Belagerung der Burg Ulmen durch Werner von Bolanden
- 09. 08. 1208	Schenkung der heutigen Limburger Staurothek an das Augustinerinnenkloster Stuben an der Mosel
- 1215	Beiwohnung der Krönung Friedrichs 11. in Aachen
- 1217	Aufbruch zum 5. Kreuzzug (1217 bis 1221)
- 29. 08. 1219	Heinrich gerät bei der Belagerung der nordägyptischen Stadt Damiette durch die Kreuzfahrer in sarazenische Gefangenschaft
- 1225	Heinrich erscheint wieder als Zeuge in Kaiserslautern bei König Heinrich VII.
- 02. 10. 1236	Er wird zum letzten Mal urkundlich erwähnt
- 1236	Vermutliches Todesdatum Heinrichs von Ulmen

3. Der Vierte Kreuzzug

Um die Lebensgeschichte Heinrichs, insbesondere den Abschnitt von 1202 - 1208, besser verstehen zu können, erscheint es angebracht, den historischen Hintergrund zu betrachten; das heißt hier den Vierten Kreuzzug.
Dieser war im Grunde kein eigentlicher Kreuzzug, da die christlichen Ritter weder in Palästina oder Ägypten, noch gegen die Moslems kämpften. Er war vielmehr eine Kette von Intrigen, Wortbrüchen und Erpressungen, die in der Eroberung und Plünderung von Byzanz und der Zerschlagung des oströmischen Reiches endete. Der Kreuzzug wurde von Papst Innozenz III. zu Beginn seines Pontifikats ausgerufen. Der Feldzug sollte die Zentrale der moslemischen Macht, Kairo (damals von den Christen "Babylon" genannt) treffen, um so einen Keil zwischen Ägypten und die Levante (Palästina und Syrien) zu treiben. Innozenz verlor aber im Laufe des Geschehens völlig die Kontrolle über das Unternehmen.

Die Kreuzfahrer, die unter der Führung des Markgrafen Bonifaz von Montferrat und des Balduin von Flandern standen, hatten mit den Venezianern einen Vertrag ausgehandelt:

Venedig stellte für den Transport von 33 500 Kreuzfahrern nach Ägypten Schiffe zur Verfügung, zum Preis von 85 000 Mark in Silber. In Venedig sammelten sich im Jahre 1202 aber nur rund 10 000 Kreuzfahrer, die aber trotzdem den für 33 500 Mann kalkulierten Fahrpreis bezahlen mußten(!). Ein um zwei Drittel kleineres Heer konnte diese enorme Summe selbstverständlich nicht aufbringen. So forderten die Venezianer allein für einen Schuldenaufschub die Eroberung der christlichen Stadt Zara. Diese Stadt lag auf einer Adriainsel und war von den Ungarn besetzt worden.

Die Führer willigten ein, um eine Schuldentilgung und somit eine Weiterfahrt nach Ägypten zu ermöglichen. Viele Kreuzfahrer verließen schon hier das Heer, weil sie einen Übergriff auf eine christliche Stadt nicht mit ihrem Kreuzzugsgelübde vereinbaren konnten. Unter ihnen war auch Werner von Bolanden.

Das Kreuzfahrerheer rückte am 11. 11. 1202 aus Venedig aus und eroberte und plünderte Zara am 24.11., Papst Innozenz III. exkommunizierte daraufhin Kreuzfahrer und Venezianer. Für die Kreuzfahrer wurde der Bann kurz darauf wieder aufgehoben, für die Venezianer nicht.

Kurz vorher, im Jahr 1195, war in Byzanz der Kaiser Isaak II. Angelos gestürzt, geblendet und ins Gefängnis geworfen worden. Seinem Sohn aber, dem späteren Alexios IV. Angelos, gelang 1202 die Flucht nach Deutschland zu Philipp von Schwaben, dem Staufer, der Anspruch auf den Kaiserthron im Westen erhob. Philipps Ehefrau Irene war die Tochter Isaaks II. und die Schwester des jungen Alexios.

Bereits 1201 hatte Philipp mit Bonifaz von Montferrat beschlossen, den Kreuzzug nach Konstantinopel umzuleiten, wahrscheinlich um das Herrscherhaus der Angeloi wieder auf den byzantinischen Thron zu bringen oder, um später selber Kaiser von West- und gleichzeitig von Ostrom zu werden. Jedenfalls wurde Philipp durch die Ankunft des jungen Alexios in seiner Absicht bestärkt.

Venedig seinerseits hatte im geheimen mit dem islamischen Ägypten einen Vertrag geschlossen (!), der besagte, dass die Venezianer eine Weiterfahrt der Kreuzfahrer zum Nil verhindern sollten, und den Kreuzzug nach Byzanz umzuleiten hätten. Als Gegenleistung würde der ägyptische Sultan der Republik Venedig Handelsprivilegien in seinem Machtbereich gewähren.

Nach der Eroberung Zaras wandte sich der Junge Alexios Angelos im Winter 1202/03 an die Kreuzfahrer und Venezianer. Er bat sie, nach Konstantinopel zu fahren und ihm und seinem Vater wieder auf den Thron zu helfen. Im Gegenzug wolle er dafür sorgen, dass die Stadt den Kreuzfahrern das Geld zur Tilgung ihrer Schulden aufbringe, und dass die oströmische orthodoxe Kirche sich nach dem Bruch mit Rom (1052 großes Schisma) wieder der lateinischen Kirche unterstellen wolle.Um eine Weiterfahrt nach Ägypten, dem eigentlichen Ziel der Unternehmung, zu ermöglichen, brachen die Kreuzfahrer notgedrungen erneut ihr Gelübde, nur gegen Ungläubige und nicht gegen christliche Glaubensbrüder kämpfen zu wollen.

Am 23. 06. 1203 erreichte die Flotte Konstantinopel und belagerte die Stadt zum ersten Mal. Nach der Flucht des seit dem Putsch von 1195 herrschenden Kaisers Alexios III. und der Befreiung Isaaks bestiegen die Angeloi als Isaak II. und Alexios IV. wieder den Thron. Doch die versprochenen Tributzahlungen an die lateinischen Kreuzfahrer wurden nur unzureichend und widerspenstig bezahlt. Spätestens jetzt wurde klar, dass es eine Weiterfahrt nicht mehr geben würde.

Das byzantinische Volk akzeptierte außerdem die beiden von einer ausländischen und noch dazu romtreuen Macht protegierten Kaiser nicht. Auch die orthodoxe Kirche weigerte sich vehement, die Oberhoheit des Papstes wieder anzuerkennen. Unter Führung von Alexios Dukas (genannt "Murtzuphlos") kam es zum Aufstand und zum erneuten Sturz der Angeloi-Kaiser. Daraufhin brach der offene Krieg zwischen Byzantinern und Kreuzfahrern aus. Am 12. 04. 1204 wurde die Stadt zum ersten Mal in ihrer 900jährigen Geschichte gestürmt und rücksichtslos ausgeplündert. Die Hagia Sophia und andere zahllose Kirchen und Paläste wurden von dem Kreuzfahrerheer geschändet, geplündert und gebrandschatzt. So erklärte sich die Tatsache, dass viele westliche Kreuzritter und Geistliche, unter ihnen Heinrich von Ulmen, reich mit Reliquien beladen aus dem Osten heimkehrten.

Das oströmische Reich wurde aufgelöst, sein Gebiet unter den lateinischen Fürsten aufgeteilt. Die Venezianer sicherten sich strategisch und kommerziell wichtige Stützpunkte in der Ägäis und im östlichen Mittelmeer. Das "Lateinische Kaiserreich" wurde gegründet und am 09. 05. 1204 wurde Balduin von Flandern zum "Kaiser der Romania" gekrönt.

All diese kleinen Herrschaften konnten sich in den zahlreichen Kämpfen mit den Slawen, Bulgaren und Türken jedoch nicht lange halten. Zwar wurde das byzantinische Reich im Jahr 1261 von den Griechen wieder neu gegründet, spielte aber geographisch und machtpolitisch keine Rolle mehr; die Eroberung Konstantinopels 1204 durch die Kreuzfahrer versetzte dem oströmischen Reich bereits den Todesstoß. Die Einnahme der Stadt durch die Türken war nur noch eine Frage der Zeit.Außerdem hatte die Eroberung von Byzanz und der so erwachsene Hass der Orthodoxen auf die lateinische Kirche Roms die Spaltung in Ost- und Westkirche endgültig besiegelt.

II. Wie gelangten die Schätze in die Hände Heinrichs?

Die Tatsache, dass Heinrich von Ulmen zahlreiche Reliquien nach der Erstürmung der Stadt Konstantinopel mit nach Hause brachte, darunter vor allem die Limburger Staurothek, und an verschiedenen Kirchen und Abteien verschenkte, ist anhand der entsprechenden Schenkungsurkunden ausreichend belegt. Wie jedoch die Kostbarkeiten, insbesondere die Staurothek, in seinen Besitz kamen ist umstritten. Dieser Frage soll hier mit Hilfe verschiedener, sich zum Teil widersprechender Auffassungen einiger Historiker nachgegangen werden.

1. Die Theorie von Dechant Josef Fenger

Der Ulmener Heimatforscher Dechant Josef Fenger geht davon aus, dass Heinrich während der Plünderung Konstantinopels im Jahre 1204 offensichtlich zu den Reliquienräubern gezählt hat. Fenger schreibt:

"Am 12. April 1204 war er an der Erstürmung und Plünderung Konstantinopels beteiligt. Reiche Beute ist ihm, wie Cäsarius (s. u.) bezeugt, in der Sophienkirche anheim gefallen...".

und:
"Zu den frommen Räubern, die mit weltlichem Raube ihre Hände nicht beflecken wollten, es aber nicht für Unrecht hielten, möglichst viele und seltene Reliquien zusammenzuraffen, scheint Heinrich gehört zu haben." Der Auffassung, Heinrich habe die Staurothek aus Konstantinopel persönlich geraubt und auch die anderen Reliquien gestohlen, steht die Tatsache gegenüber, dass Laien bei der Plünderung 1204 fast ausschließlich profane Wertgegenstände raubten. Diese konnten sie sofort zu Geld machen. Diejenigen Laien, die dennoch Reliquien raubten, zerstörten diese bald darauf, um zu verhindern, dass ihnen die Beute wieder abgenommen wurde. Reliquien standen bei der Plünderung Konstantinopels nämlich nur Geistlichen und Höhergestellten zu. Die Laienräuber entfernten also die eigentlichen Reliquien (Knochenstücke, Kleidungsreste von Heiligen etc.), um nur die goldenen und silbernen Umfassungen für sich zu behalten. Heinrich wäre mit einer so umfangreichen und gut erhaltenen Reliquiensammlung bei seinen Befehlshabern oder den geistlichen Würdenträgern zweifellos aufgefallen. Auch hätte er sich mit widerrechtlich angeeigneten Reliquien bei den Geistlichen und den Ordensleuten in Deutschland nicht blicken lassen können; sondern hätte den Besitz geheimhalten müssen. Dass Heinrich die Staurothek aus der Hagia Sophia gestohlen haben könnte, erscheint höchst unwahrscheinlich. Die bedeutendsten Reliquien befanden sich zum Zeitpunkt der Plünderung nämlich nicht in der Hauptkirche des oströmischen Reiches, sondern im kaiserlichen Bukoleone-Palast, wie Robert de Clari schreibt.

Es ist also anzunehmen, dass so wichtige Stücke wie die kaiserlichen Staurotheken ebenfalls im Bukoleone-Palast aufbewahrt wurden und nicht in der Sophienkirche; zumal die Staurotheken ja besonders eng mit der Person des Kaisers in Beziehung standen. Diesen Palast aber hatte Bonifaz von Montferrat in Besitz genommen und ließ ihn streng bewachen. Die Schatzkammern des Palastes waren den Plünderern sogar nicht zugänglich. Obwohl Heinrich von Ulmen zu Bonifaz Gefolge gehörte, wäre es ausgeschlossen, dass er sich am Besitz des Markgrafen bereichert hätte.

Fengers "Räubertheorie" kann also kaum zutreffen.

2. Die Auffassung von Pfarrer Conzen

Der ebenfalls aus Ulmen stammende Pfarrer Alexander Conzen berichtet hingegen, Balduin von Flandern, der 1204 zum Kaiser der Romania gewählt wurde, habe Heinrich von Ulmen in einem ausführlichen Bericht an den Erzbischof Arnold von Köln als einen seiner treuen Ritter erwähnt. Balduin von Flandern soll Heinrich die Staurothek geschenkt haben. Conzen bezieht sich ebenfalls auf Cäsarius:

"Nach Cäsarius von Heisterbach soll König Balduin von Flandern das Kreuz an Heinrich von Ulmen geschenkt haben."

Pfarrer Conzen lässt jedoch außer acht, dass Heinrich nicht dem Heeresteil Balduins von Flandern angehörte, sondern als Deutscher in dem Teil des Heeres kämpfte, den Bonifaz von Montferrat befehligte. Der Markgraf von Montferrat war, nachdem statt seiner selbst, Balduin zum Kaiser gewählt worden war, ein offener Gegner Balduins. Ein Wechsel Heinrichs zu Balduins Heer war wegen der unterschiedlichen Nationalitäten in den Heeresteilen ausgeschlossen. Auf der Seite Bonifaz standen Italiener, Provencalen, Burgunder und Deutsche, in Balduins Heer kämpften flandrische Ritter.

Außerdem sind mit der Limburger Staurothek vergleichbare Kreuzesladen nur höheren Würdenträgern zugeteilt worden, welche sie dann an heimatliche Kirchen und Klöster weitergaben, zum Beispiel schenkte Enrico Dandolo, der Doge von Venedig, San Marco eine solche Staurothek. Heinrich von Ulmen, der einen niedrigen Rang bekleidete, kommt weder als Geber noch als Beschenkter, wie Conzen meint, in Betracht. Die Tatsachen widersprechen also auch seiner "Schenkungsthese".

3. Die Theorie von Professor Kuhn

Prof. Hans Wolfgang Kuhn gibt eine von den bisher genannten Theorien völlig abweichende Version.

Die Staurothek und ein großer Teil der Schätze, die Heinrich mitbrachte, befanden sich zum Zeitpunkt der Plünderungen im kaiserlichen Bukoleone-Palast. Diesen aber hatte der Markgraf Bonifaz von Montferrat, zu dessen Gefolge Heinrich als Deutscher gehörte, tags zuvor in Besitz genommen. Bonifaz heiratete Margarethe von Ungarn, die Witwe des ermordeten Kaisers Isaak II. Angelos. Er sah sich so als legitimer Nachfolger der Byzantinischen Kaiser. Nach seinem Ausscheiden bei der Wahl zum Kaiser des lateinischen Reiches (der "Romania") wählte er die Stadt Thessalonike zu seinem Fürstentum aus. Die Schätze aus dem Bukoleone-Palast nahm er dorthin mit. Heinrich von Ulmen folgte ihm in seinem Gefolge.

In Thessalonike gebar Margarethe dem Markgrafen den Sohn und Thronfolger Demetrius. Am 04. 09. 1207 fiel Bonifaz im Kampf gegen die Bulgaren unter ihrem gefürchteten Zaren Kolojan. Die Bulgaren rückten gegen Thessalonike vor, um das führerlose Fürstentum zu erobern. In dieser Notsituation vertraute Margarethe von Ungarn, die Witwe des Markgrafen, dem Ritter Heinrich von Ulmen die Staurothek und andere Heiligtümer an, damit er sie nach Deutschland zu Philipp von Schwaben und dessen Frau Irene brächte. Philipp stand kurz davor, zum Kaiser im Westen gekrönt zu werden und seine Frau Irene war die Stieftochter Margarethes. Die Fürstin hoffte, so den Staufer und seine byzantinische Gemahlin zum Eingreifen in Thessalonike zu bewegen. Außerdem waren die Kostbarkeiten bei den staufischen Verwandten sicher und in würdigen Händen. Heinrich brach noch im September des Jahres 1207 von Thessalonike auf und traf noch vor Einbruch des Winters im Trierischen ein.

Er führte seinen Auftrag aber nicht aus. Zum einen brachte die nächtliche Ermordung des Bulgarenzaren Kolojan am 08. Oktober 1207 eine unverhoffte Rettung für Margaretha und ihren Sohn Demetrius (Kuhn nimmt an, dass Heinrich davon Kenntnis erhielt), zum anderen starben die Adressaten von Heinrichs Mission kurz hintereinander. Philipp von Schwaben wurde am 21. 06. 1208 von Otto von Wittelsbach ermordet und kurze Zeit später erlag Irene den Folgen einer Frühgeburt. Hinzu kam, dass Heinrich wegen seiner Schätze von seinem Feind Werner von Bolanden angegriffen wurde. Der Bolandener, der im deutschen Thronstreit übrigens auf der Seite der Welfen stand, belagerte im Sommer 1208 die Burg des stauferfreundlichen Ulmeners. Die Belagerung zielte, so Kuhn, wohl hauptsächlich darauf ab, die wertvollen Reliquien Heinrichs zu erbeuten. Wegen des Todes der Adressaten und wegen der massiven Bedrohung durch Werner von Bolanden, die auch einen etwaigen Rücktransport der Reliquien nach Griechenland unmöglich machte, entschloss sich Heinrich, die Schätze auf eigene Faust an verschiedene Klöster der Umgebung zu verschenken. Er wollte sie so in Sicherheit bringen.

Kuhns Version erscheint bis zur Rückkehr Heinrichs nach Deutschland schlüssig. Der Bericht Robert de Claris weist darauf hin, dass sich die Staurothek tatsächlich im Bukoleone-Palast befunden hatte. Die Annahme, dass Bonifaz von Montferrat es war, der sich als erster der Limburger Staurothek bemächtigt hat, gibt ebenfalls Sinn, denn Bonifaz gehörte mit Balduin von Flandern und Enrico Dandolo, dem Dogen von Venedig, zum Führungstrio des Vierten Kreuzzuges. Die beiden anderen besaßen ebenfalls eine solche Staurothek, ein Wahrzeichen kaiserlicher Macht. Ein Demetriusreliquiar, das Heinrich dem Kloster Stuben neben der Staurothek vermachte, könnte auch ein Hinweis dafür sein, dass die Schätze aus dem Besitz des Markgrafen in Thassaionike stammten. Demetrius war der Schutzpatron der Stadt und Bonifaz benannte seinen Sohn nach ihm.

Nach Kuhns Rechnung müsste Heinrich noch vor dem Winter des Jahres 1207 in Deutschland angekommen sein. Tatsächlich wurde die erste Schenkungsurkunde des Ulmeners gegen Ende des Jahres 1207 oder zu Beginn des Jahres 1208 ausgestellt. Also auch vom zeitlichen Ablauf her könnte Professor Kuhns Version, jedenfalls bis zu Heinrichs Rückkehr stimmen.

Betrachtet man aber nun den weiteren Verlauf des Geschehens, so reicht die Theorie zur Erklärung nicht mehr aus.

Die ersten Schenkungen Heinrichs, so z. B. die Übergabe einer Kreuzeslade an St. Eucharius in Trier (heute St. Matthias) zur Jahreswende 1207/08 und die Schenkung des Hauptes des hl. Pantaleon nach Köln am 11. 04. 1208, datieren erheblich früher als der Tod Philipps. Auch die Schenkung des Kernstücks, der Limburger Staurothek an das Augustinerinnenkloster Stuben, wo Heinrichs Schwester Irmgard Oberin war, erfolgte am 09. 08. 1208, also als Philipps Gemahlin Irene noch am Leben war. Auch die Belagerung der Burg Ulmen durch Werner von Bolanden setzte erst im Sommer des Jahres 1208 ein, also Monate nach den ersten Schenkungen.

Hans Wolfgang Kuhn versucht offenbar, Heinrich vom Vorwurf des Raubes freizusprechen. Er selbst schreibt:

"Immerhin erscheint Heinrich von Ulmen in einem wesentlich anderen Licht als früher."

Dies gelingt ihm nicht so recht, denn die frühen Schenkungen sind mit der gewissenhaften Ausführung eines möglichen Überbringerauftrages unvereinbar. Außerdem bleibt die Frage offen, warum die nach der Rettung Thessalonikes wiedererstarkten Besitzer der Heiligtümer, Margarethe von Ungarn und Demetrius, die Reliquien nicht zurückforderten. Der Unterstützung von Papst Innozenz III. hätten sie sicher sein können. Margarethe stand nach ihrer Rückkehr zur römischen Kirche unter seinem besonderen Schutz.

Keine der drei Theorien hält allen Fragen vollständig stand. Die "Überbringerthese" von Prof. Kuhn scheint jedoch die fundierteste zu sein.

Eine widerspruchsfreie Klärung der Frage, wie Heinrich von Ulmen zu den Reliquien kam, steht weiterhin aus.

Die Staurothek gelangte 1788 nach Aufhebung des Klosters Stuben in den Trierer Domschatz. Vor den französischen Revolutionsheeren wurde sie auf das rechte Rheinufer in Sicherheit gebracht. 1803 nahm sie der Herzog von Nassau in Besitz und schenkte sie 1824 dem Domschatz zu Limburg an der Lahn, wo sie sich heute noch befindet.

Dieses unschätzbare Kunstwerk führte seit 1208 zahlreiche Wallfahrer aus der Nähe und der Ferne dahin. In den drei Sommermonaten des ersten Jahres betrugen die milden Gaben über vierhalbhundert Goldgulden, eine damals gewiss bedeutende Summe.

Rückseite Staurothek

Auszug aus Rhein-Zeitung Nr. 127 von Pfingsten 2001-10-26

Staurothek kam nach Hause

Künstler Heinrich Moos feierte Geburtstag in der Klosterruine Stuben

BREMM. Die Ruine der Klosterkirche von Stuben hatte Heinrich Moos, Künstler und „Möchtegern-Müller" in der Obermühle bei Urmersbach, als ungewöhnlichen Ort für seine Geburtstagseinladung zum 70. gewählt.

Während der Renovierungsarbeiten der Obermühle hat sich Hildegard Moos-Heindrich eingehend mit der Historie ihres neuen Domizils befasst. In den Archiven stieß sie darauf, dass die Obermühle in der Eifel einst zum Kloster Stuben an der Mosel gehörte. Die spannende, nicht immer fromme Geschichte des Nonnenklosters der Augustinerinnen inspirierte das Künstler-Ehepaar, die große Familie und Freunde mit einer etwas anderen Geburtstagsfeier zu überraschen. Das Geburtstagskind stellte nämlich nicht sich selbst in den Mittelpunkt, sondern ein kostbares Werk sakraler Kunst, die Staurothek von Stuben.

Wie in einer Wallfahrt pilgerten die Gäste von Ediger-Eller zur Kirchenruine und führten eine Abbildung der berühmten Kreuzlade sozusagen nach Hause zurück. Das Original, ein Meisterwerk byzantinischer Gold-Emaille-Kunst, das sich heute im Dom zu Limburg befindet, kam bei einem Kreuzzug in Konstantinopel in den Besitz des Ritters Heinrich von Ulmen.

Im Jahr 1208 machte dieser dem Kloster Stuben den kostbaren Reliquienschrein in Form eines Doppelkreuzes zum Geschenk. Bis zum Ausbruch der Französischen Revolution 1789 blieb die Staurothek an der Mosel, wurde dann aber aus Sicherheitsgründen bei Nacht und Nebel nach Koblenz ins damalige Karmeliterkloster gebracht.

„Es ist, als hätten wir unsere Geburtstagswanderung nach Stuben mit den archäologischen Ausgräbern abgesprochen", freute sich Heinrich Moos. Er konnte seinen Gästen den ehemaligen Standort der Staurothek zeigen, der bei vor kurzem abgeschlossenen Grabungen ausgemacht wurde. **Brigitte Meier**

Eine Kopie der Limburger Staurothek, so werden Behälter eines Reliquiars vom Kreuze Christi genannt, brachte Heinrich Moos mit nach Stuben. Foto: Peter Barzen

Urmersbacher Obermühle

Die Anfänge der Obermühle gehen wohl auf die Zeit um 1000 zurück. Die Mühle ist im Zusammenhang mit dem Kloster Stuben genannt. Sie diente dem Mahlen von Korn. Das Wasser wurde oberhalb des Geländes vom Hauerbach (früher auch vom Urmersbach) durch einen etwa 300 Meter langen Obergraben auf das Oberschlechtige Mühlrad von 4,50 m geleitet.

Auszug aus der Übersetzung der Urkunde

„Zur Urmersbacher Obermühle"

von 1571

Aufzeichnung der (hobgis) Güter zu Urmersbach so dem würdigen Konvent zur Stuben angehörig Anno Dom. 1571 der Donnerstag vor der Geburt der Jungfrau Maria.

...

Hernach folgt Gerechtigkeit der Mühle. Item zum ersten der Mühle oben an dem Dorfe zu Urmersbach. Und hat ein Wehr zu ihr stürzt langs der Bach herauf bis an die Zeynwiese. Und untenzu vor der Mühle bis an die Gemeinde-Plätze. Und der Weier oben da das Mühlbüschelchen aufhört samt seinem Zubehör.

Gedenkstein für den Kaplan Quirinius Frietzen vom Kloster Stuben gestiftet

Inschrift:

DER CONVENT
HABEN DIES
GRABMAL AUFRICH-
TEN LASSEN
NICOLAY STUBA WIRD IHN
(DEN KAPLAN)
ACHTEN UND ER (WIRD)
EWIG FEHLEN
ANNO 1659

Aus Jahrbuch 1999
„Neefer Grabdenkmäler"
von F. J. Blümling

Die Kirche des Klosters Stuben war dem hl. Nikolaus geweiht. Als Hauptkirche für Neef stellte sie für den Ort den Kaplan. Dieser verrichtete Dienst in der Peterskapelle, die zeitweise nicht nur Pfarrkirche für Neef, sondern auch für die umliegenden Orte war. Visitationsberichte beanstanden massiv in jener kritischen Zeit, als die Menschen noch von den furchtbaren Geschehnissen des Dreißigjährigen Krieges geprägt waren, die Moral und das Nachlassen im christlichen Glauben der hiesigen Bevölkerung. Auch wird bemängelt, daß in der Peterskapelle nur noch an jedem dritten Sonntag die hl. Messe gelesen wurde, was zuvor allsonntäglich erfolgte.

Kaplan Frietzen ermahnte die Bürger zu einem Weg der Umkehr. Dazu hielt er auf einem Felsen auf dem Petersberg eine solch inbrünstige Predigt, daß er nicht merkte, wie er sich zu weit nach vorne begab. Er stürzte ab und verstarb noch am Unfallort.

Dorthin richtete das Kloster Stuben diesen Gedenkstein auf. Er wurde von dem Neefer Bürger Alfons Kreuter restauriert.

Stupa Stuben Stuppa

Der Name Stupa, bzw. Stuben (mlt. Stuba = heizbare Stube) bedeutet nach Ad. Bach im frühen Mittelalter ein kleines Haus, hier wohl schon zu beziehen auf das Burghaus des Egelolfs.

Die Stube

Klosterruine Stubben bei Bremm.

Die Verbreitung der Stube geht seit dem 12. Jahrhundert vom adeligen Wohnen aus, hat aber im Spätmittelalter vor allem die breite Masse der Bevölkerung in Stadt und Land zum Nutznießer. Sie ist eine der bedeutsamsten und folgenreichsten Erfindungen des Mittelalters für die europäische Wohnkultur, auf der die heutigen Wohnformen beruhen (K. Bedal). Die Stube ist einschließlich ihrer Raumdecke immer sorgfältig aus Holz gezimmert, gleichgültig, ob das betreffende Haus ein Holz- oder ein Steinbau ist. Hier - und umso mehr im bäuerlichen Wohnen - wird die Stube während der Heizperiode zum Mittelpunkt des häuslichen Lebens. In solchen Milieus drückt dies freilich, trotz der Fortschrittlichkeit der Stube, deren Wohnqualität. Gemessen an den verfeinerten Wohnformen ihrer Heimat, betrachten manche italienische Humanisten die Stube daher tendenziös als »eine Art Emblem der barbarisch-ungesitteten Lebensweise in Deutschland« (P. Amelung). In der Tat herrschen darin besonders dann beengte Verhältnisse, wenn die Stube abgesehen vom familiären Wohnen auch zur Kleinviehhaltung, zum Kochen, zum Arbeiten oder gegebenenfalls zum Feiern dient. Die Stube hat unter derartigen Bedingungen vor allem Öffentlichkeitscharakter. In den Pfarrhäusern, in der reichen Schicht des Bürgertums und beim Adel ist die Stube hingegen vorwiegend Rückzugsraum im Sinne von privater Abgeschiedenheit, Ruhe und Muse. Nur aus diesen gesellschaftlichen Bereichen sind ferner Unterscheidungen wie »große«, »obere«, »alte Stube« und ähnliches überliefert, die auf das Bestehen einer größeren Anzahl von Stuben je Haus hindeuten. Die Beheizung der Stube erfolgt durch einen massigen gemauerten Ofen, der meistens von einem Nebenraum aus beschickt wird (»Hinterladerofen«). Zur Förderung der Wärmeabgabe kann er mit einem Turm ausgestattet sein oder vorgewölbte bzw. eingetiefte Kacheln eingesetzt erhalten. Im 15. Jahrhundert treten in der Oberschicht bereits häufiger Öfen auf, die zur Gänze aus zumeist grün glasierten Bild- oder Reliefkacheln bestehen. Kachelöfen dieser Art sind damals aber noch reine Repräsentationsobjekte in Adelssitzen, Klöstern, Rathäusern und Kaufmannshäusern. Vereinzelt kommen im späten Mittelalter daneben Öfen auf, deren gemauerter Feuerraum mit verzierten Platten aus Gußeisen ummantelt ist.

Die Ordensregeln waren zwar streng - aber jede Konventualin hatte ihren eigenen beheizten Raum, eine "Stube" - woher der Name -, in der sie neben gemeinschaftlichem Chordienst und Essen ihr Eigenleben führen durfte.

Die Nonnen trugen ein weißes Kleid mit großem weißen Kragen, schwarzen Mantel, schwarzen Schleier und einem Rosenkranz am Gürtel.

Stuben: Stuppa. Um 1136 übergab Egelolf, ein reicher Edler, sein hiesiges Gut mit Burghaus und Kapelle dem Abte Richard von „Spranekirsbach“ zur Stiftung eines Frauenklosters, unter St. Augustins Regel, an dieser Stelle. Des Stifters Verwandte traten das, was sie gemeinschaftlich mit ihm daselbst besaßen, gleichfalls ab, theils als milde Gabe, theils durch Verkauf. In der Bestätigungsurkunde verordnet Erzbischof Albero, Legat des päbstlichen Stuhles, daß die Zahl der Schwestern nie über hundert Personen steigen sollte. Sie kamen gewöhnlich vor als „sorores de insula beati Nicolai in Stuppa.“ Der Erzbischof verlieh ihnen bedeutende Privilegien und Rechte. Bald aber belästigten die umwohnenden Ritter das Kloster. Unter dem Vorwande der vogteilichen Aufsicht lagerten sie sich wochenlang in dessen Höfe: namentlich die Herrn auf Arras. Es bedurfte vieler Mühe, sogar des Kirchenbannes, ihm endlich Ruhe zu verschaffen. Auch die Erzbischöfe Hillin, Arnold und Johann machten beträchtliche Geschenke an das Kloster. Ersterer gab demselben die von ihm erbaute Peterskapelle mit ihren Gefällen. Das berühmte, von Heinrich, Herr von Ulmen, für die St. Nikolauskirche mitgebrachte Sanktuar des heil. Kreuzes führte seit 1208 zahlreiche Wallfahrer aus der Nähe und Ferne dahin. In den drei Sommermonaten des ersten Jahres betrugen die milden Gaben über vierthalbhundert Goldgulden, eine gewiß damals bedeutende Summe. Auch die Herrn auf Monreal zeigten sich freigebig gegen das Kloster, am freigebigsten Ritter Carl von 1300 bis 1309. Erzbischof Balduin, als er um 1330 den angeordneten Arbeiten zur Erweiterung der gefahrvollen Uferpfade bei Stuben, Bremm und Neef persönlich nachsah, beschenkte dasselbe mit kostbarem Kirchengeräthe. Von der Grafschaft Sponheim hatte es die Berechtigung erhalten „mit vier Eseln uff den Walt Contal zu fahren und Brinholtz zu holen, umb eyne Tonne Heringe Gulde.“ Diese Fischart war aber im Laufe der Zeit zu theuer geworden und das Kloster leistete 1393 Verzicht auf jenes Behölzungsrecht. Auch kostete um diese Zeit nach der Limburger Chronik eine solche Tonne acht Gulden, während eine Kuh fünfthalb Gulden, das Malter Korn nur einen stand. Man rechnete aber damals den Gulden zu zwölf Groschen, den Groschen zu sechszehn Heller. Bei den ewigen Unruhen des fünfzehnten und der folgenden Jahrhunderte erging es dem Kloster oft übel. Schonung von Feindesseite fand um so weniger statt, als der Convent gemeinlich schon vor dem Sturme den Kirchenschatz in Sicherheit gebracht und sich entfernt hatte. Es mußten im Laufe der Zeit nothwendig Schulden über Schulden steigen, so wie, durch vielfachen Aufenthalt der Schwestern außerhalb der Zellen, die Ordenszucht erschlaffen. Egelolfs fromme, von so vielen Erzbischöfen geschirmte Stiftung, erfüllte ihre Bestimmung nicht mehr: Zeiten, Menschen und Sitten waren anders geworden. Mit weltlicher Lust schon allzusehr bekannt und von ihr gereizt, legte die Jungfrau hier, wie fast überall, Gelübde ab, deren Haltung ihr zu schwer wurde. Frivolität der Männer drang in die Clausuren und zerstörte sie endlich ganz. Leider gaben oft jene das Beispiel, welche es am wenigsten hätten geben sollen. Eine der trefflichsten Institutionen, das stille wohlthätige Zusammenleben und Zusammenwirken tugendhafter Frauen, sank in der öffentlichen Achtung, Gutes ging durch Schlimmes unter. Wie lange würden diese schöne Anstalten noch nützlich fortbestanden haben, wenn kräftige Arme überall den Zügel gefaßt und mit Ernst Anordnungen und Einrichtungen durchgeführt hätten, welche geänderte Staats- und Lebensverhältnisse nun einmal dringend heischten? Zu Stuben war mancher Unfug im Innern vorgefallen, öffentliche Mißbilligung sprach sich laut aus. Da verwandelte 1790 Churfürst Clemens Wenzeslaus, als die Zahl der Schwestern bereits auf sechs gesunken, das Kloster in ein freies Stift adeliger und bürgerlicher Jungfrauen: meistens Töchter verdienstvoller Beamten. Zu bestimmten Andachtsübungen verpflichtet, nur zu gewissen Zeiten an den Aufenthalt hier gebunden, lebten sie, bei hinreichendem Jahresgehalte, meistens außerhalb. So bestand das Stift vier Jahre bis zur Ankunft der Franzosen: mehrere Pensionsrückstände der Betheiligten wurden noch zuletzt in Paris liquidirt.

Die Ordensregeln des Heiligen Augustinus

1. Die Ausführung

Gemeinschaftsgeist: Zuerst, da ihr zu einer Gemeinschaft verbunden seid, müsst ihr einträchtig zusammen wohnen und nur ein Herz und eine Seele sein in Gott, und nichts sollt ihr euer eigen nennen, sondern alles soll euch gemeinsam sein:
Nahrung und Kleidung soll einer jeden von euch durch eure Oberin zugeteilt werden, aber nicht allen gleich, weil ihr nicht alle gleicher Gesundheit seid, sondern einer jeden nach ihrem Bedürfnisse. So lest ihr ja auch in der Apostelgeschichte, dass ihnen alles gemeinsam war, auch das dem einzelnen ausgeteilt wurde, was er nötig hatte.

Die in der Welt etwas besaßen, sollen, wenn sie in das Kloster eingetreten sind, gern sehen, das es gemeinsames Eigentum sei. Die aber nichts besaßen, sollen im Kloster nicht suchen, was sie draußen entbehren mussten, jedoch soll ihnen das gewährt werden, dessen sie bedürfen, mag auch ihre Armut, da sie noch in der Welt waren, nicht einmal das Notwendige gefunden haben. Sie sollen sich aber nun nicht deswegen glücklich schätzen, weil sie Nahrung und Kleidung erhalten, weil sie in der Welt nicht hätten haben können.

KLOSTER STUBBEN UND BREMM A. MOSEL

Auch sollen sie den Kopf nicht höher tragen, daß sie solchen zugestellt sind, denen sie sich in der Welt nicht hätten nähern dürfen, sondern sie sollen vielmehr das Herz nach oben richten und nicht das Irdische suchen, damit es nicht geschehe, dass die Klöster nur den Reichen und nicht den Armen heilsam seien, wenn in ihnen die Reichen demütig, die Armen aber hoffärtig werden. Hinwiederum sollen jene, die in der Welt in Ansehen standen, ihre Mitschwestern, die arm in diese heilige Gesellschaft gekommen sind, nicht gering schätzen. Sie sollen danach trachten, die Gemeinschaft mit armen Schwestern für größere Ehre zu halten als das Ansehen reicher Eltern. Sie sollen sich auch nicht stolz erheben, wenn sie von ihrem Vermögen zum Unterhalt der Gemeinde beigetragen haben, und aus dem Verzicht auf ihre Güter zugunsten des Klosters nicht mehr Nahrung für ihren Stolz ziehen als aus dem Genuß derselben in der Welt, denn jedes andere Laster tritt hervor in bösen Werken.
So lebt denn als ein Herz und eine Seele, und ehret eine in der andern Gott, dessen Tempel ihr geworden seid.

2. Gebet

Dem Gebet obliegt zur festgesetzten Zeit und Stunde. Im Oratorium tue keine etwas anderes, als was sich mit seiner Bestimmung und seinem Namen verträgt, damit nicht die, welche außer den festgelegten Stunden ihre freie Zeit dort im Gebet verbringen wollen, gestört werden.

3. Speise und Trank.

Haltet euren Leib in Zucht durch Fasten und Enthaltsamkeit in Speise und Trank, soviel die Gesundheit es gestattet. Wenn aber eine nicht fasten kann, so soll sie doch außer den Stunden der Mahlzeit keine Mahlzeit zu sich nehmen, es sei, sie wäre krank. Während der Mahlzeit höret bis zum Aufstehen ohne Störung die Lesung an, die gehalten wird, denn es soll nicht nur der Mund seine Nahrung empfangen, sondern auch das Ohr mit dem Worte Gottes gespeist werden. Und wenn solchen, die aus verfeinerter Lebenssitte ins Kloster gekommen , an Speise, Kleidung, Bettzeug und Wäsche etwas geboten wird, was den Kräftigeren und mithin Glücklicheren nicht gewährt wird, so sollen diese bedenken, wie viel jene bei der jetzigen Lebenshaltung schon von ihrer früheren weltlichen aufgeben mussten, wenn sie auch noch nicht zu der Bedürfnislosigkeit derer gebracht haben, die körperlich kräftiger sind.

4. Äußere Haltung

In eurem Gebaren sei nichts Auffälliges, und suchet nicht durch eure Kleidung, sondern durch eure Sitten zu gefallen. Euer Haar sei an keiner Stelle unbedeckt, weder aus Nachlässigkeit heraushängend noch auch mit Fleiß geordnet. Suchet mehr in der Gesellschaft eurer Schwestern als allein zu sein. Im Gehen und Stehen in eurer Haltung und allen Bewegungen vermeidet, was Ärgernis gibt, vielmehr sei alles eurem heiligen Berufe entsprechend. Beherrscht eure Augen so, dass sie niemals in ungeziemender Weise auf jemand gerichtet seien.

5. Zurechtweisung

Wenn ihr an einer eurer Schwestern den Beginn eines ungeziemenden Verkehrs bemerkt, so ermahnet sie ungesäumt, damit die Anfänge nicht weiter wachsen, sondern alsbald unterdrückt werden. Fällt sie nach der Ermahnung in ihren Fehler zurück, so verfahre die, welche es bemerkt hat, mit ihr, wie mit einer Verwundeten, die geheilt werden muss; zuvor jedoch mache sie eine oder andere Schwester aufmerksam, damit sie durch das Zeugnis zweier oder dreier überführt und mit der gebührenden Strenge bestraft werden könne.

Aber ehe man sie denen gegenüberstellt, von denen sie überführt werden soll, wenn sie leugnet, muss sie der Oberin allein vorgeführt werden, damit ihr Fehler, der vielleicht nach geheimer Ermahnung gebessert wird, nicht den anderen bekannt werde. Wenn sie ihren Fehler ableugnet, werde er ihr in Gegenwart aller vorgehalten und sie durch das Zeugnis zweier oder dreier überwiesen. Ist sie aber überführt, soll sie nach dem Spruch der Oberin oder des Bischofs sich zur Besserung einer Strafe unterziehen; sträubt sie sich dagegen, so soll sie aus eurer Gemeinschaft ausgeschlossen werden. Dieses geschieht nicht aus Härte, sondern aus Erbarmen, damit viele vor dem Verderben der Ansteckung bewahrt bleiben. Sollte aber eine Schwester so weit im Bösen vorangeschritten sein, heimlich von jemandem Briefe oder kleine Geschenke anzunehmen, so soll man ihr, wenn sie von selbst bekennt, verzeihen und für sie beten. Wenn sie aber über diesem Vergehen betroffen und desselben überführt wird, soll sie nach dem Urteil der Oberin oder des Bischofs strenger bestraft werden.

6. Kleidung

Eure Kleider sollen an einem Orte von einer, von zweien oder so vielen, als dazu nötig sind, besorgt und aufbewahrt werden, so das die Motten sie nicht verderben. Und wie ihr gespeist werdet, aus einer Küche, so sollt ihr gekleidet werden aus einer Kleiderkammer. Und soweit es sein kann, kümmert euch nicht darum, was man euch je nach den Jahreszeiten geben wird, noch auch darum, ob es das nämliche ist, was ihr abgelegt habt, oder ob es von einer anderen getragen ist, wenn nur keiner das Notwendige verweigert wird.

Wenn es unter euch zu Streit und Murren käme und eine sich beklagt, dass sie etwas Schlechteres empfangen habe, als sie abgelegt hatte, oder sich zu gut dünkt, das anzulegen, was zuvor einer anderen gut genug gewesen, so möget ihr daraus entnehmen, wie viel euch an dem Gewande der Heiligkeit des Herzens fehlt, da ihr Kleidung des Leibes streitet. Wenn man euch indessen aus Rücksicht für eure Schwachheit die nämliche Kleidung wieder gäbe, die ihr zuvor getragen habt, so haltet doch daran fest, dass die Kleider an gemeinsamen Ort unter gemeinsamer Obhut aufbewahrt werden, so das keine für sich etwas anfertige, weder Kleidung noch Bettzeug, noch Gürtel, noch Decke, noch Kopfhülle, sondern alle eure Arbeiten sollen für die Gemeinde verrichtet werden, und das mit größerer Sorgfalt und freudigerem Fleiße als wenn es für euch selbst geschehen würde.

7. Die Pflichten der Verwaltung

Diejenigen, denen die Verwaltung der Küchenvorräte, der Kleidung und der Bücher obliegt, sollen ihren Mitschwestern ohne Murren zu Diensten sein und nicht zögern, ihnen das Notwendige zu verabreichen.

8. Das fünfte Gebot

Streitigkeiten sollt ihr gar nicht haben oder doch so rasch als möglich beendigen, damit nicht der Zorn zu Hass werde und aus der Splitter einen Balken, aus der SEELE eine Mörderin mache. Denn es geht nicht nur die Männer an, wenn geschrieben steht: „Wer seinen Bruder hasst, ist ein Menschenmörder", sondern im männlichen Geschlecht, das Gott zuerst erschuf, hat auch das weibliche dies Gebot empfangen.

Und die ihrer Mitschwester nicht vergeben will, braucht keine Wirkung ihres Gebetes zu erhoffen. Die aber niemals um Verzeihung bitten will oder es nicht von Herzen tut, ist im Kloster nicht am Platze, wenn man sie auch nicht entlässt,

Gleichwohl sollt ihr deshalb den Herrn aller um Vergebung bitten, der weiss, mit welcher Liebe ihr auch jenen zugetan seid, die ihr vielleicht strenger bestraft habt, als recht ist.

Eure Liebe zueinander sei aber keine fleischliche, sondern eine geistliche.

9. Die Oberin

Eurer Oberin erweiset Ehre und Gehorsam wie einer Mutter, damit in ihr nicht Gott beleidigt werde, und mehr noch dem Priester, der Sorge für euch alle trägt.
Es ist eine Pflicht der Oberin, dafür zu sorgen, dass dieses alles beobachtet und eine Übertretung nicht leichthin übersehen, sondern bestraft und gebessert werde, so das sie alles, was über ihre Befugnis und Gewalt hinausgeht, dem Bischof sage, der die Aufsicht über euch hat.
Sie selbst aber halte sich für glücklich, nicht weil sie mit Macht euch regieren, sondern mit Liebe euch dienen kann. Vor den Menschen soll sie euch an Ehre vorgehen, vor Gott liege sie demütig euch zu Füssen. Allen sei sie ein Vorbild guter Werke. Sie weise die Unruhigen zurecht, tröste die Kleinmütigen; sie nehme sich der Schwachen an, sei geduldig mit allen.

Die Geschichte des Klosters von 1190 bis ins 16. Jahrhundert

1190	Einweihung der romanischen Kirche
1208	Heinrich v. Ulmen stiftet Stuben die Kreuzreliquie
1224	Erzbischof Theoderich bittet um milde Gaben, wegen Mangels an Nahrung
1245	Das Kloster vererbpachtet den Gebrüdern Sygenheim die Wingerte
1251	Graf v. Sponheim teilt die bisher gemeinschaftlichen Güter
1275	Es sollte eine neue Kapelle zur Aufbewahrung der Reliquie gebaut werden
1285	Guda, verkauft dem Convent Ihre Güter zu Poltersdorf
1310	Das Kloster Maria Laach verspricht dem Kloster Zins von einem Weinberg in Valwig
1316	Cuno von Bettingen gibt zur Stiftung seine Güter zu Ernst
1325	Graf von Virneburg überweisen dem Convent jährlich 20 Talente aus den Gütern zu Poltersdorf.
1339	Das Kloster erwirbt einen Zehnten von Güter in Neef, Bremm und Senheim
1332	Das Kloster kauft Wingerte zu Aldegund, Eller und Düngenheim
1346	Erzbischof Balduin setzt die Zahl der Klosterfrauen auf 30 herab
1351 -1387	Weinrenten zu St. Aldegund, Eller und Ellenz
1374	Kornrente zu Pollich
1374	Erzbischof Cuno gestattet Stuben an Kirmes den Weinzapf
1393	Graf zu Sponheim hebt das Recht auf, mit 4 Eseln, Brennholz aus dem Contelwald zu holen
1414	Das Kloster hat eine Rechnungsrevision
1506	Collation der Pfarrei Düngenheim
1512	Richard von Trier erteilt das Recht für eine Schiffmühle auf der Mosel bei Stuben.
1529	Das Kloster bekam das Recht, während der Fastenzeit Butter und Milchspeisen zu essen
1537	Jede Meisterin soll dem Convent 2 Fuder Wein aus der gemeinsamen Rente zur Steuer der Kleidung geben
1568	Der Abt. Caspar v. Springiersbach gestattet den Nonnen die freie Wahl eines Beichtvaters

'NEFE" (und auch "Stub") ist einer der wenigen auf dieser Landkarte aus dem Jahr 1540 eingezeichneten Orte am Moselfluß

Nach alten Moselbeschreibungen floss in früheren Jahrhunderten ein Arm der Mosel am Stubener Walde vorbei, so dass das Kloster auf einer Insel, Nikolausinsel genannt, stand. An dieser Stelle findet man heute noch bei Verarbeitung des Bodens Moselkies. Durch Hochwasser und andere Einflüsse hat sich hier das Gelände im Laufe der Jahrhunderte so verändert, dass heute von diesem Arm kaum mehr etwas zu merken ist.

Delkeskamp von 1841

Kloster Stuben.

Ruine um 1920

Rekonstruktion der Kirche

nach Klaus Dieter Kerckhoff

Grenzsteine aus Basalt von Kloster Stuben

Claustum **S**tuben

Stuben im Stadium der Auflösung im 18. Jahrhundert

von Ferdinand Pauly, aus dem Buch Springiersbach 1962

Die nach kirchlichen Regeln ähnliche Verfassung für Damenstifte in Kloster Stuben, für deren Beseitigung die Trierer Erzbischöfe eingetreten waren, wurde – mit allen Folgen für das klösterliche Leben – von den Konventen von einer Generation zur anderen verteidigt. Erst zu Anfang des 18. Jahrhunderts scheint unter der Meisterin Anna Elisabeth von Elter (1699-1724) das gemeinsame Dormitorium (klösterlicher Schlafsaal) eingerichtet worden zu sein. Im übrigen aber trat in der freien Lebensführung kaum eine Änderung ein. Die Aufsicht durch die Springiersbacher Äbte scheint äußerst nachlässig geführt worden zu sein und sich auf gelegentliche Besuche anläßlich von Einkleidungen und ähnlichen festlichen Gelegenheiten beschränkt zu haben.

Im Sommer 1762 hatte Abt Holtrop auf Anweisung des Erzbischofs Stuben visitiert und diesem Bericht erstattet. Es waren die altbekannten Dinge: Nachlässigkeit im Chordienst, häufige Abwesenheit zum Besuch der Angehörigen, Verletzungen der Klausurbestimmungen durch die Gäste, denen man überall Zutritt gewährte. Durch eine wenig gewissenhafte Wirtschaftsführung, die die Meisterin Maria Ferdinande von Maffey della Serra (1755-1785) ganz an sich genommen hatte, war der Konvent wirtschaftlich in Not und bei den Lieferanten der Umgebung in Verruf geraten. Der Erzbischof verfügte am 25. Juni 1762 eine Neuordnung der Wirtschaftsführung. Die Meisterin sollte dem Abt eine Angehörige des Konvents als Zellerarin vorschlagen; als Güterverwalter wurde der Hausgeistliche eingesetzt und angewiesen, alle ungeeigneten Dienstboten zu entlassen und durch andere zu ersetzen. Der Abt gab diese Anordnung am 25. Juni bekannt. Nach der Verlesung des Schriftstückes erhob sich die Meisterin, legte demonstrativ die Schlüssel auf den Tisch und erklärte, sie wolle unter diesen Umständen nicht länger regieren und protestiere gegen eine Anordnung, durch die ihre althergebrachten Rechte verletzt und ihre Person in höchster Weise beschimpft werde. Man gab ihr Bedenkzeit und erläuterte ausführlich den Sinn der einzelnen Artikel, worauf sie erklärte, bei ihrer Ablehnung bleiben zu müssen, und hinzufügte, wenn man sie zu zwingen versuche, so werde sie so lange warten, bis man es tue.

Auf den Bericht des Abtes an den Erzbischof räumte dieser der Meisterin am 27. Juli nochmals eine Woche Bedenkzeit ein, jedoch ohne Erfolg. Auch die Androhung der Suspension vom Amt führte nicht weiter; im Februar 1763 wurde sie wiederholt, blieb aber ohne Wirkung. Zum psychologischen Verständnis dieses Verhaltens tragen zwei Briefe der Priorin an den Erzbischof bei, aus denen hervorgeht, daß der Konvent der Meisterin gewohnheitsmäßig den Gehorsam verweigerte. Sie glaubte wohl, noch mehr an Autorität zu verlieren, wenn sie sich der Verordnung füge und damit vor dem Konvent eine offene Niederlage hinnehme. In dieser Haltung mußte sie bestärkt werden durch den Umstand, daß die Suspension trotz mehrmaliger Androhung nicht verhängt wurde.

In einem Schreiben des Erzbischofs an den Abt vom 18. März 1764 wird der fortschreitende Verfall in Stuben festgestellt. Die Anordnungen von 1762 sind nicht befolgt worden, und mittlerweile ist ein Zustand eingetreten, der die Existenz des Klosters in Frage stellt. Dennoch soll noch einmal der Versuch unternommen werden, den fast erloschenen Ordensgeist zu beleben, indem Exerzitien unter der Leitung eines Jesuiten aus dem Trierer Kolleg gehalten und dann neue Statuten eingeführt werden. Wie wenig Verständnis für die ernste Lage im Konvent vorhanden war, zeigt ein Brief der Priorin vom 15. April 1764 an den Erzbischof. Es heißt dort, während der Regierung der Meisterin Anna Ottilia von Ahr (1654-1698), als Stuben noch kein gemeinsames Dormitorium hatte, sei niemals Ärgernis entstanden, wenn eine Klosterfrau in ihrer Wohnung den Besuch wohlgesitteter Menschen empfing, sofern dies nicht abends nach der Komplet geschah. Die Beibehaltung eigener Wohnungen empfehle sich auch deshalb, weil man den Verwandten oder anderen Besuchern Tee oder Kaffee schlecht im Refektorium reichen könne; die eigene Wohnung werde auch benötigt zur ungestörten Aussprache mit den Angehörigen, um den Konvent gegen die Vorliebe der Meisterin für frei geistige Bücher zu schützen. Die Vermauerung der Eingänge zum Dormitorium sei gefährlich, weil in Zukunft ein viel größeres Ärgernis entstehen müsse, wenn ein Mann (auf einem anderen Wege) wie von ungefähr oder gar absichtlich das Dormitorium betrete. Schließlich wird sogar die freie Lebensweise mit den Gelübden begründet: "Diese Einrichtung haben wir vor unserem Eintritt allhier wahrgenommen, als ein besonderes Eygenthum beliebet, und mit dem geistlichen Kleyd dessen Gebrauch angenohmen, als wir das Genügen hatten, von Haus- und antverwandlichen Sachen insgeheim zu reden." Zum Schluß bittet die Priorin, die Reform noch etwas hinauszuschieben, weil sonst beim "gemeinen pöpel" der Verdacht bestätigt werde, der Konvent lebe in schändlichen Lastern. Diese Argumentation spricht für sich: Uneinsichtigkeit, verbunden mit einem erstaunlichen Schwinden der Fähigkeit zur Beurteilung der Situation! Der Konvent in Stuben stand in dieser Hinsicht nicht allein.

Erst der letzte Trierer Erzbischof Clemens Wenzeslaus von Sachsen (1768-1801) entschloß sich zu einer konsequenten Lösung. Der Aufgabe der Versorgung von Söhnen und Töchtern des Adels konnten diese Klöster auch dienen, wenn man sie in geistliche Ritter- oder Damenstifte umwandelte und so das Ärgernis einer gelobten und nicht gehaltenen Ordensregel beseitigte. Der Erzbischof hat zunächst mit Spezialdekreten für einzelne Klöster und dann 1789 mit einem Generaldekret für alle Abteien und Klöster des Bistums die Arbeit seiner Vorgänger an der Klosterreform fortgesetzt und nicht geringe Erfolge erzielt. Die Verhältnisse in Stuben, Springiersbach und Andernach dagegen erwiesen sich als nicht mehr reformierbar.

Eine in den Monaten Juli und August 1784 durch den Abt von Springiersbach im Auftrage des Erzbischofs durchgeführte Visitation ergab nicht nur einen desolaten Zustand der Vermögensverhältnisse; die Aufsässigkeit des Konvents gegen die Meisterin Maria Ferdinande von Maffey della Serra - der man bereits 1762 mit Absetzung gedroht hatte - machte ein klösterliches Leben unmöglich. Der Erzbischof setzte am 25. April 1785 den Springiersbacher Kanoniker Max von Dunckel zum Administrator ein und enthob die Meisterin ihres Amtes. Dunckel sollte vorläufig als Vermögensverwalter und als geistlicher Leiter des Konvents fungieren. Das Organisationsstatut für das Damenstift Stuben wurde 1787 erlassen:

Stuben soll den Namen Clemensstift führen und mit einer Äbtissin, sechs Kapitularinnen und zwei Extrakapitularinnen besetzt werden. Die Stiftsdamen tragen ein Medaillon, das auf der Vorderseite das Bild des heiligen Clemens auf goldenem Grund, auf der Rückseite den Namenszug des Erzbischofs auf blauem Grund zeigt. Die Kleidung ist schwarz. Aufgenommen werden ritterbürtige Mädchen aus dem Bereich der Reichsritterschaft Niederrhein, die wenigstens 15 Jahre alt sind; doch können Präbenden bereits nach Vollendung des 9. Lebensjahres verliehen werden. Die Stiftsdamen legen keine Gelübde ab, schwören aber, dem Erzbischof und ihrem Stift treu und hold zu sein. Der Austritt ist zu jeder Zeit möglich. Die Äbtissin, die wenigstens 30 Jahre alt sein und dem Stift seit 6 Jahren angehören muß, wird unter Vorsitz einer erzbischöflichen Kommission gewählt. Der Chordienst beginnt um 6 Uhr morgens; um 9 Uhr ist ein Hochamt mit deutschen Liedern zu halten, nachmittags eine Vesper; unter die Anwesenden wird ein kleines Präsenzgeld verteilt. Die Residenzpflicht beträgt 9 Monate im Jahre.

Die Vermögensverwaltung liegt in Händen eines erzbischöflichen Kommissars, der auch den Vorsitz bei der wöchentlichen Kapitelsversammlung und bei den Generalkapiteln am Tage vor dem Feste des heiligen Clemens (23. November) bzw. des heiligen Johannes des Täufers (24. Juni) führt. Stiftsdamen, die unentschuldigt fehlen, verlieren die halbe Präbende. Die Mitgliedschaft zum Stift kann nicht an andere resigniert werden; die Besetzung steht dem Erzbischof zu.

„ Auf die Innenseite des vorderen Deckels einer Stubener Choralhandschrift aus der Zeit um 1200 ist Ende des 16. oder Anfang des 17. Jahrhunderts – wohl von einem Hausgeistlichen oder einem Konventmitglied – der nachträglich wieder überklebte Vers geschrieben worden:

Danzen und springen
Mit jungen Gesellen ringen
Wer das dieses Klosters Orden (=Ordnung)
So wer manche Jungfrauw ein
andechtige gute Kloster Jungfrauw worden.

K.G.L.A.B.A.B. (Pfarrarchiv Ediger).

Ruine bei Nacht

Augustinerchorfrauenstift Stuben (b. Bremm)

Auszug aus Jahrbuch 2001, von Reinhold Schommers, St. Aldegund

Es war als solches durch eine Verordnung des Erzbischofs und Kurfürsten Clemens Wenzeslaus wegen unhaltbarer wirtschaftlicher und disziplinärer Verhältnisse 1790 in ein freies Damenstift umgewandelt worden. Die meisten Konventualinnen verblieben dort, doch wurde ihnen die kostbare Staurothek und der Kirchenschatz abgenommen, die konventseigenen Mobilien wurden öffentlich versteigert.

Das „ausgeschlachtete" Frauenstift St. Nicolaus von Stuben. Bleistiftzeichnung von Emily Twinings 8.7.1839.

Beim Einmarsch der Franzosen ins Moselland flüchteten die verbliebenen 11 Stiftsfräulein ins rechtsrheinische Gebiet, erhielten aber noch bis 1797 sporadisch einen Teil der für das Stift ausgesetzten Pensionen. Eine förmliche Aufhebung brauchte also nicht mehr stattzufinden.

Schnell zerfielen die Klostergebäude, nachdem die Altäre in die von dem Stift zu unterhaltenden Kirchen in Bremm, Urschmitt, Ernst, Gillenbeuren, Schmitt und Gappenach sowie auf den Petersberg über Neef und nach Eller, alles Arbeiten der Hoffmann-Nachfolge um 1625 und des etwas jüngeren Johannes Gros, verbracht worden waren. Die Güter umfassten ca. 200 ha Land, davon 2,5 ha Weinberge im „Frauenberg", von Neef und Bremm: Über die Zahl der Erbpächter liegen keine Unterlagen vor. Dazu kamen 8 Hofhäuser, 1 Kelterhaus und zwei Mühlen (Ellerbach und die Pachtmühle bei Urmersbach). Der Gesamterlös der Versteigerungen lag bei knapp 80000 Francs. Am Beispiel soll dargestellt werden, wie die Besitzstruktur aussah:

Unverkauft blieben folgende Güter, die nach 1816 von der preußischen Regierung verkauft wurden:

1. Garten, Ackerland und Wiesen rund um das Kloster, das an die Amortissementkasse (Zur Abtragung von Staatsschulden) ging.
2. Die „Insel Stuben" mit den teils ruinösen Klostergebäuden (Amortissementskasse), um 1820 zum Abbruch verkauft an den Bauunternehmer Mayntzer aus Eller.
3. Waldflächen am linken Moselufer gegenüber Neef (ca. 30 ha) (Amortissementskasse), das nach 1816 der Gemeinde Bremm übertragen und an Private verkauft wurde.
4. Ein "Beurener Hof" ohne nähere Angaben (an die Ehrenlegion).
5. Ackerland in Bullay (an die Domaine extraordinaire/Krondomaine)
6. Ackerland und Wiesen in Neef (teils Amortissentskasse, teils Domaine extraordinaire)

An Armeelieferanten als "Bezahlung" übertragen wurden:
Hof mit 10,5 ha Ackerland in Gappenach (Wert 7265 Francs)
Hof mit 10,6 ha Ackerland in Kehrig (Wert 5659 Francs)

Versteigerte Güter:

Faid: 6,6 ha Acker (2825 Francs)
Bremm: 3,3 ha Wiesen (5575 Francs!) Haus mit Obstwiese (835 Francs)
Wiese 0, 13 ha (48 5 Francs!!)
Weinberge 0,227 ha (1600 Francs)
Ediger: Haus mit Obstwiese (930 Francs) Weinberge 0,41 ha (1700 Francs)
Eller: Mühle mit 0,2 ha Land (2275 Francs) Haus mit Garten(1525Francs)
Weinberge 0,29 ha (775 Francs)
St. Aldegund: Kelterhaus (285 Francs)
Düngenheim: Hof mit 62,54 ha Land (27600 Francs!)
Urschmitt: Ländereien 84,88 ha (7460 Francs)
Neef: Haus mit 1,3 ha Wiesen (1670 Francs)
Weinberge 1,53 ha (10400 Francs)

Hauptsteigerer der Weinberge war der Kaufmann M. Andries aus St. Aldegund, zu dieser Zeit dort "Friedensrichter".

Man stellt fest, dass Häuser vergleichsweise preiswert, Wiesen im Moseltal aber besonders gefragt waren und die Bodenpreise zwischen Urschmitt und dem zum Maifeld hin gelegenen Düngenheim außerordentlich differierten.

Topographische Aufnahme rheinischer Gebiete durch französische Ingenieurgeographen unter Oberst Tranchot 1803-1813 und durch preußische Offiziere unter Generalmajor Frhr. V. Müffling 1816-1820 mit Ergänzungsblättern 1826-1828.

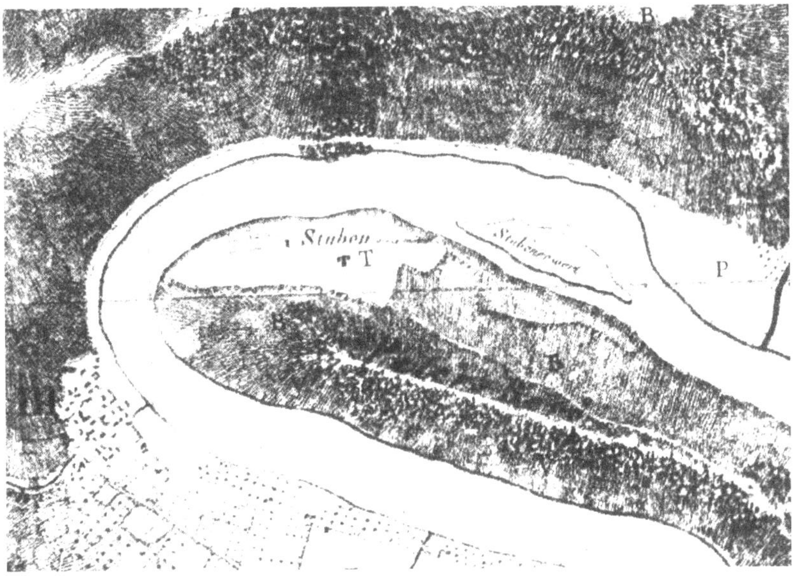

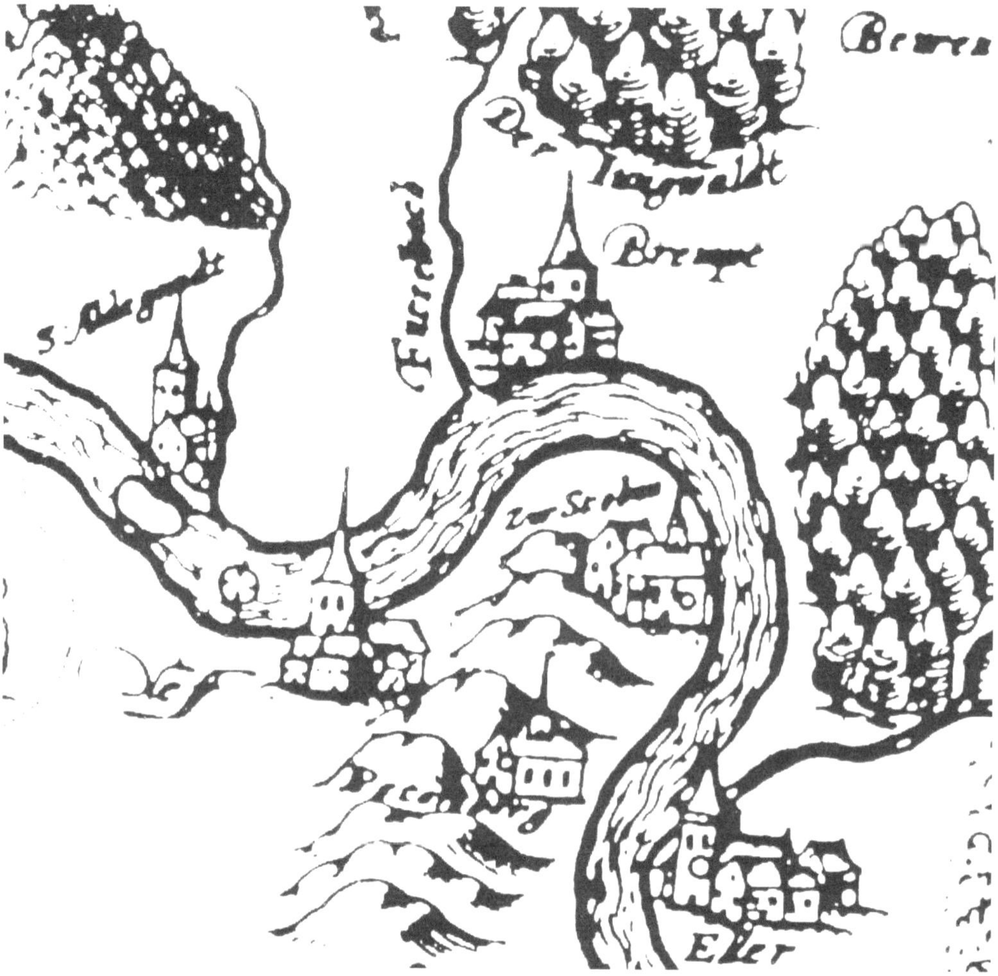

Landkarte aus dem 17. Jahrhundert

Maroldt Panorama 1841

Originalauszug aus dem Buch:

Geschichte des Erzstifts Trier

der Stadt Trier und des Trier. Landes,
als
Churfürstenthum und als Erzdiöcese,
von den
ältesten Zeiten bis zum Jahre 1816
von
Dr. J. Marx,
Professor der Kirchengeschichte und des Kirchenrechts am bischöflichen Seminar in Trier.
II. Abtheilung.

Enthaltend die Geschichte der Abteien, Klöster und Stifte.
Zweiter Band.
Die Stifte und Klöster.

Trier.
Verlag der Fr. Lintz'schen Buchhandlung.
1862.

Das adelige Frauenkloster Stuben an der Mosel [3]).

„Im Jahr Christi unseres Herrn Geburt 1138, da der glorwürdige Papst Innocentius der zweite, Conradus der dritte als römischer Kaiser regierten und Albero den erzbischöflichen Stuhl zu Trier besaß, dreißig ein Jahr nach Errichtung und Stiftung des adeligen Convents zu Springiersbach, unter der Regul der regulirten Chorherren sancti Augustini, dessen erster Abt Richard, ein Sohn Benignä, der ersteren Stifterin dieses adeligen Closters, ist unter jetzt gedachter Regul S. Augustini das adelige Gotteshaus zu Stuben folgender Maßen errichtet und gestiftet worden, unter heiliger und frommer Absicht und Anordnung Richardi des Abten zu Springiersbach, eines wegen guten Wandels und sonderbarer Weisheit gar fürtrefflichen Mannes, welcher ohne Zweifel eben der schon gemeldte erst Abt zu Springiersbach gewesen.

„Der Orth Stuben war für diesem eine Insel, die aber durch

---

[1]) Die betreffende Urkunde steht ebenfalls bei Honth. Tom. II. p. 604.

[2]) Vgl. Klein, das Moselthal, S. 257.

[3]) Eine Geschichte der Gründung dieses Klosters, geschöpft aus Browers und Masens Annalen, der Metropolis von Trier und Klosterbüchern von Stuben, ist 1773 auf Verlangen dem damaligen Propste zu Marienberg bei Boppard vom Kloster selbst eingeschickt und in das Confluvium histor. mont. B. M. V. Continuat. Tom. II. p. 817—842 aufgenommen worden. Diese Geschichte und Aktenstücke aus den achtziger und neunziger Jahren im Provinzialarchive zu Coblenz und im Domarchive zu Trier sind die Quellen, aus denen unsre Bearbeitung geschöpft wurde. Zugleich wurde benützt, was sich in Günthers Codex diplom., in Kleins Moselthal und bei Cäsarius von Heisterbach über das Kloster vorfindet.

den schnellen Lauf des Moselstromes allgemach das Wasser verloren und nicht weit von dem Dorfe Preimpt (Bremm) gelegen [1]). Der Herr oder Besitzer des Grundes war Egelolphus, ein gar reicher und sehr beguthheter Mann. Dieser hatte eine Tochter, deren Nahme Gisela, welche aus sonderbarer Andacht getrieben, ihre jungfräuliche Reinigkeit Gott gewidmet hatte, dessentwegen der fromme Vatter diese gute Meinung nicht weiter hindern wollen, sondern auf eifriges Verlangen seiner frommen Tochter ihr den Ort völlig überlassen und zugeeignet, gleichsam zu einer Uebungsschul der Frombkeit und jungfräulichen Keuschheit, zu dem End er den schon gedachten frommen Abt Richard zu einem Zucht- und Lebensmeister ausersehen und erwählet, unter dessen heiliger Unterweisung und Lebensregulen diese Jungfrau möchte unterrichtet werden und von ihrer zarten Jugend an erlernen ihren Beruff recht zu vollführen, sich um ihren himmlischen Bräutigam wohl verdient zu machen und ihm in Allem zu gefallen. Nachdeme nun Egelolphus alle Nothwendigkeiten, auch genugsames Geld und Güter zur Erbauung eines Jungfrauenklosters freiwillig hergegeben und dies Alles in kurzer Zeit zu sehr bequemlichem Stand gerichtet und angewendet worden, so hat man das damalige Gebäu mit sehr großem Fleiß des Abtes Richardi zum gewünschten End gebracht gesehen, daneben zugleich eine Kirche zu Ehren des h. Nicolai aufgerichtet gestanden. Zu derselben gleichen Zeit hat der Erzbischof Adalbero aus erzbischöflicher Gewalt nicht allein alles dieses gut geheischen, sondern auch die Fundation in vielen Stücken vermehrt und dem adeligen Convent zu Springiersbach die Sorge und Regierung über dieses neu erbaute adeliges Frauenkloster durch ein sonderliches Patent oder ausgefertigten Gewaltsbrief übertragen und dabei ausdrücklich verordnet, daß die darin unter der Regul des h. Augustinus versammlete und verbundene Chorfräulein und Laienschwestern die Zahl von hundert niemalen überschreiten sollten."

In der Bestätigungsurkunde des Erzbischofs Albero, die in einer alten deutschen Uebersetzung bei Günther (Cod. dipl. vol. I. p. 237 seqq.) abgedruckt ist, heißt es: „Derowegen thun wir allen gegenwärtigen und nachkomenen kundt und zu wissen, das ein frommer Leyman (christseliger gedächtnus) Egelolnus ein Haus mit einer Capellen, Weingarten und alles, was er an der Mosellen gehabt (zu

[1]) Bei Cäsarius von Heisterbach und in andern ältern Schriften kommt daher auch Stuben regelmäßig unter der Benennung insula s. Nicolai — Patron des Klosters — vor und der Convent der Jungfrauen unter dem Namen sorores de insula s. Nicolai in Stupa (Stuppa).

Heil seiner Seelen, auch seiner Hausfrauwen und Dochter Gysele, welche alle vergengliche Dingh verachtet und ihr einen unsterblichen Bräutigam nemlich Christum erwehlet) der Kirchen Sprenekirsbach gegeben, derogestalt, das an selbigem Ortt zur Ehrn Gottes ein Closter uferbawet werden solle, in welchem vorgemelte seine Dochter mit anderen Junffrawen oder Wittiben zu Verachtung aller weltlich Wollust armselig, dem armen Christo nachvolgen unter St. Augustini Regull und Regerung eines Abts zu Spranekirsbach in Ewigkeit dienen sollen."

Dem so gegründeten Kloster, dessen erste Vorsteherin die genannte Gisela geworden ist, müssen sehr bald bedeutende Schenkungen zugeflossen sein und ein zahlreicher Convent von Jungfrauen in Aussicht gestanden haben, daß Albero sich veranlaßt fand die Anordnung zu treffen, daß die Zahl der Jungfrauen hundert nicht übersteigen dürfe. Nach bei Günther abgedruckten Urkunden hat der Erzbischof Albero selbst (1140) dem Kloster die Kirche zu Neef und den Novalzehnten des Waldes Lare bei Dünchenheim geschenkt, hat der Erzbischof Johann I (1190 bis 1212) die Kirche zu Dünchenheim gegeben, Sibert, Ritter von Uelmen, den Smitthof bei Alflen und eine halbe Ohm Weinzins zu St. Aldegund (1295); dann hat Ritter Carl von Monreal Güter zu Poltersdorf geschenkt (1300), deren Nutznießung seiner Schwester Mechtild als Dote beim Eintritt in Stuben zugewiesen worden, und die nach deren Tode an ihn als Erben wieder zurückgefallen waren, jedoch so, daß für ihn und seine nächsten Angehörigen ein Anniversarium gehalten werden sollte. Außerdem haben die Grafen von Sponheim und Virneburg Güter dem Kloster geschenkt; Töchter aus den vornehmsten Adelsfamilien ließen sich zu Stuben den Schleier geben und beschenkten das Kloster beim Eintritt mit angemessenen Doten.

Aus dem Anfange des dreizehnten Jahrhunderts führt Cäsarius von Heisterbach uns eine Nonne zu Stuben vor, die sich durch eine besondre Verehrung des h. Johannes des Täufers und poetische Besingung seines Lobes ausgezeichnet hat. Irmgard, die damalige Meisterin zu Stuben, erzählte dem Cäsarius, diese Nonne, Hildegund mit Namen, habe sich nicht begnügt, an ihren Lieblingsheiligen zu denken, ihn durch Dienstleistungen und Gebete zu ehren, ihren Mitschwestern dessen Vorzüge zu preisen, sondern daß sie auch, um sein Andenken zu verewigen, seine Ankündigung, Geburt und die Freude seiner Eltern in Gedichten besungen habe; denn sie sei gelehrt gewesen und habe, was sie von des h. Johannes Heiligkeit gelesen, poetisch bearbeitet. Wenn dieselbe sich mit weltlichen Personen unterhielt, bat sie dieselben, ihre Söhne Johannes oder Zacharias, die Mädchen Elisabeth zu nennen [1]). Nicht wenig hat zur Celebrität dieses Klosters beigetragen das überaus kostbare Sanktuarium, welches 1208 Ritter Heinrich von Uelmen demselben geschenkt hat. „Mitteler Zeit, sagt die Geschichte des Klosters, da sich die christliche Potentaten in Europa vereiniget, einen Creutzzug gegen die Türken in's gelobte Land zu thun, das h. Grab ihnen wieder aus den Händen zu reißen, und dieselbe mit einem großen Kriegsheer zu Constantinopel angelangt, von deme damaligen griechischen Kaiser und Tyrannen Alexius aber, der seinem Bruder die Augen hatte ausstechen lassen und sich auf den Thron, mit Verstoßung des rechtmäßigen Kaisers, seines Bruders und dessen Erben, getrungen hatte, auf alle Weise in ihrem heiligen fürnehmen behindert worden, haben sie vor gut angesehen, den Tyrannen von dem Throne zu jagen und deshalb die Stadt Constantinopel zu belagern, welches auch einen so glücklichen Erfolg gehabt, daß sie die Stadt Constantinopel anno 1204 stürmender Hand eingenommen und alles darin geplündert, unter anderen ware die so weit berühmte sanct Sophiae Kirch, worin ein unglaublicher kostbarer Schatz von Heiligthümberen fürhanden, diese wurde aus heiligem Eifer ganz ausgeplündert, und seind durch diese Gelegenheit alle in gemeldter Kirchen vorhanden gewesenen Heiligthümber nachgehends theils in Italien, theils in Deutschland, Frankreich und andern Theilen des christlichen Europä mit großem Triumph und Frohlocken hinein gebracht worden. In dem christlichen europäischen Kriegsheer waren viele edele Ritter aus dem Trierischen Erzstifft, die hernach diesen heiligen Raub aus der sanct Sophien-Kirchen zu Constantinopel mit sich nacher Haus gebracht und damit die erzstifftlichen Trierischen Kirchen und Gotteshäuser reichlich beschenket, wie dan Henricus von Ulmen ein edler Ritter aus dem Trierischen Erzstifft das an der Stadt Trier gelegene Closter ad Sanctum Matthiam mit einem schönen Theil des h. Creutzes auf das Schönste eingefasset, desgleichen das Closter Laach mit eben einem solchen hochheiligen Theil beschenket, auch ein schönes Heiligthumb in das Collegiatstift zu (Münster-) Meinfeld verehret, so ist auch umb selbe Zeit von diesem geistlichen Raub des hochheiligen Creutzes nacher Mastricht in die Kirche des jungfräulichen Closters ad beatam Virginem sammt dem großen wunderthätigen Heiligthumb des Martyrers Demetrii kommen, so noch heut zu Tag allda zu sehen und zu verehren, unter allen anderen aber hat dieser fromme und fürtreffliche Held Henricus von Uelmen von den eroberten geistlichen Heiligthümbern der Kirchen auf der Insel sancti Nicolai (zu Stuben) ein ohnschätzbares Kleinod

[1]) Caesar. Heist. Dial. miracul. libr. VIII. cap. 50.

und einen gantz ohnvergleichlichen Schatz zugebracht und dasiges jungfräuliches Gotteshaus, welches man jetzt das adeliche Convent zu Stuben nennet, zu dessen ohnglaublicher Freude bereichert."

Sodann folgt die Beschreibung dieses merkwürdigen Sanktuariums, wie solche gegeben worden durch den Jesuiten Christoph Brower[1]) mit den griechischen Inschriften, die derselbe Jesuit mit Hilfe des gelehrten Herausgebers der Werke des h. Chrysostomus Fronto-Duc mit vieler Mühe entziffert hat. Brower sagt aber: „Das Sanktuarium besteht aber in einer Tafel, die mit großem Fleiß in wunderbarer Mannigfaltigkeit von Verzierungen ausgearbeitet ist, hat einen Deckel, belegt mit dünnen silbernen Blättchen und vergoldeten Metallscheibchen, ist hoch anderthalb Fuß und breit einen Fuß und drei Zoll, glänzet allenthalben von den ersten und kostbarsten Edelsteinen, die bald zu sieben einen Ring, bald zu neun einen römischen Fünfer[2]) bilden. In den Zwischenräumen dieser von den werthvollsten Edelsteinen gebildeten Figuren befinden sich die Bildnisse Christi des Erlösers, heiliger Engel und verschiedener Heiligen; auf den äußern Randseiten der Tafel selbst sind griechische Inschriften in jambischem Versmaße zu lesen, die wunderlich in einander verschlungen sind und die — wie schon gesagt — Brower und Fronto-Duc in gehörige Verbindung gebracht und in's Lateinische übertragen haben." Diese griechischen Jamben an den äußern Seiten der Tafel lauten aber in deutscher Sprache: „Keine Schönheit hatte, der am Holze gehangen; denn, obgleich er Gott war, litt er wie Menschenkinder. Ihn besonders ehrend hat Proëlpos Basilius künstlich fertigen lassen diese Tafel des Kreuzesholzes, an welchem ausgestreckt Er alles Geschaffene an sich gezogen hat. Doch Christus war gar schön von Angesicht; nur sterbend hatt' er Schöne nicht, hat aber dafür mein einst durch Sünde entstelltes Angesicht um so schöner geschmückt"[3]).

So die Inschrift an dem äußern Rande. Oeffnet man aber die kleinen Thürlein in dem Deckel, dann zeigt sich inwendig in wunderbarem Glanze ein Stück des h. Kreuzes, eingefaßt mit Scheibchen von purem Golde, mit Perlen, eichelförmig hervorragend, und Edelsteinen vom höchsten Werthe. Dieses Stück vom h. Kreuzesholze ist selbst in Form eines Kreuzes getheilt, hat in der geraden Linie etwas über 16

---

[1]) **Annales Trevir. Libr. XV. n.** 54—57.

[2]) In dieser Form 

[3]) Die griechischen Jamben (in großen und kleinen Buchstaben) und die lateinischen Verse, in welche die genannten Jesuiten die Inschrift übersetzt haben, befind sich bei Brower a. a. O. (**Tom. II. p.** 101.).

Zoll, in dem Querbälkchen 8½ Zoll, in der Dicke nahe zwei Zoll. Die Köpfe der Bälkchen, aus denen das Kreuz gebildet ist, sind mit den kostbarsten Edelsteinen besetzt; die Rückwand des Kreuzes aber ist vom feinsten Golde in erhabener Arbeit. Dieselbe hat ebenfalls von oben bis unten eine griechische Inschrift in jambischen Versen, die wir hier in deutscher Sprache geben.

„Gott, am Kreuzesholz erhöht, streckt seine Arme aus, uns durch dasselbe die Kraft des Lebens bringend. Constantinus und Romanus, die Beide damal das Zepter des Reiches führten, haben dieses Wunderwerk in Edelstein und Gold fassen lassen. Ehmal hat dies Kreuz, der Unterwelt Thore aufschließend, die Verstorbenen erlöst; jetzt bändigen die Fürsten, geschmückt mit ihm als Trophäe, den Uebermuth der Barbaren."

Doch dieses ist noch nicht der ganze Reichthum jenes Sanktuariums. An der Tafel, auf welcher das Kreuz befestigt ist, hangen rechts und links von den Seiten des Kreuzes silberne Kapseln, hier fünf und dort fünf, ablösbar; eine jede hat als Deckel ein künstlich gearbeitetes Blättchen, in welches mit griechischen Buchstaben die Namen der hh. Reliquien eingegraben sind, wie auch Namen und Bildnisse von heiligen Engeln. Nahe am Kreuze rückwärts befinden sich die vornehmsten Patrone der griechischen Kirche, geschmückt mit kostbaren Gewändern. In den fünf Kapseln links des Kreuzes befanden sich Reliquien von der Wiege Christi, von der Dornenkrone, von dem Schweißtuche Christi, von dem Schweißtuche der seligsten Jungfrau und von ihrem Gürtel; auf der rechten Seite aber in den fünf Kapseln von der Leinwand, in die Christus gehüllt gewesen, von dem Purpurmantel, von dem Schwamme bei der Kreuzigung, von dem Gürtel der Gottesgebärerin, Haare des h. Johannes des Täufers.

So weit die Beschreibung dieses kostbaren Sanktuariums bei Brower. Die Urkunde, welche der Ritter Heinrich über die Schenkung an das Kloster Stuben ausgestellt hat, ist von dem Vorabende des Laurentiusfestes des Jahres 1208 und findet sich abgedruckt bei Günther. Heinrich beginnt dieselbe mit den Worten: „Zu seinem Glücke besitzt irdische Schätze, wer vermittels derselben ewige zu gewinnen trachtet;" er nennt aber das Sanktuarium „einen Schatz, der weit über alle irdischen Besitzungen hinaus seinem Herzen immer der allerliebste" —; er schenkt den Schatz aber „zum Heile seiner Seele und der Seele seiner Gattin Irmgardis" —, und er schenkt ihn mit der Bedingung, daß derselbe von dem Kloster nie veräußert oder auch nur verpfändet werden solle[1]).

---

[1]) Siehe Günther, *Cod. dipl.* Vol. II. p. 90 et 91. Dieses Sanktuarium

Aus dem Jahre 1222 erzählt die Geschichte jenes Klosters folgende wunderbare Begebenheit, die sich mit einer der in jener Tafel enthaltenen Reliquien zugetragen hat. „Es war in selbigem Convent (zu Stuben) ein Mägdlein besessen, welches der höchste Feind auf die grausamste Art gleichsam zerrissen, es hat aber ein gewisser ehrbarer Priester das Behältniß, worin Dörner von der Krone Christi bewahrt, heimlich aus der Tafel genommen, und ohne daß es das Mägdlein wissen können, ihr auf das Haupt gesetzet, als der böse Feind dies so kostbare Pfand gespüret, hat er ganz entsetzlich angefangen zu heulen und zu wüthen, und da ihn die Umstehenden befragt, warum er dieses thäte, hat er gleich geantwortet, dasjenige, was auf dem Haupt des Allerhöchsten gewesen, dies quälet und peiniget mein Haupt, und ihr wollet noch wissen, warum ich so heule. Also haben die daselbst Gott gewidmeten Jungfrauen einen doppelten Nutzen gehabt aus dieser Antwort des höllischen Feindes, indem sie erstlich die Kraft und Wirkung der hh. Dörner Christi, so der böse Feind nicht lange mehr in der Person geblieben, sondern bald durch Berührung dieses großen Heiligthums und eifriges Gebet dieser regulirten Chorfräulein hat völlig abweichen müssen."

Diese heiligen Reliquien haben sehr bald zahlreiche Wallfahrer von nahe und ferne angezogen, die niemals unterlassen haben, der Klosterkirche ihre Opfergaben zu bringen. Töchter aus den vornehmsten Häusern des Trierischen Adels haben sich dort den Schleier geben lassen; diese Familien beschenkten das Kloster, mehre Erzbischöfe, Johann I, Hillin, Arnold und Balduin schenkten Güter, Kirchenschmuck, Gerechtsame; Balduin pflegte auf seinen Moselreisen nach Coblenz dort einzukehren; Kaiser Maximilian I hat dort anderthalb Tag verweilt, um dem h. Nicolaus seine Verehrung darzubringen. Die Besitzungen und Gerechtsamen des Klosters waren größtentheils in der Nähe an der Mosel gelegen, zu Aldegund, Bremm, Clotten, Colligs, Cochem, Dünchenheim, Ediger, Eller, Ober- und Niederernst, Gappenach, Girsenach, Kerig, Klidding, Urschmitt, Reef, Poltersdorf, Senheim, Schmitt. Gemäß der Aufstellung des Vermögensstandes bei der Visitation im Jahre 1784 betrugen die jährlichen Einkünfte — an Geld 174 Thlr., zwischen 40 und 50 Fuder Wein, zwischen 310 und 320 Malter Früchte nebst Brandholz, jede 30 Jahre für 500 Thlr.,

(Reliquienkästchen) befindet sich jetzt, wie viele der ehmaligen Kostbarkeiten der Trierischen Kirche, in dem Dome zu Limburg a. d. L. und hat von Herrn Domvicar Ibach daselbst eine recht lehrreiche archäologisch-artistische Beschreibung erhalten, die in dem II. Hefte der „Mittheilungen des historisch-archäolog. Vereins der Diöcese Trier" abgedruckt ist.

70 bis 80 Wagen Heu, im Ganzen — in Geld gerechnet — 4000 Thlr. Schulden waren nur c. 2800 Thlr. vorhanden.

Die Reihenfolge der Meisterinnen zu Stuben ist mangelhaft aufgezeichnet, aus der ältesten Zeit des Klosters ganz unbekannt. Nebst der ersten Meisterin Gisela, Tochter des Stifters, und der Irmgard, die gelegentlich aus dem Anfange des dreizehnten Jahrhunderts bei Cäsarius von Heisterbach genannt ist, kennen wir keine bis auf Sophia von Nickenig, die 1506 gestorben ist. Ihr folgten Catharina von Neuerburg († 1523), Johanna, Anna und Maria von Nickenig, Franziska von Metzenhausen, Maria von Zandt, Margaretha von Metternich, Margaretha Kratz von Scharfenstein († 1654), Odilia Anna von Ahr, eine ausgezeichnete Meisterin, welche Kirche (von der jetzt die Ruinen noch zu sehen sind) und Kloster 1685 neu gebaut hat, und 1698 im 87. Jahre ihres Alters, dem 70. ihrer Profeß und dem 44. ihres Regimentes gestorben ist; Anna Elisabeth von Elter († 1725), Anna Margaretha von Wolfskeel († 1727), Anna Odil. Clara Beissel von Gymnich, die 13 Jahre dem Kloster in geistlichen und weltlichen Dingen gut vorgestanden hat († 1739), Maria Carolina von Eltz Rodendorf († 1755), Maria Ferdinandina Freyin von Maffei de la Serra.

Aus dem innern Leben im Kloster ist uns wenig in Schriften aufbewahrt; in den achtziger Jahren des verflossenen Jahrhunderts war Ordnung und religiöses Leben entschwunden. Nach den Visitationsberichten über alle Klöster des Erzstiftes in den achtziger Jahren war in den Frauenklöstern die Disciplin noch wohl erhalten mit Ausnahme von Machern (unterhalb Zeltingen an der Mosel) und Stuben; zu Stuben aber stand es am schlimmsten. Schon vor der allgemeinen Visitation, die 1784 begonnen, hat der Churfürst Clemens Wenceslaus durch das Generalvicariat dem Abte von Springiersbach als dem Ordensobern von Stuben die Weisung gegeben, die beim Eingange befindlichen Gänge auf das Dormitorium binnen vier Wochen unfehlbar schließen zu lassen, wie auch daß weder Fremden noch Verwandten der Nonnen jemalen zu gestatten sei, auf das Dormitorium zu gehen, unter schärffster Ahndung des Dawiderhandelns. Auch habe der Abt ferner die öftern Spaziergänge der Fräulein zu ihren Anverwandten nicht nachzusehen, sondern sie auf §. 6 der „Verordnungen" [1]) zu

[1]) Es ist damit gemeint §. 6 der Verord. vom Jahr 1779, wonach nur aus sehr erheblichen Ursachen ein solcher Besuch bei Verwandten zu gestatten, wo diese Ursachen dem Generalvicariat zu Trier oder dem Official zu Coblenz vorzulegen sind, und es von dem Ermessen dieser Behörden abhangen soll, ob das Gesuch zu gewähren oder nicht. Blattau, Statuta vol. V. p. 254.

verweisen. Als aber 1784 eine allgemeine Visitation aller Klöster durch Commissarien des Churfürsten abgehalten wurde, befand sich das innere Leben zu Stuben in einem solchen Verfall, daß man ernstlich daran dachte, das Kloster in ein Damenstift umzuwandeln oder zu säcularisiren, Kloster und Einkünfte zu einem domus emeritorum und demeritorum zu verwenden. Meisterin war damal noch die oben angegebene Ferdin. von Maffei; der Convent bestand aus der Priorin Maria Anna von Berg zu Dörfenthal und den Fräulein Franzisca und Antonetta von Breiten-Landenberg, Reg. Mechtild von Zandt zu Merl, Frieder. Juliana Göler von Ravensberg, Maria Theresia von Sohlern zu Lorch, Maria Cathar. von Tünzlern von Leoberg, Eleonora von Boineburg zu Lengsfeld und Augusta von Coeweldt. Die Meisterin aber war völlig außer Stande, sich und andre zu beherrschen, durch ihren launenhaften Charakter ganz untauglich, ein Kloster zu regieren; die Fräulein, die ihr schmeichelten, durften thun, was sie wollten, die sich daher auch Alles erlaubten; den andern dagegen versagte sie Alles, auch das Billigste, schalt und schimpfte sie in roher Weise und ließ ihnen, wenn sie krank waren, nicht Krankenkost reichen. Dadurch wurden jene verwöhnt, übermüthig, ausgelassen, diese aber erbittert, nicht allein gegen die Meisterin, sondern auch gegen die so willkürlich und launenhaft bevorzugten Mitschwestern. Die gegenseitige Erbitterung machte sich in harten Vorwürfen und Schmähungen Luft, so oft die Schwestern zusammentrafen, so daß, nach deren eigenen Geständnissen, das Zusammenleben für sie eine schreckliche Qual war, Einzelne daran zu verzweifeln anfingen, daß sie dort ihr Seelenheil retten könnten. Bei dieser allgemeinen Erbitterung der Gemüther, in welche alle Schwestern hereingezogen worden waren, befand sich keine im Kloster, die etwa, an die Stelle der Meisterin gesetzt, im Stande gewesen wäre, Zucht, Ordnung und Frieden wieder herzustellen. Dadurch war Stuben zu verrufen, als daß auch aus einem andern Kloster eine Nonne sich als Meisterin dorthin hätte setzen lassen. Der Visitator machte daher den Vorschlag, das Kloster in ein „freies Stift" umzuwandeln. Allein man hätte dagegen erwidern können, was der Umwandlung eines Benediktinerklosters, in welchem die Disciplin in Verfall gerathen war, in ein Stift, entgegengehalten wurde: ein verkommener Mönch wird kein guter Canonicus. Das Officialat zu Trier dagegen gab das Gutachten ab, besser sei, das Kloster zu säcularisiren und die Einkünfte zu verwenden zu einem domus e- und demeritorum clericorum, deren eines zu errichten längst der Wunsch des Churfürsten gewesen sei. Die betreffenden Verhandlungen zogen sich durch mehre Jahre, während deß der Churfürst immer noch das Kloster erhalten zu können hoffte. Unter dem 18. Juni 1787 schreibt der Churfürst, er habe bisher von seiner Sorgfalt zur Beilegung der langwierigen Feindseligkeiten und Wiederherstellung der Eintracht sowohl als zum Aufkommen des verfallenen Oekonomiewesens in dem adeligen Gotteshause Stuben keine entsprechende Früchte ersehen können. Geistlicher Rath von Pidoll erhält daher den Auftrag, nochmal den Vermögensstand des Klosters genau zu untersuchen und zu begutachten, wieviel einer Klosterfrau für Kost und Unterhalt jährlich verabfolgt und die Verwaltung der Güter künftig eingerichtet werden könne, endlich sämmtlichen Fräulein die Auswahl eines Klosters frei zu stellen, worin sie durch bessere Beispiele der Tugend aufgemuntert ihrem Berufe in stiller Ruhe und Zufriedenheit pünktlich nachkommen möchten. Endlich aber wurde Stuben 1788 zu einem Stifte umgewandelt und unter die Verwaltung eines Commissarius, des geistlichen Raths Arnoldi, gestellt.

Bei dem Einrücken der Franzosen in das Trierische Land sind die Fräulein wie fast alle Mitglieder geistlicher Genossenschaften geflüchtet; bei der Umwandlung von Stuben in ein Stift war jeder eine jährliche Pension von 450 Flor. ausgesetzt worden; seit 1797 aber konnten die Pensionen nicht ausgezahlt werden, da die französische Regierung angeordnet hatte, daß die auf dem rechten Rheinufer befindlichen Ordensleute keinen Antheil an den links-rheinischen Revenüen haben sollten und Stuben auf der rechten Rheinseite keine Besitzungen hatte. Fräulein von Boineburg, in Fuld seßhaft, wandte sich für mehre Mitschwestern an den Churfürsten um die Erlaubniß, das von Stuben nach Hanau geflüchtete Silber verkaufen zu dürfen, um nicht Noth leiden zu müssen. Später gingen auch klägliche Schreiben ein von Fräulein von Wewelt aus Wien, Fräulein von Berg (im Thal Ehrenbreitstein).

Bei der Umwandlung dieses Klosters in ein freies Stift ist das oben beschriebene kostbare Sanktuarium in den Schatz der Trierischen Kirche gekommen, ist beim Einrücken der Franzosen auf die rechte Rheinseite geflüchtet worden; den geflüchteten Schatz hat danach der Herzog von Nassau an sich gezogen, denselben aber bei Errichtung des Bisthums Limburg 1827 der dortigen Domkirche geschenkt.

Veräußerung der Klostergüter

Bei Übernahme durch die Franzosen hatte das Kloster Besitzungen in Eller, Ediger, Neef, Bremm, Poltersdorf, St. Aldegund, Düngenheim, Eulgem, Gameln, Schmitt, Alflen, Urschmitt, welche für 79882 Francs versteigert wurden; die Wiesen, Gärten und Acker in der Nähe des Klosters, das heutige sogenannte "Stubener Land", wurden verpachtet mit Ausnahme des Stubener Waldes. Als im Jahre 1815 die Rheinprovinz zu Preußen kam, wurde das ganze Gut eine Preußische Domäne. Der letzte Pachtvertrag, nach dem die Güter auf 3,6 und 9 Jahre verpachtet waren, ist datiert vom 21. März 1815. Die letzten Pächter waren Johann Peter Friedrichs und Peter Bartholomäus Gietzen in Eller. Als Bürge hat unterzeichnet Anton Schneck in Zell. Der Flächeninhalt des Gutes betrug 4,1/2 Hektar und die Pachtsumme 186 Thaler 9 Sgr. = 558,90 Mark. Es standen noch 299 Obst- und Nussbäume darauf. Durch Verordnung des königlichen Finanzministeriums zu Berlin vom 7. April 1819 mussten die Domänen-Grundstücke im Regierungsbezirk Koblenz veräußert werden. Das Gut beim Kloster Stuben wurde am 10. Juli 1820 in Zell, weil Bremm, Eller und Ediger damals zum Amt Zell gehörten, versteigert für 7300 Thaler (21900 Mark).

Vor den französischen Revolutionsheeren flohen die letzten Stubener Klosterschwestern mit dem letzten Trierer Kurfürsten Clemens Wenzeslaus auf das rechte Rheinufer. Das Frauenkloster auf der Moselinsel bei Bremm wurde später versteigert und die Gebäude abgebrochen. Heute künden nur mehr die Ruinen der Klosterkirche mit ihren leeren Fensterhöhlen von der einst blühenden Stätte christlicher Tugend und Kunst in unserer Heimat. Auch die Stubener Nachtigallen packte das Grauen vor so viel Zerstörung und irdischen Vergehens. Sie zerstreuten sich in die weiten Wälder des Trierer Landes. Nur Raubvögel und Krähen kreisen heute über der Stubener Klosterruine und schreien heiser auf, so ein Wanderer sich dem zerfallenden Gemäuer naht. Aber in lauen Frühlingsnächten, wenn in den steilen Moselwingerten die Rebstöcke heimlich blühen, kehren zuweilen einige Nachtigallen nach Stuben zurück. Sie schlagen und trillern ein paar Stunden ringsum der ragenden Ruine so wund und weh, als schluchzten und weinten sie um ein verlorenes Glück. Dann tropfen frühmorgens ihre Tränen von den feuchten Uferweiden.

Ferdinand Pauly: Aus der Geschichte des Bistums Trier
Erster Teil: Von der spätrömischen Zeit bis zum 12. Jahrhundert
Im Selbstverlag des Bistumsarchivs Trier 1968
(Professor Dr. Pauly stammt aus Senheim)

DAS AUGUSTINER-FRAUENKLOSTER IN STUBEN

Als in den 20er und 30er Jahren dieses Jahrhunderts die Moseldampfer mit ihren breiten Radkästen im Sommer noch täglich auf der Mosel zwischen Koblenz und Trier verkehrten, war Stuben bekannt als eines der landschaftlichen Kleinode, in denen die Moselreisenden sich erfreuten. Wenn das Schiff, von Alf kommend, die enge Moselschleife bei Bremm umfuhr, tauchte rechter Hand zwischen den Weinbergen, Gärten und Wiesen der weit in den Fluß sich vorschiebende Talaue die Ruine der Klosterkirche von Stuben auf, zunächst nur in ihrer schmalen Front erkennbar, dann aber, wenn das Schiff das Ende der Moselschleife erreichte, dem Auge sich in ihrer vielfenstrigen Breite darbietend. Die Fremden, die einen Urlaub an der damals noch so stillen Mosel mit einer Fahrt auf dem Fluß verbanden, schlugen die gefalteten buntgedruckten Moselkarten auf - oder sie wandten sich an einen, der wie ein Einheimischer aussah - und erfuhren: Das ist Stuben, ein ehemaliges Frauenkloster, das zur Zeit der

Französischen Revolution aufgehoben wurde. Die Klostergebäude wurden abgebrochen, ihre Steine als Baumaterial verwendet, und so wäre es schließlich auch mit der ohne Dach der Witterung preisgegebenen Ruine der Kirche gegangen, wenn nicht die Staatliche Denkmalpflege eingegriffen hätte.

Die Geschichte von Stuben beginnt einige Jahre, vor 1137. Ein gewisser Egelolf übergab dem Abt Richard von Springiersbach seinen Hof mit Weinbergen und einer Kapelle in Stuben mit dem Wunsch, es solle dort ein Kloster entstehen, in welchem seine Tochter Gisela zusammen mit Jungfrauen oder Witwen "in Armut dem armen Christus" nach der Regel des heiligen Augustinus und unter der Oberleitung des Abtes von Springiersbach nachfolgen könnten.

Richard von Springiersbach stimmte dem Plan zu. Was in Stuben von den Verwandten Egelolfs und dessen Frau an Erbansprüchen etwa geltend gemacht werden konnte, löste er durch Kauf ab und begann dann mit dem Bau der Klostergebäude.
Er ging dabei so vor, daß er das Hofhaus Egelolfs in entsprechender Weise erweiterte. Die Kapelle des heiligen Nikolaus konnte für den Gottesdienst des zunächst kleinen Konvents, der in ihr das Chorgebet hielt, übernommen werden. Der Trierer Erzbischof Albero bestätigte 1137 die Umwandlung des Hofs in ein Kloster, das er in seinen Schutz nahm. Aufgrund der Erfahrungen mit dem 1127/28 in Andernach gegründeten Springiersbacher Frauenkloster, zu dem die unverheirateten Töchter des Adels sich drängten, setzte der Erzbischof für Stuben die Zahl der aufzunehmenden Schwestern auf höchstens 100 fest.

Diese Anordnung ist höchst aufschlußreich. Der Hof Egelolfs mit seinen Weinbergen reichte zum Lebensunterhalt für 100 Personen in keiner Weise aus. Anderseits aber ließ die Entwicklung in den Springiersbacher Klöstern Lonnig und Andernach bis zum Jahr 1137 erkennen, wie groß die aufgestaute Bereitschaft zu einem klösterlichen Leben selbst unter ärmlichsten Verhältnissen war, sobald unverheirateten Frauen und Witwen die Möglichkeit geboten wurde, sich zu religiösen Gemeinschaften zusammenzuschließen. Diese Tatsache ist ein untrügliches Kennzeichen für den Ernst und die Entschlossenheit, das in Springiersbach proklamierte Ideal, "in Armut dem armen Christus nachzufolgen", aufzugreifen und zu verwirklichen.

Erzbischof Albero schenkte im Jahr 1140 den Schwestern auf der Insel des heiligen Nikolaus "in Stuppa" die ihm vom Pfalzgrafen Wilhelm überlassenen Einkünfte der Filialkirche im Nachbarort Neef und den Zehnten von den Feldern, die durch Rodung im Bischofswald Lare bei Düngenheim in der Nähe von Kaisersesch entstanden waren. Vor seinem Tod erwarb Richard von Springiersbach (+1158) von der Pramonstratenserabtei Arnstein an der Lahn für 80 Pfund Silber deren Güter in Neef und Bremm, die Graf Ludwig von Arnstein der von ihm gestifteten Abtei Arnstein geschenkt hatte. Die Nachfolger des Erzbischofs Albero, Hillin (1152-1169) und Arnold (1169-1183), bedachten Stuben ebenfalls mit Schenkungen, zu denen unter anderem das Patronatsrecht und die Einkünfte der Filialkirche in Urschmitt gehörten. Erzbischof Johann von Trier (1189-1212) fügte das Patronatsrecht und die Einkünfte der Filialkirche in Düngenheim hinzu.

Erzbischof Johann weihte im Jahr 1190 die inzwischen an der Stelle der Kapelle von 1137 entstandene neue Klosterkirche von Stuben ein. Aus späteren Nachrichten ist zu entnehmen, daß ein grundlegender Neubau der Wohn- und Wirtschaftsgebäude im Sinn einer um einen Kreuzgang gruppierten Klosteranlage nicht errichtet wurde. Man blieb bei dem von Richard von Springiersbach vor 1137 vorgenommenen Ausbau des Hofs Egelolfs, an den die erforderlichen Nebengebäuden angefügt wurden. Die Kirche des 12. Jahrhunderts wurde Ende des 17. Jahrhunderts durch einen größeren Neubau im Stil der nachwirkenden Spätgotik ersetzt. Die Ruine dieser Kirche ist als einziges der Gebäude des Klosters erhalten.

Mit guten Gründen darf man annehmen, daß nach der im Jahr 1137 juristisch, abgeschlossenen Gründung von Stuben Gisela, die Tochter des Stifters Egelolf, als Meisterin die Leitung des Frauenkonvents übernommen hat. Die Urkunde von 1137 enthält zwar keine näheren Einzelheiten über die der Zeit entsprechende standesrechtliche Einordnung Egelolfs, doch darf man ihn wohl der Schicht des niederen Adels zuweisen. Die Entwicklung des Stubener Konvents bis zum Anfang des 13. Jahrhunderts läßt keinen Zweifel daran, daß die Adelsfamilien in den Orten an der Mosel und in der näheren Eifel Stuben als ihr Kloster betrachteten.

Das wird klar in der Gestalt der Meisterin Irmingard von Ulmen, die in Urkunden von 1208 bis 1253 bezeugt ist. Die Herren von Ulmen, die später als Edelfreie galten, gehörten im 12. Jahrhundert zu den Reichsdienstmannen. Heinrich von Ulmen nahm am vierten Kreuzzug teil, der infolge der Verquickung religiöser und politischer Ziele zu einem höchst zweifelhaften Unternehmen wurde. Das Heer der Kreuzfahrer, das nach Palästina gehen sollte, wurde zunächst zur Eroberung von Konstantinopel, der Hauptstadt der Restgebiete des christlichen oströmischen Reichs, eingesetzt. Bei der Eroberung von Konstantinopel im Jahr 1204 kam es zu einer äußerst beklagenswerten Plünderung auch der Kirchen der Stadt. Die Kreuzfahrer stürzten sich auf die kostbar gefaßten Reliquien. Heinrich von Ulmen erbeutete ein kunstgeschichtlich unschätzbares Kreuzreliquiar, das er nach der Rückkehr vom Kreuzzug dem Frauenkloster Stuben schenkte, wo seine Schwester Irmingard als Meisterin den Konvent leitete. Dieses Kreuzreliquiar wurde in Stuben als Heiligtum bis zum Ende des 18. Jahrhunderts gehütet. Es kam dann in den Trierer Domschatz und wurde im Jahr 1794, als die Invasion französischer Revolutionstruppen bevorstand, zusammen mit dem Trierer Domschatz in das Gebiet des Bistums rechts des Rheins verbracht, dort aber 1803 vom Landesherrn beschlagnahmt und schließlich dem 1827 errichteten Bistum Limburg zusammen mit anderen Stücken des Trierer Domschatzes geschenkt.

Wie in den anderen Springiersbacher Frauenklöstern wirkten auch in Stuben Kanoniker aus Springiersbach, die den Titel eines Priors führten, als Seelsorger und Güterverwalter. Neben ihnen und dem Konvent findet man im 13. und 14. Jahrhundert einzelne Männer und Frauen, die als Laienbrüder beziehungsweise als Beginen zum äußeren Kreis der Klostergemeinschaft gehörten und in verschiedenen Funktionen tätig waren. Aus dieser Zeit liegen aber auch Zeugnisse dafür vor, daß der Zustrom nach Stuben nachließ und in der strengen Lebensführung jene Lockerungen eintraten, wie sie aus St. Thomas in Andernach und aus Schönstatt bekannt sind. In der zweiten Hälfte des 13. Jahrhunderts hatte der Konvent noch 64 Mitglieder. Die Zahl ging dann innerhalb einiger Jahrzehnte auf 40 zurück; Erzbischof Balduin (1307-1354) setzte sie auf 30 herab. Die Entwicklung der Erträge der Klosterhöfe mag dazu beigetragen haben, wohl aber auch der Umstand, daß bei höheren Ansprüchen in die Lebensführung seitens des adeligen Konvents die Einkünfte für eine größere Zahl von Konventsmitgliedern nicht mehr ausreichten. Die Durchbrechung des Gelübdes der persönlichen Armut ergibt sich für das 14. Jahrhundert daraus, daß Konventsmitglieder mit eigenen Einkünften ihre Jahrgedächtnisse im Kloster stifteten. Krasser kann der Gegensatz zu der Gemeinschaft, die einmal alles gemeinsam hatte und ein Herz und eine Seele war, wohl kaum ausgedrückt werden.

So wurde Stuben - gleich Andernach - zu einer Sorge für die Trierer Erzbischöfe bis zum Ende des 18. Jahrhunderts. Die immer wieder angeordneten Reformen stießen auf den hinhaltenden und erfolgreichen Widerstand des Konvents und der hinter ihm stehenden Adelsfamilien. Die Durchführung der Reformen wurde versprochen, aber man fand stets genügend wirkliche oder vorgeschobene Gründe zu ihrer Verschiebung. Nach dem Bericht über die Visitation, die der Trierer Erzbischof Richard von Greiffenklau im Sommer 1511 hielt, hatten die Schwestern in Stuben, von denen jede eine eigene Magd hatte, das gemeinsame Leben aufgegeben, das heißt: jede lebte für sich in einer Wohnung mit Küche, und die Mägde betrieben für ihre Schwestern eine eigene Kleinviehhaltung. Der erlassene Befehl, für alle Schwestern einen gemeinsamen Schlafsaal (Dormitorium) zu bauen und für die häufig auf wochenlangen Besuch kommenden Verwandten ein Gästehaus zu errichten, wurde nicht ausgeführt, und zwar mit der Begründung, dafür habe man kein Geld, und im übrigen sei man mit der Unterbringung der Verwandten in den Wohnungen der einzelnen Schwestern bisher gut ausgekommen.

Das fehlende Geld für Neubauten war natürlich ein Argument, das man nicht mit einer Handbewegung abtun konnte, und so blieben die erlassenen Reformanordnungen auf dem Papier.

Erst der letzte Trierer Erzbischof entschloß sich zu einer durchgreifenden Änderung der Verhältnisse in Stuben. Ein Frauenkloster, das zu einer reinen Versorgungsanstalt des Adels geworden war, sollte auch als solche nach außen erkennbar werden. Deshalb ordnete der Erzbischof im Jahr 1787 die Umwandlung in ein adeliges Damenstift mit einer Äbtissin und acht Stiftsdamen an. Aufnahmefähig waren ritterbürtige Mädchen aus dem Bereich der Reichsritterschaft Niederrhein (zu der das damalige Erzbistum Trier gehörte), die wenigstens 15 Jahre alt waren, die aber zu jeder Zeit wieder austreten konnten. Das Chorgebet begann morgens um 6 Uhr; um 9 Uhr wurde ein Hochamt mit deutschen Liedern gehalten, dem am Nachmittag die Vesper folgte. Den Stiftsdamen standen im Jahr drei Monate zum Besuch ihrer Angehörigen zur Verfügung.
Dem Damenstift, das nach dein Erzbischof Klemens Wenzeslaus den Namen Klemensstift erhielt, war keine Zukunft beschieden. Als die französischen Revolutionstruppen im Sommer 1794 in das Trierer Land eindrangen, begaben sich die Stiftsdamen zu ihren Angehörigen. Das war das Ende. In der französischen Zeit wurde das Kloster mit seinen Gütern eingezogen und dann zugunsten des Staats versteigert.

Ruine Stuben und Bremm.

Klosterruine Stuben „Die Mosel“ von C. Hauptmann 1908

Im Kloster St. Nicolai zu Stuben waren Ordensfrauen mit der Aufgabe betraut, Töchter des Adels zu erziehen und in handwerklichen Arbeiten zu unterweisen. Der Convent wurde der Leitung des Mutterklosters Springiersbach unterstellt, wo die regulierten Chorherren ebenfalls für das Streben nach

Kloster mit Bewaldung

Vollkommenheit im Ordensstande, eintraten. Es mussten in Abständen insgesamt drei Gelübde abgelegt werden. Im Kloster selbst stand die MAGISTRA - die Meisterin - an der Spitze des Conventes. Die Chorschwestern oder Sanctimoniales, konzentrierten sich in erster Linie mit allen Kräften auf das „Opus Dei" dem Chorgebet, wobei Anstrengungen unternommen wurden, immer tiefer in die Schönheiten des liturgischen Lebens einzudringen. In den im Kloster aufbewahrten Statutenbuch, werden die einzelnen geistlichen Übungen behandelt und die Beobachtung der einzelnen Zeremonien ans Herz gelegt. Da sehr wenig vom eigentlichen Klosterleben aufgeschrieben steht, ist es sehr schwer, detaillierte Angaben zu machen, die charakteristisch für das Kloster Stuben sind. Im CONFLUVIUM HISTORICUM selbst, ist das achtbändige Werk, das jedoch nur am Rande Kl. St. Behandelt. Hier finden wir Angaben über die Gründung, dem Wunder von Stuben, der Hl. Kreuz Reliquien und die Namen der Klosterfrauen aus dem 16.Jh. bis zur Auflösung.

Rekonstruktion nach K. Bergen

Der damalige Erzbischof Richard von Trier vergönnt sodann dem Kloster Stuben eine Schiffmühle auf der Mosel zu bauen (Ehrenbreitstein 14. Juli 1512)

Mühlen auf der Mosel gab es auch in anderen Orten an der Mosel (Bremm, Mesenich, Beilstein und Senheim). Zumeist in den Orten, wo kein geeignetes Tal mit einem ergiebigen Bach vorhanden war, um eine Mühle zu betreiben. Zwischen zwei gleichgroßen Schiffskörpern wurde ein Wasserrad angebracht, welches durch die Strömung der Mosel angetrieben wurde. Diese Art der Mühle hatte gegenüber den Mühlen an den Bachläufen den Vorteil, daß sie nie über Wassermangel zu klagen hatten. Einen erheblichen Nachteil hatten sie allerdings: im Winter bei Eisgang und bei Hochwasser, waren sie sehr gefährdet.

Die Bewegungsenergie des strömenden Flusses wurde als Antrieb einer Mühle genutzt. Schiffmühlen hatten mehrere Vorteile. Sie waren relativ unabhängig vom Wasserstand, denn die Schiffmühlen wurden dort positioniert, wo der Fluß gerade die größte Strömung aufwies. Bei Niedrigwasser wurde das Schiff in die Mitte des Flusses, zum Wasser gebracht.

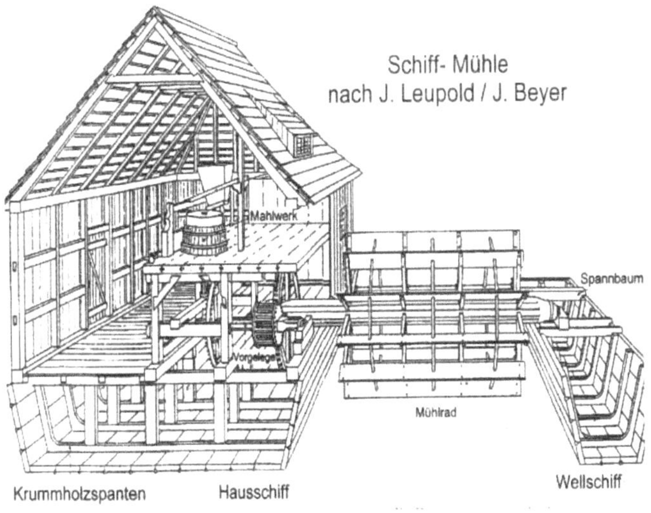

Das Wasserrad lag zwischen zwei fest verankerten Schiffen, dem Haus und dem Weilschiff. Die Mahlgäste konnten die Mühle nur über das Hausschiff betreten.
Der Boden der Schiffe war roh zusammengefügt und mit Werg abgedichtet. Das ständig strömende Wasser belastete die Bordwände, ließ Risse entstehen und verkürzte die Lebensdauer dieser Mühlen, die selten mehr als 30, 40 Jahre alt wurden. Sie verschwanden schnell, wenn Sie nicht bewirtschaftet und gepflegt wurden. Nach 1900 wurde keine Schiffmühlen mehr gebaut.

Originalauszug aus: „Die Kunstdenkmäler des Kreises Cochem“ von Ernst Wackenroder
Deutscher Kunstverlag München 1984

542. Ruine der Klosterkirche Stuben und Uferansicht von Bremm

KLOSTER STUBEN

Ehem. Adeliges Augustiner-Nonnenkloster Stuben, St. Nikolaus, von 1788–1794 weltliches Damenstift. Das Gelände (Gemeinde Bremm) und die Ruine der Kirche sind Eigentum von Richard Schmitz, Joh. Deitel und Jos. Leitzgen in Bremm.

Schrifttum: Brower u. Masen, Antiquitatum et annalium Treverensium libri XXV, T. II. Lüttich 1671, S. 35. – Brower, Metropolis Trev. I, S. 322. – Ad. Stork, Darstellungen a. d. preuß. Rhein- und Mosellande II, 1818, S. 302. – Klein, Moselthal, S. 24 u. 263. – Bärsch, Moselstrom, S. 397. – Schannat-Bärsch, Eiflia ill. III, 1, 2, S. 254. – Marx, Geschichte IV, S. 246. – Schorn, Eiflia sacra, S. 607. – Lehfeldt, S. 779. – E. Renard, Sicherungsarbeiten an der Klosterruine: Jber. d. Rhein. Denkmalpflege 3, 1927, S. 20. – N. Thome, Das ehem. Kloster Stuben bei Bremm, in: Heimatbuch, S. 87. – Handbuch 1952, S. 533.

Handschriftliche Quellen: Im Staatsarchiv Koblenz. In Abt. 181 Urk. v. 1138 bis 1785, dabei 208 Originale. – Akten v. 1493–1794 (37 Hefte) betr. Visitationen, Testamente, Personalien, Kirchenbau, Pensionen, Güter in Moselorten. – Im Stadtarchiv Trier. P. Conradus d'Hame, O.S.B., Confluvium hist. mont. B.M.V., Bd. I (Keuffer-Kentenich, S. 168). Die anderen Bände des Confluviums befinden sich im Kloster Marienberg bei Boppard (Mitt. Hirschfeld). – Vgl. ferner Keuffer-Kentenich, S. 175 u. 273. – Im Pfarrarchiv zu Bremm. Protokollbuch der Gemeinde Neef, mit Nachrichten von 1708–1753 über Kloster St. (vgl. Krudewig, S. 138, 141 u. 98).

Alte Ansichten: 1852. Zeichnung im Skizzenbuch von *L. Trelde* (vgl. Cochem).

Siegel des Klosters, mit verdrückten Umschriften: ein Rundsiegel mit dem Stubener Kreuz und zwei Spitzovale mit der Figur des hl. Nikolaus (vgl. Ewald IV, Taf. 40, Nr. 5, 7 u. 8).

Geschichte: Ein adeliger Grundbesitzer, mit Namen Egelolf, hatte dem Kloster Springiersbach (vgl. Kd. Kr. Wittlich, S. 292) zur Zeit des Abtes Absalon sein Burghaus, Kapelle, Weingärten und sonstige Besitzungen auf einer Landzunge gegenüber Bremm (s. d.) übergeben, um hier ein Kloster zu Ehren des hl. Nikolaus zu errichten, somit dem Wunsche seiner Tochter Gisela nachgebend, die den Schleier nehmen wollte. Erzbischof Albero (1131-1152) bestätigte dem Abt Richard von Spr. diese von vielen Zeugen beglaubigte Stiftung des verstorbenen Egelolf im J. 1137 (MRUB I, Nr. 495, in Kopie v. J. 1508. – MRR I, Nr. 1926) und schenkte 1140 dem Kloster die Kirche zu Neef und den Novalzehnten zu Düngenheim (MRUB I, Nr. 513). Im J. 1184 kommt der Hof Lösenich hinzu (MRUB II, Nr. 65). Durch Abt Richard erhielt das Kloster die reformierte Regel, die dieser in Springiersbach eingeführt hatte; einen seiner Mönche schickte er als Prior in das neue Kloster (vgl. P. F. Franzen, Abt Richard I. von Springiersbach [1107-1158]. Limburg 1950). Auch die Ausführung des Baues lag in Händen des Abtes, der auch Besitzanteile, die in Händen von Verwandten des Egelolf waren, dazu verwendete. Genannt werden schon 1145 eine ecclesia beati Nicolai de insula, qui locus situs super ripam Mosellae (CDRM I, Nr. 137), dann um 1160 die sorores de Insula (CDRM I, Nr. 172) und nochmals die ecclesia S. Nicolai in loco qui dicitur Insula im J. 1179 (CDRM I, Nr. 202), und Erzbischof Johann von Trier weihte 1190 die Kirche (MRUB II, Nr. 112), schenkte dem Kloster die Kapellen zu Düngenheim und Urschmitt (s. d.) und bestätigte ältere Schenkungen (Goerz, Reg. d. Erzb., S. 30. – MRUB II, Nr. 112; dazu Regest. Nr. 839. – MRR II, Nr. 654). Weitere Schenkungen machten die Erzbischöfe Hillin, Arnold I. und Johann I. Milde Beiträge empfahl 1224 Erzbischof Theoderich (MRUB III, Nr. 229), einen Ablaß erteilte 1226 der päpstliche Legat Cuno, Bischof von Porto (Schannat-Bärsch, Eiflia ill. III, 2, 1, S. 257; Urkunde nicht nachweisbar; genannt wird dieser Legat Cuno gleichzeitig MRUB III, Nr. 281 u. MRR II, Nr. 1744). Über weitere Stiftungen, über gute und schlechte Zeiten des Klosters vgl. das Schrifttum und die handschriftl. Quellen. Einigen Aufschluß über den Besitz an Höfen und Mühlen gibt ein Einkünfteverzeichnis v. J. 1787/88 (St. A. K., Abt. 181, Nr. 3, Bl. 84 ff. u. Bl. 162/163 v. J. 1790). Reiche Opfergaben waren hereingeflossen, die Heinrich von Ulmen aus dem Kreuzzuge nach der Eroberung von Konstantinopel (1204) als Beute mitbrachte und mit anderen fortgeführten Reliquien 1208 dem Kloster schenkte (unvollständige und undatierte Urkunde über die Schenkung: CDRM II, Nr. 12. – MRUB II, Nr. 235 u. Reg. Nr. 964. – MRR II, Nr. 1050. – In Übersetzung bei Fenger-Conzen, S. 157; dazu Hinweis auf eine Tafel, die bei der Kreuzpartikel hing. Die Kirche wird hier als „Kreuzkirche des hl. Nikolaus auf der Insel" bezeichnet). Die Reliquien wurden in einer besonderen Kapelle „iuxta ecclesiam" aufbewahrt und verehrt, für deren Neubau Erzbischof Heinrich von Trier im J. 1275 dem Kloster ein Ablaßprivileg erteilt und zugleich den Klerus des Archidiakonats zu Beiträgen auffordert (St. A. K. Abt. 181, Nr. 21. – MRR IV, Nr. 189). Nach Mitt. von Hirschfeld befindet sich dabei ein Schreiben des Trierer Archidiakons Heinrich von Bolanden und ein Schreiben von Prior, Meisterin und Konvent des Klosters, wonach sie 1276 den Priester Ludolf aussenden zum Einsammeln von milden Gaben für den Bau der Kapelle (Abt. 181, Nr. 19 u. 20. – MRR IV, Nr. 259). Für das durch diese Reliquien mitbestimmte Ansehen des Klosters spricht, daß Kaiser Maximilian I. hier 1512 auf der Reise zum großen Reichstag nach Trier übernachtete. Erzbischof Albero hatte das Kloster von Vogteirechten befreit und bestimmt, daß die Zahl der Nonnen einhundert nicht überschreiten sollte. Im J. 1352 setzte Erzbischof Balduin die Zahl der Klosterfrauen von vierzig auf dreißig herab. Die erste Vorsteherin des Klosters war die genannte Gisela; ihr folgte 1208 Irmgard (Th. G. Lacomblet, Urkb. f. d. Gesch. des Nrh. 4 Bde, Düsseldorf 1840–1858, II, S. 14), Schwester des Heinrich von Ulmen (s. u.). Weitere Meisterinnen sind bei Schorn, S. 621, aufgeführt. Eine vollständige Liste beginnt erst mit der 1506 verstorbenen Sophie von Nickenich (vgl. Marx IV, S. 253, darnach Schorn). Notarielle Festsetzung v. J. 1537 betr. Wahl, Bestätigung und Einsetzung der Meisterinnen durch den Abt von Springiersbach (Verz. von a. d. Kl. Springiersbach stammenden Pergament-Urkunden, Zell 1884).

Von der alten romanischen Kirche kennen wir nur ein kleines Stück eines Kapitells, gefunden bei 543
der Aufmessung im J. 1926 (seitdem verloren); das stehende Blattwerk zusammen mit umgeschlagenem fleischigem Blatt weisen auf die Trier-lothringische Baugruppe. Als die alte Kirche baufällig war, erteilte 1685 Erzbischof Johann Hugo von Trier auf Gesuch der Meisterin Ottilie Anna von Ahr (1654-1698) und des Convents die Erlaubnis zum Abbruch, auch der Kapelle („adhaerens sacellum"), die zur Auf-

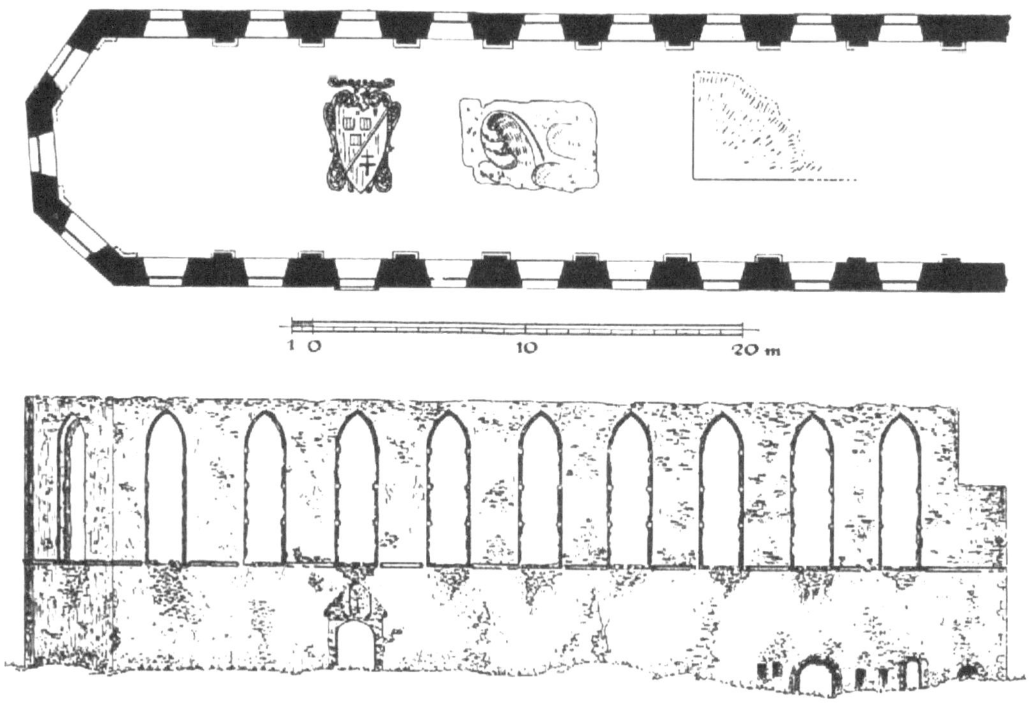

543./544. Kloster Stuben. Grundriß und Südansicht der Klosterkirche

bewahrung und Verehrung der wertvollen Reliquien nicht mehr geeignet sei. Dazu ein weiteres Schreiben des Erzbischofs v. J. 1685 (Abt. 181, Nr. 2). Zur Förderung des Baues verlieh der Erzbischof ein Ablaßprivilegium, ebenso der Weihbischof Joh. Phil. Burkhardt von Speyer im J. 1687 bei Vollendung und Weihe des Baues, der mit fünf Altären, davon zwei Altären auf dem Nonnenchore, ausgestattet war (Abt. 181, Nr. 226 u. 227). Zum vollendeten Kirchenbau „sowohl als des Klosters" hatte Oktober 1687 der Erzbischof die Meisterin in einem Schreiben beglückwünscht (Abt. 181, Nr. 2, Bl. 2). Die Reliquienkapelle wird beim Neubau nicht besonders erwähnt und scheint erhalten geblieben zu sein, wie aus einer Messestiftung v. J. 1779 der letzten Meisterin Maria Ferdinande Freiin v. Maffey à la Serra (1760 bis 1787) hervorgeht. Ihr Geschenk (Abt. 181, Nr. 3, Bl. 107) von 100 Talern für jährlich zwölf Messen in der „Kreuzkapelle" mußte jedoch zur Bezahlung von Schulden verwendet werden. Unter dieser parteiisch gesonnenen Meisterin geriet die klösterliche Zucht in Auflösung und 1780 mußte der dem Kloster vorgesetzte Abt von Springiersbach eingreifen. Eine Überprüfung zeigte, daß 1784 die wirtschaftlichen und klösterlichen Verhältnisse nicht gebessert waren. Daher entschloß sich 1788 der Kurfürst Clemens Wenzeslaus, das Kloster in ein freies Damenstift umzuwandeln, das nach seinem Statutenentwurf den Namen des hl. Papstes Clemens annehmen sollte (Bl. 153). Bei dieser Umwandlung bestand der Convent aus der Äbtissin, sechs Capitularinnen und zwei Extra-Capitularinnen. Genannt werden ferner drei Pensionärinnen, ein Kellner, ein Küster und ein Pförtner. Das Stift wurde unter die Verwaltung eines geistlichen Rates als Kommissar gestellt, wie auch aus dem kurfürstlichen Hofkalender v. J. 1794, dem Jahr der Auflösung des Klosters, noch hervorgeht. Mit der Flucht der Insassen vor den französischen Truppen hörte das Kloster auf zu bestehen. Die Klostergüter wurden eingezogen und versteigert, die beim Kloster gelegenen Gärten, Wiesen und Äcker, „das Stubener Land", wurden verpachtet; 1815 wurde daraus eine preußische Domäne, die 1820 unter Aufteilung versteigert wurde. Die kirchlichen Einrichtungsstücke wurden auf Kirchen der Umgebung verstreut (s. u.); die auf Abbruch verkauften Gebäude waren dem Untergang geweiht. Alle brauchbaren und erreichbaren Hausteine wurden im 19. Jh.

sorgfältig herausgebrochen und die Gefahr des Einsturzes von Teilen der Kirchenruine rückte näher. Für die mit Mitteln der Provinz, des Staates und des Kreises durchgeführten Sicherungsarbeiten im J. 1927 war der architektonische Wert der Kirchenruine weniger maßgebend als die geschichtliche Bedeutung des Klosters und ihre Wirkung in der Mosellandschaft. Die entstandenen Schäden wurden im wesentlichen behoben durch Beimauern der Fensterbänke und Fensterstürze, der Ausbruchstellen und der Mauerkrone, die durch Abdecken mit Rasen einigermaßen geschützt wurde.

Baubeschreibung

Auf einer breiten Halbinsel im weiten Moselbogen, gegenüber von Bremm, steht für sich und 1,542
höchst malerisch in der Landschaft die vielfenstrige Ruine der 1685/87 neu errichteten Kirche, die sich im Wasser spiegelt und auf ruhevoll breitem Ufergelände vom Strom geschützt ist. Caesarius v. Heisterbach spricht von der „insula sancti Nycholai, quae vulgo Stupa vocatur" (Dialogus miraculorum, ed. J. Strange, I, 1851, S. 292; darnach Brower I, S. 322). Der Name stupa, bzw. Stuben (mlt. stuba = heizbare Stube) bedeutet nach Ad. Bach (Dt. Namenskunde II, 1) im frühen Mittelalter ein kleines Haus, hier wohl schon zu beziehen auf das Burghaus des Egelolf. Nach Springiersbacher Bericht v. J. 1784, in Anlehnung an Brower, wohnten die Stiftsdamen in einzelnen Häusern für sich. Auskunft über die Lebenshaltung zeigen die Statuten, die Abt Daniel von Spr. 1550 verfaßte, die noch das Wohnen „in Häusern" berücksichtigen. Erst 1665 wird ein Dormitorium erbaut, von den „Fräuleins" als Gang bezeichnet.

Von den Klostergebäuden steht nichts mehr aufrecht, und die in der Aufmessung der Denkmalpflege (s. u.) eingetragenen Reste haben keinen Zusammenhang mit denen des Kreuzgangs, dessen Keller mit sechs anderen Faßkellern 1785 genannt wird (Bl. 72). Der Kreuzgang macht sich jedoch durch die Balkenlöcher der Deckenbalken und Dachsparren noch an der Südwand der Kirche bemerkbar. Im Obergeschoß, an einem Ende mit Wendeltreppe zugänglich, lagen Schlafzimmer mit verschiedenen Bezeichnungen, eins lag z. B. beim Chor, eins wird als Vorzimmer zur Orgel angeführt. Genannt werden 1788 der „fremde Bau" mit fünf Schlafzimmern und der „neue Flügel", wohl in besserer Ausstattung für die Äbtissin. Es gab sonst noch, außerhalb liegend, ein Haus für den Kellner, ein Kelterhaus und Unterkunft auf der Kartause für drei Tagelöhner; ferner Unterkunft für vier Domestiken.

Die Kirche ist nach der Moselkarte von 1838 (M = 1 : 5000) genau geostet, ein langgestreckter 543, 544
Bau, von dem uns die Außenwände bis auf die Westwand erhalten sind. Einfache aber groß- 542
zügige und typisch strenge, jedoch gotisierende Barockanlage (Lageplan, Grundriß, Ansicht, Schnitte und Wappen nach Aufmessung *Lethgau* v. J. 1926 im Jb. d. Rhein. Denkmalpflege 3, S. 21). Schieferbruchstein in grober Ausführung, in großen Teilen noch im Putz, im Lichten 10,40 m breit und mit dem etwas ungleich dreiseitigen Chorschluß 45 m lang. Von den neun Achsen nahm nach dem Gewölbeansatz eine Westempore drei Achsen ein; unter dieser eine Gruft, wie die drei verschieden gestalteten Türen und Lüftungsöffnungen an der Nordseite zeigen. Hier, in der dritten Achse von Osten, lag das Laienportal, ohne das herausgebrochene Gewände im Lichten 1,70 x 2,50 m groß, nach den Binderresten roter Sandstein. Die breit geschrägte Leibung geht in schiefer Fläche zum Flachbogen über. Im hohen Dreiecksgiebel sieht
man die Stelle einer Mittelnische, früher mit dem Wappen der Meisterin Ottilia v. Ahr (1666 543
bis 1698); schräg links geteilter Schild, oben v. Ahr, unten das Stubener Kreuz. Nach Ornamentresten war der Giebel von Malerei begleitet; um 1910 angeblich noch das ganze Portal (C.

H a u p t m a n n, Die Mosel von Cochem bis Bernkastel. Bonn 1910, S. 91). Im Innern sieht man westlich vom Eingang und gegenüber Nischen für Beichtstühle, dann folgt in der Südwand die Kreuzgangtür, im nächsten Joch eine schmale hohe Tür in Emporenhöhe. Das hochgelegene Sockel- und Sohlbankgesims ist als kräftiger Karnies herumgeführt. Vom gotischen Empfinden her sind spitzbogige schlanke Fenster beibehalten, „deren Maßwerk fehlt" (L e h f e l d t); es sind einfache Dreipässe im Spitzbogen anzunehmen. Die Kanten zeigen außen Bindersteine als Zutat der Zeit; innen ist die Sohlbank tief herabgezogen. In der Westwand, die mit einem Flügel des Klosters zusammenhing, dürfen wir wohl ein großes Rundfenster annehmen. Die flachen Wandpilaster, die hohen Profilkonsolen im Chor und die Pilasterstreifen über der Empore zeigen, daß die Kirche mit schmalen Jochen durchgehend kreuzgewölbt war.

Ehemalige Ausstattung

Nach dem Versteigerungskatalog Nr. 334 v. J. 1932 von M. Lempertz, Köln (Slg. Puricelli, Düsseldorf), Nr. 131 u. Taf. 7, stammte aus dem Kloster Stuben ein z. Zt. nicht nachweisbarer S t e i n a l t a r des 17. Jh., Savonette, farbig und mit Gold gefaßt, 2,80 m hoch, sehr gute Arbeit. Eine Krönung Mariens füllt fast vollfigurig die Mitte zwischen korinthisierenden Säulen bei geradem Gebälkschluß. In der Predella und auf dem in Holz erneuerten Antependium je vier perspektivisch gut durchdachte Darstellungen der Geheimnisse des hl. Rosenkranzes. Seitlich stehen Figuren der Heiligen Johannes Ev. und Jacobus. Im Rankenwerk und unter den Säulen porträthafte Köpfe, anscheinend von Eltern mit ihren Töchtern als die vornehmen Stifter dieses Altares. Auf dem Architrav: ALTARE ARCHICONFRATR[UM] S[ANC]TI[SSI]MI ROSARII.

Ein M u t t e r g o t t e s - A l t a r kam in die Kirche zu Eller (s. d.), ein anderer A l t a r nach Ernst (s. d.).

Ein A l t a r b l a t t kam nach Eller in die ehem. Kurfürstl. Kellnerei (s. d.).

Der sechsseitige Stuhl einer H o l z k a n z e l v. J. 1618, Eichenholz, gute sorgfältige Schreinerarbeit, wurde zu einer Kanzel in der Kapelle der Familie v. Liebig in Gondorf verwertet; neue Teile wurden angepaßt. Die Kanzel war zunächst in die Kirche zu Bremm gekommen. Vor den im Profil reich gehaltenen Rechteckfeldern stehen in zwei Reihen die zwölf Apostel in Hochrelief, dazu der Salvator halbfigurig auf der Kanzeltür. Ihre Rahmung belegt mit flachen und verschlungen gereihten Bandmustern. Auf der Innenseite ein mit Mauresken gefülltes stehendes Quadrat in Profilrahmung und der Zahl in zwei Ecken. Die Kanten der Kanzel mit einer Art Beschlagmuster, im Rechteck und Spitzoval wechselnd, darin symmetrisches Blattwerk. Die obere Profilkante ist mit Eierstab belegt.

545 Eine s c h m i e d e e i s e r n e K a n z e l v. J. 1663, selten in ihrer Art, wohl eine Vorlesekanzel aus dem Refektorium, wurde zunächst an der Kirche zu Bremm in der Nähe des Eingangs als Außenkanzel verwendet und kam unter Ergänzung von da 1874 in die Kapelle der Burg Cochem; die alten Teile jetzt im Städtischen Museum zu Trier. Nach einem Schild an der Front, mit kantig stehenden Buchstaben und Zahl, gestiftet von S C und I N. Buchpult, Treppe und Stütze und die vierte Frontseite (Flacheisen) waren neu, eine Sanduhr war hinzugefügt. Die drei erhaltenen Felder, Rundeisen vergoldet, weisen auf Wandstellung mit ursprünglich fünf Seiten des Achtecks; ein Stoffhintergrund war immer notwendig. Die vertikalen Stäbe mit Volutenstützen an den Enden, eine profilierte Horizontalgliederung begrenzt unter Aufteilung die Felder. Gegenständig angeordnete Spiralen füllen sie in leichtem Wechsel, an den Berührungspunkten durch Bunde geklammert. Die Enden der Rollungen sind mit ziemlich gleichartigen Rosetten besetzt (vgl. W. B r a u n - F e l d w e g, Schmiedeeisen und Leichtmetall am Bau. Ravensburg 1952, S. 8, 11 u. Abb. 27). Eine ähnliche Kanzel aus Aldegund (Kreis Zell), 17. Jh., kam in die Kapelle der Eyneburg (Slg. Dr. Hans Nellessen) bei Hergenrath (vgl. Kd. Kr. Eupen-Malmedy, S. 129); zurückerworben 1958. Wegen Zeit, Nachbarschaft und gleichartiger Schmiedearbeit ist derselbe Meister anzunehmen.

Ein B e i c h t s t u h l kam in das Kreis-Heimatmuseum zu Cochem. – Zwei Felder der K o m m u n i o n b a n k dienen als Geländerschluß (Speicherbrüstung) im Treppenhaus von Haus Nr. 47 (Wwe. Wilh. Amlinger) in Bremm. Grobe Docken auf dünnen Füßen. – Eine „B i l d s ä u l e" des hl. Nikolaus wurde sehr verehrt (vgl. Ediger).

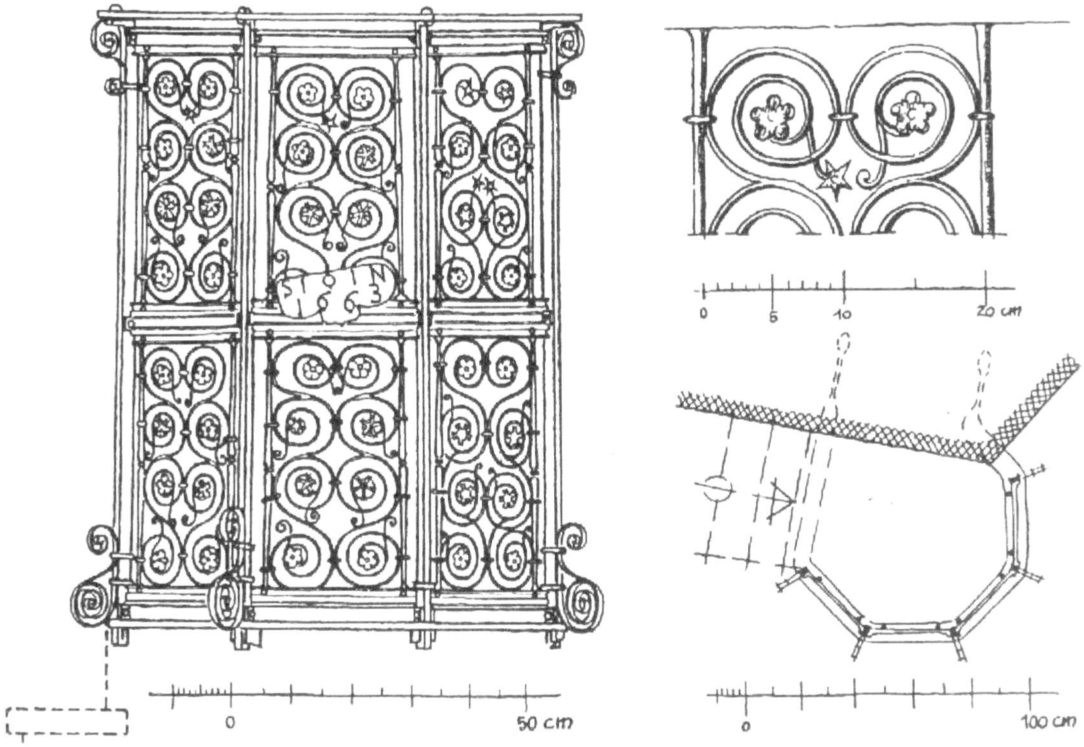

545. Kloster Stuben. Schmiedeeiserne Kanzel vom J. 1663, jetzt in Trier, Städt. Museum

Eine Monstranz kam in die Kirche zu Urschmitt (s. d.). Es kann die im Kircheninventar v. J. 1788 (St.-A. K., Abt. 181, Nr. 3) genannte sein. An Kirchengerät in Silber sind im Inventar vierzig Einzelstücke aufgeführt (Bl. 101); darunter: zwei Ziborien, drei Pollengarnituren, vier Paar große Leuchter, zwei Ampeln, drei Kruzifixe, ein schwerer Kasten mit drei silbernen Figuren und mit Steinen besetzt, sowie ein silbernes Reliquiar mit einer Reliquie der hl. Anna.

Die in diesem Inventar aufgeführte „kleine Partikel vom hl. Kreuz mit Gold und Silber" dürfte die in die Schatzkammer des Domes zu Limburg gelangte kostbare Staurothek sein, die Heinrich v. Ulmen 1208 dem Kloster mit anderen Stücken schenkte; eine Lade byzantinischer Arbeit der Zeit zwischen 948 und 959. Nach dem ungefähr zeitgenössischen Bericht des Caesarius v. Heisterbach stammt das Reliquiar aus der Hagia Sophia; es kam bei Auflösung des Klosters zunächst nach Trier. Die Goldfassung der Kreuzpartikel hat die Form eines griechischen Kreuzes, das zum Hauszeichen des Klosters geworden ist. Die flache Lade mit Schiebedeckel und Bodenvertiefung für das Kreuz. Figürliches Schmelzwerk, Edelsteine, Perlen, feinstes Filigranornament und ornamentale Beschriftung bilden den Schmuck. Schon E. Aus'm Weerth vermutete in dem auf dem Reliquiar genannten Kaiser Konstantin VII. Porphyrogenetos den mittätigen Künstler, weil dieser kunstfreudige und wissenschaftlich eingestellte Herrscher auch sonst als Künstler tätig war. Die Lade war verändert, verdorben und beschädigt. Ausgezeichnete Instandsetzung im J. 1950/51 durch *Joh. Mich. Wilm,* München. Vgl. im einzelnen: Caesarius v. Heisterbach, Dialogus miraculorum, ed. J. Strange. I, 1851, S. 200. – E. Aus'm Weerth, Das Siegeskreuz . . ., Bonn 1866, S. 5. – Ders., Kd. d. christl. Mittelalters I, 3, 1868, S. 100 u. Taf. 62. – F. X. Kraus, Die christl. Inschriften d. Rheinl. II, I, Nr. 2, 3. – J. Marx, Erzstift IV, S. 250. – De Riant, Exuviae sacrae Constantinopolitanae I, Genf 1877, S. 163. – Alb. Boeckler, Zur Restaurierung der Staurothek von Limburg: Kunstchronik 4, 1951, S. 209 u. Abb. 1–8. – Aufsätze von J. Rauch, Frhrn.

Schenk zu Schweinsberg und J. M. Wilm in: Das Münster 8, 1955, S. 201–240. – H. Schnitzler, Rheinische Schatzkammer. Düsseldorf 1957.

Ein rotes Meßgewand des 17. Jh., von besonderer Qualität, kam erst in die Kirche von Bremm und wurde dann an das Diözesanmuseum in Trier verkauft: „Auf der Vorderseite die Leidenswerkzeuge zwischen Goldornamenten; auf dem Rücken die Hl. Dreifaltigkeit, darunter Maria, von Johannes gestützt" (Lehfeldt). Die Köpfe in aufgenähter Seidenmalerei.

Das umfangreiche und wohl vollständige Inventar v. J. 1788 verzeichnet u. a. weiter (Bl. 101): etwa achtundzwanzig Meßgewänder und Chorkapellen, darunter eine vollständige Kapelle in Gold- und Silberstickerei; sie wird als das beste Stück bezeichnet; zugehörig war ein Antependium in Silberstickerei. Es folgen eine vollständige Kapelle in Grün und Rot mit Goldstickerei, dann Gewänder in Blau und Weiß, mit Silber; in Weiß mit schweren Borten; ein weißes, ganz mit Gold besticktes Meßgewand und ein rotes, silberbesticktes. Verzeichnet ist ferner an Gebrauchsgegenständen des Klosters ein großer Leinenschatz, ein reicher Bestand an Eßgeschirren, silbernen und silbervergoldeten Tischgeräten; darunter waren vier vergoldete Pokale mit Deckeln, ein vergoldeter Maitrankbecher mit Deckel, ein silbervergoldeter Kredenzteller, sowie zinnerne und kupferne Geräte (Bl. 103 ff.). Im J. 1789 wurde der Auftrag zur Versteigerung der Möbel gegeben. Der Stubener Silberschatz wurde bis auf die Monstranz im J. 1794 an die kurfürstliche Münze abgeliefert (St. A. K., Abt. 181, Nr. 7).

Umgebung des Klosters

Stationen, die vom Klostergelände zum Eulenköpfchen, d. h. zur Peterskapelle (Kr. Zell) hinaufführten, waren um 1910 verfallen.

Weinetikett Fam. Freiherr von Landenberg

Calmont – Kloster Stuben - Peterskapelle

"Treideln", ein schweres Geschäft für Mensch und Tier

Wir drehen nun die Zeit ca. 350 Jahre zurück. Ein Schiffzug von Burgen nach Traben-Trarbach ist gegenüber am Calmont unterwegs. Der Treidelpfad, vom Hochwasser beschädigt, macht die Arbeit der Halfen noch schwerer als sonst. Einige Nonnen schauen gespannt, dieser schweren Arbeit vom Kloster aus zu.
Vor dem Eintritt der Dampfkraft in den Dienst der Schifffahrt wurden die Lastkähne von Pferden, die über diesen Leinpfad geführt wurden, an Seilen (Leinen) flussaufwärts gezogen. Flussabwärts wurde gesegelt oder man ließ die Schiffe mit der Strömung treiben.

Erzbischof Balduin, als er um 1330 den angeordneten Arbeiten zur Erweiterung der gefahrvollen Uferpfade bei Stuben, Bremm und Neef persönlich nachsah, beschenkte dasselbe mit kostbarem Kirchengeräthe.

Auszug aus Ludwig Mathar:

„Unter der Geißel"

Verlag Josef Kösel & Friedrich Pustet KG, München, Verlagsabteilung Kempten 1924

I.

In der Halfenschenke

Gegen die scharfe Strömung des Flusses kämpft das „Gefihrts". Mühsam pflügen die beiden Lastschiffe, „In nomine Domini" und „Fortuna" von Trier, durch die Senhalser Kehre ihren Moselweg. Wie unter der Geißel geduckt, keucht Schiff hinter Schiff gegen die prallenden, schäumenden Wellen. Allzu schwer ist die Last, Bauholz vom Hunsrück, für die neue Moselfeste Montroyal. Ächzend, sich bäumend, Zoll für Zoll ruckend, müht sich die „Fortuna", das gute Schiff. Schlingernd, an der Trosse zerrend, keucht im Kielwasser „In nomine Domini".

„In Drei Deiwels Naomen!" flucht am Steuerruder der „Fortuna" Nicklas Hoffmann, Bürger und Schiffer zu Trier. Es ist gut, daß sie gleich drüben am Lehmener Turm Anker werfen werden. Sei' Ruh mecht' mer hawe! Von morgens früh bis abends spät am Ruder stehn und scharf auslugen, daß das Schiff sich nicht auf einem der messerscharfen Grate den Bauch aufschlitzt. Kaum Zeit für Frühstück und Mittagsbrot. Erst wenn's bedenklich dämmert, stolpern die Pferde in den Halfenstall. In drei Tagen

Mathar, Unter der Geißel 1

von Burgen bis Montroyal! Wütend spuckt der Schiffmann vom Ruderstand ins wildbewegte, kreiselnde Wasser. „Dat is kei' Ärbet mehr. Das ist Schinderei, ärger als das schlimmste Fronen. Wie die Gäul drüben am Leinpfad muß mer schaafen!" Der Schiffmann, ein wetterharter, lederbrauner Hüne, reißt das Ruder herum, daß die „Fortuna" wie gespornt einen gefährlichen Ruck zur Seite tut. Als ob die Peitsch' einem von rechts und links um die Ohren pfiff'!

„Joho!" schreit der Anton, der lustige Schiffknecht, und setzt wie der Blitz die Eisenzwicke seines Lärchenbaums ein, daß die lange, biegsame Stange sich wie eine Haselgerte krümmt.

„Joho! Johoo!" schreien drüben am Leinpfad wütend die Halfen, die sich, wie um einen letzten Anlauf zu nehmen, über ihren Gäulen ducken. Das Ausbrechen des Schiffes hat den Zirven Hanni und sein Leitpferd, den „Prinzen Eugen", fast die steile Böschung hinab in die Mosel gerissen. Was fällt dem Nicklas ein? In dieser Teufelssackgasse heißt's Augen auf wie ein Luchs, oder man spießt das Schiff auf die Schieferlayen auf. Hat wohl gestern in Cochem zu viel vom Pommerner getrunken!

„Louder vu Scheffmann!" brüllt Kehrens Pitt und legt die Hand zum Schalltrichter an.

„Holl eich der Deiwel on sei Schwiegermodder!" brummt der sonst so einsilbige Schiffsmann und reißt das Ruder zurück. Beklagt euch bei den Fran-

2

zosen, die einem die Galle aufregen! Man ist doch kein Hund, der sich vor der Peitsche kuscht! „Drei Tage und keine Minute länger," hat der Commissaire de la guerre, der Grésillemont, gesagt, so ganz von oben herab, wie man einen Schulbuben kuranzt. „Allez! sonst werden die Schiffe beschlagnahmt, und der Schiffmann spaziert in den Arrest. Abfahrt Montag morgen in Burgen an der Holzlände. Ankunft in Trarbach an der Schiffbrücke Mittwoch abend, à cinq heures précises, comprenez?" und hat zwirbelnd sein Stutzbärtchen gedreht. „Nicht gemuckst, pariert!" und rollte die kohlschwarzen Satansaugen.

Aus Leibeskräften fluchen am Leinpfad die Halfen. Seit 8 Uhr morgens im Sattel, bei diesem Hundewetter, das einem die Novemberschlossen wie Backpfeifen um die Ohren knallt, in diesem Teufelswinkel, wo einen die Zugleine jeden Augenblick in den brodelnden Hexenkessel reißen kann, auf solch einem Leinpfad, der holpriger ist als ein Karrenweg! Patschnaß ist man bis an den Bauchriemen, klatschnaß bis auf den Molton, die Unterjacke. Die Gäule schweißtriefend wie aus dem Wasser gezogen. Sonst taten's gute Worte, heute nutzt die klatschende Peitsche nichts mehr.

„Dunerlitsch!" wettert Reinischs Teischen, aus seiner Kirchhofsruhe aufgerüttelt, „eich steigen aff, eich maachen Feieraawend!"

Wie aus Erz gegossen sitzt vorneweg Zirven Hanni, der Spitzenreiter, zu Pferde auf seinem lang-

3

Eugen". Er hängt nicht wie die andern schlapp und mürrisch über dem Gaul. Er ist verantwortlich, er muß die Augen für die andern offen halten.

Ein prächtiger Kerl, der Hanni. Die stark mit Nägeln beschlagenen Schnürschuhe aus derbstem Rindsleder, die ledernen Schleppgamaschen vom Knöchel bis zum Knie, die weißen, enganschließenden Hosen aus Hausmacherleinen sitzen wie angegossen. Malerisch flattert die Schipp, der Leinenkittel, dessen Schultern reicher als sonst mit bunter Handstickerei verziert sind. Keck sitzt der breitkrempige, flache, runde, schwarze, flockig filzige Halfenhut auf dem scharfgeschnittenen, stolz erhobenen Kopf. Die blau-weißrote Zipfelmütze lugt eben noch verräterisch unter der breiten Krempe des Hutes hervor. Anmutig ist das rote Halstuch unterm Kinn geknotet; wild sträubt sich der dreieckige Nackenschutz in dem fegenden Novemberwind empor. Glattrasiert ist das kühne, offene Gesicht nach Halfenart; es bezaubert durch Frische und Männlichkeit. Um die blauen, lustigen Augen zwinkert der Schalk.

Reinischs Teischen reitet hinter dem Hanni. Dick, faul wie ein Mehlsack hängt es über seiner struppigen, schlecht gepflegten Mähre. Mag es mit Kesseln gießen, bei ihm geht's nicht durch. Eine Unterjacke aus dickem Wollstoff, der Molton, darüber der Motzen aus starkem, wasserdichtem Tirtei, der Zirbes, die ärmellose, blaue Tuchjacke, die weiße Jacke aus

4

grobem Leinen, und endlich zu oberst die Schipp, der blaue, feste Leinenkittel, das macht warm, das hält Leib und Seel' zusammen. Und drüben ist der Lehmener Turm, die Halfenschenke. Und der alte Christoffel, er wird schon in der Türe stehen und den langen, weißen Bart streichen. Blanke Tische, blanker Wein! Ediger Osterlämmchen, eine Quart nach der anderen! Der Schiffmann, der Knauser, bezahlt's!

Still versonnen trotz des Hundewetters reitet Irschen Maates. Gell, schön ist 's doch an der Mosel! Auch wenn die Weinberge kahl sind und der Novembersturm zwischen den Bergen orgelt. Dieses Dörfchen da drüben, der kleine, weiße Kirchturm, das ist Nehren. Ob die Astern auf dem Friedhof noch blühen? Das Schiff fährt jetzt greifbar nahe ans Ufer heran. Deutlich unterscheidet man das schmale Uferstäßchen. Auch die Nehrener in ihren Obstgärten kann man deutlich erkennen.

Das benutzt Jäckels Mechel, der letzte des Halfenzuges, den Äpfellesern seine Anzüglichkeiten wie spitze Steinchen hinüberzuschleudern:

„Nehr'ner Äppel un' Nehr'ner Wei',
souer wie Essig, un' de Mädcher derbei!"

Aber die Nehrener kennen ihre Saarhalfen und lassen sich nicht lumpen. Durch den Schalltrichter der vorgelegten Hand geben sie Antwort, und der Wind trägt's willfährig hinüber:

„En hungrige Magen un'n ungewasche Maul,
'n bucklige Halfer, un'n klapprige Gaul,

5

joho, ooo!
Beißt dich de Laus net, so zwickt dich der Floh!"

Und so geht's hin und her, aufgefangen, zurückgeworfen; was sich liebt, das neckt sich, und beide Parteien haben ihre helle Freude daran. Vergessen ist die Wut über die windigen Franzmänner, die wie mit der Peitsche hinter allen her sind. Ach was, kommst du heute nicht, so kommst du morgen!

Scharf späht der Maates zum Sträßchen hinüber, das jetzt kaum einen Steinwurf vom Leinpfad entfernt ist. Ist das nicht der Pater Martin von Cochem, der da selbzweit durch den fegenden Regen zieht?

Er kennt ihn wohl; er hat ihn im Sommer zu Bernkastel gehört. Lugend legt der Halfe die Hand vor die Augen. Ja, das ist er, der Pater Martin, wie er leibt und lebt, die lange, hagere Büßergestalt, der tief herabwallende braune Bart. Despektierlich zerzaust der aus dem Senhalser Loch pfeifende Wind ihm Bart und Kutte, dem hochgelehrten Herrn. Bruder Tilmann, der Gefährte seiner Wanderungen, hat jüngere, kräftigere Beine, ist schon ein gut Stück voraus. Kann er sich denn nie genug tun in Buße und Pönitenz, der Pater? Mit bloßen Füßen kämpft er sich über den steinigen, vom Regen ausgewaschenen Weg. Wahrhaftig, vom Rücken baumeln ihm die verschmähten Sandalen herab. Mit niedergeschlagenen Augen verfolgt er die mühselige Straße.

Siegel der Klöster, von Dr. Theresia Zimmer;

Auszug Jahrbuch Kreis Cochem-Zell von 1993

Stuben, Augustinerinnen. 1. Konventssiegel. Spitzoval, 46 x 62 mm.

Umschr.: +S(IGILLVM) ECCL(ES)IE (SANCTI NI)COLAI I(N) STVP(A).
Im Feld ein heiliger Bischof (Nikolaus) mit Buch(?) in der Rechten und Bischofsstab in der Linken. Dargestellt ist der Kirchenpatron Nikolaus. Abdruck von 1244 Best. 181 Nr. 9.
Lit.: Ewald, a.a.O. Tafel 40/7.

Stuben, 2. Konventssiegel.

Im Feld ein heiliger Bischof (Nikolaus) mit Stab in der Rechten und Buch in der Linken.
Abdruck von 1285 Best. 181 Nr. 17.
Lit.: Ewald, a.a.O. Tafel 40/8.

Stuben, 3. Konventssiegel.
Rund, Durchmesser 41 mm.
Umschr.: +SIGILLVM ILLVSTRIS CONVENTVS IN STVBEN.

Im Feld der heilige Bischof Nikolaus mit Krümme in der Linken, die Rechte segnend erhoben. Unten die Buchstaben S(anctus) NIC(olaus) und die Jahreszahl 1746.
Abdruck von 1786 Best. 256 Nr. 7370.

Stuben, kleines Siegel des Konvents.
Oval, 23 x 30 mm., ohne Umschr.
Im Feld ein Doppelkreuz (Patriarchen-), begleitet von der Jahreszahl 1657 - dem Jahr des Siegelstempels.

Abdruck von 1699 Best. 1 C Nr. 11467 S. 55.
Lit. für das Siegel von 1290: Ewald, a.a.O. Tafel 40/5.

Stationen, die vom Klostergelände zum Eulenköpfchen, d.h. zur Peterskapelle hinaufführten.

vorher

nachher

C. Hauptmann schreibt 1910 in seinem Buch:

„Von Cochem nach Bernkastel“

folgendes über die Stationen zum Petersberg:

Nun steigen wir unter dem hellgrünen Laubdache des Buchenwaldes bergan, verfallene Stationsbilder zeigen, daß er in früheren Zeiten begangener war wie jetzt.

Nikolaus Thome schreibt:

Vom Kloster aus wurde nun durch den Stubener Wald ein Verbindungsweg von 2 Kilometer Länge bis zur Petruskapelle angelegt, der heute noch besteht und an welchem in gleichen Abständen 7 noch gut erhaltene Stationshäuschen stehen.

Das Nikolaushäuschen am Calmont

Zwischen Bremm und Eller, gegenüber dem Kloster Stuben, ragte früher jäh ein Schieferfelsen in die Mosel hinein. Eine gefährliche Klippe, die alle Moselschiffer damals kannten. Die Einwohner von Bremm errichteten hier eine mit Steinen gemauerte Nische, in welche sie eine Nikolausfigur stellten. Nikolaus ist der Schutzpatron der Schiffer. Die in die Mosel hineinragende gefährliche Klippe, wurde beim Ausbau der Calmontuferstraße abgetragen.
Folgende Geschichte erzählt man: Eines Tages fuhr ein schwerbeladener Kahn zu Tal. Die starke Strömung trieb ihn in Richtung der Klippe, die aus dem Wasser herausragte. Alle Schiffer, welche den hl. Nikolaus anriefen, kamen an dieser Stelle heil vorbei. Der Felsen im Wasser schien den beladenen Kahn wie von Geisterhand anzuziehen. Der Schiffer flehte in seiner Todesangst zum hl. Nikolaus in der Ufernische: "Bitte hilf mir! Ich will dir auch eine Kerze stiften, so dick wie mein Schorbaum“. Und der Kahn umfuhr, wie von Engeln geführt, das gefährliche Hindernis. Der Schiffer, der seinen Kahn gerettet sah, nahm nun sein Gelöbnis zurück und machte in Richtung Calmont, wo das gemauerte Steinhäuschen stand, eine lange Nase und rief schelmich: "Nikläsje, net dat kriegst de!" Doch die Gefahr war noch nicht überstanden.
Kurz hinter dem Felsen im Wasser kenterte der Kahn. Alles versank in den Fluten der Mosel. Mit letzter Kraft konnte der Schiffer noch sein Leben retten. Heute ist die Nische zugemauert.

Auszug aus dem Buch Eiflica sacra II., von Schorn:

Stuben.

Adliges Augustiner-Nonnenkloster.

Quellen und Literatur:

Coblenzer Archiv.
Metropolis I. Cap. LII.
Marx, Geschichte der Trierer Erzdiöcese.
Brower, Annalen II. Nr. 54.
Confluvium hist. monast. B. M. V. (Marienburg) tom. II. S. 817—842.

Das Kloster Stuben, auch Stuba oder Insula St. Nicolai genannt, lag auf der zwischen Bremm und Eller von der Mosel umflossenen schmalen Landzunge, welche in den ältern Schriften als eine Insel bezeichnet wird. Von demselben sind heute nur noch Oekonomiegebäude und ein Theil der Kirche als malerische Ruine erhalten.

1) Topographische Beschreibung des Cantons Rheinbach und Eiflia illustr. III. 1. 1. S. 270 und III. 2. 1. S. 558.

Klosterruine Stuben zwischen Bremm und Eller

Egelolf ein reicher, vornehmer und zugleich frommer Mann hat, wie Erzbischof Albero in seiner Bestätigungsurkunde vom Jahre 1137 [1]) sagt, „ein Haus mit einer Kapellen, Weingarten und Alles was er an der Mosellen besaß zum Heil seiner Seelen, seiner Hausfrau und Dochter Gysele (welche alle vergengliche Dingh verachtet und ihr einen unsterblichen Bräutigam, nämlich Christum erwhelet) der Kirchen Sprenkirsbach gegeben". dergestalt, daß dort ein Kloster erbaut, in welchem seine genannte Tochter mit andern Jungfrauen oder Witwen „zu Verachtung aller weltlich Wollust, armseelig Christo nachfolgen solle", nach den Regeln des Augustinus und unter der Regierung des Abtes von Springiersbach [2]). Egelolf wie auch seine Erben statteten das Kloster mit Geld und Gütern genügend aus, ad justam domicilii formam und der Abt Richard von Springiersbach, dem ja die Stiftung unterbreitet wurde, vollendete das Gebäude und baute mit den vorhandenen Mitteln nebenan eine dem h. Nicolai geweihte Kirche. Erzbischof Albero hat als Legat des Papstes Innocenz diese Stiftung bestätigt, und bestimmt, daß die Zahl der Jungfrauen über 100 nicht hinausgehen dürfe. Dieser Bischof gibt sodann im Jahre 1140 dem Kloster „auf der Insel Ni-

---

1) Original im Staatsarchiv Coblenz, abgedruckt bei Günther I. S. 237. Alte Uebersetzung in deutscher Sprache.

2) Im Archiv zu Coblenz befinden sich drei alte Klosterbücher aus Stuben, wahrscheinlich aus dem 17. Jahrhundert, worin die Gründungsgeschichte des Klosters beschrieben und „die vera relatio de sancta cruce, quae asservatur in insula S. Nicolai, vulgo Stuben" enthalten ist. Eins dieser Kirchenbücher ist der Aebtissin Margar. Cratz von Scharfenstein gewidmet. Der Inhalt ist wiedergegeben in Marx, Geschichte IV. S. 246—247 und 209, sowie in Brower, Annalen II. S. 35 kurz erwähnt.

colai gent. Stuppa" die Kirche zu Neef und den Novalzehnten des Waldes Lare bei Dünchenheim [1]).

Erzbischof Hillin bestätigt 1160 den vom Abt Richard von Springiersbach Namens des Klosters Stuben mit der Abtei Arnstein gemachten Kaufvertrag über deren Güter zu Neef und Bremm [2]). Laut Urkunde von 1179 [3]) verzichten Hermann von Arras und seine Brüder, als Vögte von Eller (Elra) auf das Recht, den Hof des Klosters Stuben zu Thunegingin am Vorabend von Martinstag mit 4 Reitern (militibus) zu besuchen und ein Abendessen und Frühstück daselbst zu begehren, weil dies von dem Abte zu Springiersbach als presumptuosum et justitiae contrarium reprobirt worden sei [4]). Im Jahre 1184 schenkt ein Herr von Helfenstein einen Hof zu Lösenich. Erzbischof Johann zu Trier überträgt (um 1193) der Kirche Stuppa die Kapelle zu Dünchenheim (Tünechyngen) und bekundet, daß er die erstere geweiht habe [5]).

Im Jahre 1208 erfolgte sodann die Schenkung des Ritters Heinrich von Uelmen mit dem Sanktuarium des heil. Kreuzes und andern Reliquien, zugleich stiftete derselbe zu seinem und seiner Frau Irmgard Seelenheil ein Anniversar mit 1/2 Fuder Weinrente aus seinem Allod zu Adelgund [6]).

Dieses Sanktuarium ist das berühmte Siegeskreuz der Byzantinischen Kaiser Constantin Porphyrogennetos und Romanos aus der Mitte des zehnten Jahrhunderts, ein

---

1) Original im Coblenzer Archiv, abgedruckt bei Günther I. S. 259.

2) Copie im Archiv Cobl., Günther I. S. 370.

3) Original in Coblenz.

4) ebenso.

5) Beide Urkunden im Cobl. Archiv.

6) Urkunde mit 4 Siegeln, aber unvollendet, ohne Schluß im Archiv Coblenz, abgedruckt bei Günther I. S. 90 u. 91.

Meisterwerk der damals in Byzanz blühenden und von dort auf uns gekommenen Emaillirkunst (Email cloisonné) und in der gesammten Kunstwelt als solches gekannt und geschätzt.

Es wurde im vierten Kreuzzuge nach Eroberung Constantinopels durch die Kreuzfahrer, worunter der erwähnte Ritter Heinrich von Uelmen (aus einer bekannten Eifler Dynastenfamilie), bei der schmählichen, so viele herrliche Kunstwerke des Orients vernichtenden Plünderung der Hagia Sophia mit unzähligen andern Reliquien aus dieser fortgenommen und nach Deutschland gebracht. Heinrich von Uelmen schenkte es, wie erwähnt, dem nahe seiner Heimath gelegenen Kloster Stuben in Erinnerung an Verwandte, welche dort als geistliche Jungfrauen lebten, und um diesem Kloster besonderen Glanz zu verleihen [1]).

Dieses angeblich aus dem heiligen Kreuzesholze gefertigte Siegeskreuz hat die Form des griechischen Doppelkreuzes, liegt in einer prachtvollen, 48 Ctm. hohen und entsprechend breiten, mit Goldemaillen und Edelsteinen verzierten, und mit ähnlichem Deckel versehenen Lade. Auf den Rändern dieser beiden sowohl, wie auf der mit Goldblech bekleideten Rückseite des Kreuzes, wenn man es aus der Einfassungslade heraushebt, befinden sich griechische Inschriften, von

1) Heinrich von Uelmen, der mit Reliquien beladen heimkehrte, schenkte einen Kelch mit Kreuzespartikel der Abtei Laach, eine fernere Partikel in einer schönen griechischen Tafel mit der Unterschrift „Hagia Helene" enthalten, dem Stifte Münstermaifeld, eine in Deutschland nach dem Muster des Stubenschen Siegeskreuzes in vergoldetem Silber gefertigte Reliquientafel, ebenfalls mit einer Kreuzespartikel, dem heil. Eucharius zu Trier, jetzt in St. Mathias, ferner der Kirche St. Pantaleon zu Köln das Haupt dieses Heiligen. Wegen des großen Kunstwerthes des Stubener Sanktuariums haben wir dasselbe näher beschrieben.

denen die letztern in jambischem Versmaaße die Kaiser „(ΔΕСПОТАІ, despotai) Constantinos und Romanos als diejenigen, welche das Kunstwerk haben anfertigen lassen, bezeichnen. „Ehemals, so schließt der Text, hat dies Kreuz die Thore der Unterwelt (Αδου) geöffnet, jetzt bändigen die Fürsten mit ihm geschmückt die Barbaren [1]." In der Umfassungslade befinden sich in kleinern Kapseln noch anderweitige kleine Reliquien aus der Leidensgeschichte Christi.

Dieser kostbare Reliquienschatz, von Heinrich von Uelmen als „über alle irdischen Besitzungen seinem Herzen der allerliebste" genannt, wurde bei Aufhebung des Klosters Stuben durch Kurfürst Clemens Wenzel im Jahre 1788 in den Trierer Domschatz gebracht, sodann vor den Räuberhänden der demnächst einrückenden Franzosen mit den andern Domschätzen zuerst nach der Trierischen Veste Ehrenbreitstein auf das rechte Rheinufer geflüchtet. Sodann wanderte er in die Herzoglich Nassauische Schatzkammer nach Wiesbaden, da, zufolge Reichsdeputationshauptschlusses von 1803, alle auf der rechten Rheinseite im Trierischen Gebiete befindlichen linksrheinischen Güter zum Eigenthum der dortigen Domäne erklärt wurden. Im Jahr 1827 schenkte der Herzog von Nassau das Sanktuarium dem Dome zu Limburg, und wird es zur Zeit nebst andern ehemaligen Trierer Domschätzen (Stab des h. Petrus 2c.)

1) Das Kreuz ist zunächst beschrieben in dem erwähnten Klosterbuch von Stuben, sodann von Brower in seinen Annalen XV. Nr. 54 S. 101, unter lateinischer Uebersetzung des Textes, sodann in neuerer Zeit von Marx in seiner Geschichte IV. S. 250 u. ff., von Domvikar Ibach zu Limburg im zweiten Heft der Mittheilungen des histor. Vereins zu Trier, und endlich von E. aus'm Weerth in seinem großen Prachtwerk über dieses „Siegeskreuz", mit dessen polychromischer Abbildung in natürlicher Größe. (Bonn, 1868.)

in der Sakristei der mit dem bischöflichen Palais verbundenen Franciskanerkirche aufbewahrt.

Obgleich nach den Berichten die berühmten Reliquien bald zahlreiche Wallfahrer an sich zogen und Wunder verrichteten [1]), scheint dennoch schon im ersten Jahrhundert nach der Errichtung des Klosters zeitweise ein Nothstand daselbst eingetreten zu sein, denn gemäß Urkunde vom December 1224 [2]) empfiehlt Erzbischof Theoderich von Wied (1212—1242) das Kloster Stuben allen Gläubigen seiner Diöcese zu milden Beiträgen, weil wegen Mangels an Lebensmitteln (ex defectu victualium) das Personal der dortigen Kirche nicht mehr ernährt werden könne „sine auxiliis fidelium non possunt sustentari".

Bald wächst aber das Vermögen des Klosters bedeutend, denn im Jahre 1245 vererbpachten Prior, Meisterin und Convent den Gebrüdern von Sygenheim die Wingerte, welche bisher unter ihnen streitig waren.

Im Jahre 1251 theilt Simon, Graf von Sponheim mit dem Kloster bisher gemeinschaftlich gewesene Güter zu Neef, Bullay, Bremm u. a. Im Jahre 1275 sollte eine neue Kapelle zur Aufbewahrung und Verehrung der Reliquien gebaut werden, und wird die Geistlichkeit des Archidiakonats um Beiträge aufgefordert. Im Jahre 1285 verkauft Guda, Witwe von Winand, genannt Mönch von Synheim im Einverständniß ihrer Kinder dem Convent ihre Güter zu Poltersdorf; Andere verkaufen Wingerte zu Ediger. Ritter Sybert von Uelmen und seine Hausfrau schenken ihren Hof gent. Smitte bei Alflen mit $1/2$ Ohm Weinzins aus Adelgund. Ein Ritter von Monreal, dessen Schwester Mettild Nonne im gedachten Kloster ist, stiftet

---

1) Brower, Annalen II. S. 120 und 121.

2) Original in Trier, abgedruckt im Rhein. Urk.-Buch

sein Anniversarium und schenkt Wingerte zu Spey und Poltersdorf. Das Kloster Laach verspricht den Nonnen auf der Nicolausinsel den bisherigen Zins von einem Wingert bei Valwig (1310). Cuno (Wepeling) von Bettingen gibt zur Stiftung eines Anniversarium alle seine Güter zu Ernst (1316); Mechtildis von Cröv zu gleichem Zweck Güter zu Senheim. Robert, Graf von Virneburg und Christian, Pfarrer zu Monreal als Testamentarien einer Tochter des Ritters von Eller überweisen dem Convent jährlich 20 Talente oder Pfunde Oel aus Gütern zu Poltersdorf (1325). Das Kloster kauft sodann während der Jahre 1332—1352 Wingerte zu Adelgund [1]), Eller und Dünchenheim.

Erzbischof Balduin stiftet 1346 eine Memorie und setzt am 29. August 1352 die Zahl der Klosterfrauen auf 30 herab. In dieser Verordnung sagt Balduin, daß andauernde Mißernten („pro fructuum sterilitate") und sonstige Ursachen der großen Anzahl von Nonnen einen hinreichenden Unterhalt nicht mehr gewährten („non possunt sustentari") und er daher auf Bitten der Meisterin und des Convents sich zu genannter Reduktion veranlaßt sehe. Dieser durch seine Thaten und sein bewegtes Leben bekannte Erzbischof Balduin war ein besonderer Freund dieses Klosters, und pflegte auf seinen Reisen zwischen Coblenz und Trier gewöhnlich dort einzukehren.

Erzbischof Boemund bestätigt diese Verordnungen 1364 [2]). Nichtsdestoweniger sehen wir die Güter des Klosters von Jahr zu Jahr wachsen. Es erwirbt 1339 einen Zehnten von den Gütern des Ritters Richard von Buch in Neef und Bremm, und zwei Wingerte im letztern Ort und in

1) Ueber alle vorgenannten Schenkungen sind Urkunden im Archiv Coblenz.

2) Beide Urkunden im Archiv Coblenz.

Senheim, — Weinrenten zu Adelgund, Eller und Ellenz, Kornrenten zu Pollich, eine Mühle in der Ellerbach, 2 Stück Land in Senheim, einen Hof zum Hane in Dünchingen — sämmtliches in den Jahren 1351—1387. Außerdem finden wir zu Ende des 14. Jahrhunderts eine Reihe von 18 verschiedenen Rentverschreibungen zu Gunsten des Klosters vor. Eine dieser testamentarisch vermachten Kornrenten zu Polch ist von dem Erzbischof Wernher zu Trier, d. d. Stolzenfels 7. Juni 1392 bestätigt.

Erzbischof Cuno sucht die Einnahmen des Klosters dadurch zu bessern, daß er durch Breve von Ehrenbreitstein 9. September 1374 aus „besundrer Gnaden" der Meisterin und dem Convente des Klosters „Stuben uff der Inseln und nymand anders" gestattet, „uff di Kyrmesse Dage daselbst zu verschenken und zu zappen" (Weinzapf). Interessant ist noch eine weitere Urkunde von 1393, worin Johann Graf zu Sponheim das Recht des Klosters annullirt, mit 4 Eseln Brennholz aus dem Contelwald zu holen und ihm die dafür entrichtete Tonne Härings-Gülte erläßt.

Während des 15. Jahrhunderts scheinen die Verhältnisse des Klosters sich wenig zu verändern; statt der gewöhnlichen Pacht- und Erbpachtverhältnisse tritt der Lehnsverband und sind unter solchem auch neu erworbene Güter zu Gappenach, Kerich und Valwig verzeichnet. Ein urkundlich seltenes Ereigniß ist eine Rechnungsrevision seitens der kirchlichen Obern. Eine solche fand in Stuben im Jahre 1414 auf St. Albanstag durch Simon, „von Goitz Gnaden" Abt zu Sprenkirsbach statt, und sind sodann in dem Protokolle die vielen Rückstände der Pächter und Lehnsmannen aufgeführt.

Im Laufe des 16. Jahrhunderts bleibt der Besitz des Klosters nicht nur gleich, sondern vermehrt sich durch Erwerb von Höfen zu Beuren, Clebang, Clotten, Schmitt und Senheim.

Im Jahre 1506 erfolgt die Collation der Pfarrei zu Dünchenheim an den Priester Paul v. Ellerbach auf die Präsentation der Aebtissin zu Stuben durch den Archidiakon zu Carden, sodann im Jahre 1515 als wichtiges Ereigniß die Versetzung der Klosterfrauen vom aufgelösten Kloster Marienburg nach Stuben. Wie wir oben S. 136 ausgeführt haben, geschah die Entfernung der Nonnen von Marienburg, weil diese damals behufs Vertheidigung des Landes in eine Festung verwandelt wurde.

Der damalige Erzbischof Richard von Trier vergönnt sodann dem Kloster Stuben eine Schiffmühle auf der Mosel zu bauen (Ehrenbreitstein 14. Juli 1512), ertheilt ihm 1529 Indulgenz während der Fasten Butter und Milchspeisen zu essen, sowie die Erlaubniß (zur Ersparniß) statt der weißen Röcke für die gewöhnliche Zeit deren in schwarzer Farbe zu tragen. Diese Zeit gerade scheint überhaupt wieder eine karge für die Klosterfrauen gewesen zu sein, denn es liegt ein notarieller Akt vom 10. Mai 1537 vor, worin bestimmt wird, daß jede zur Meisterin gewählte Jungfer dem Convent jährlich 2 Fuder Wein aus der gemeinen Rente zur Steuer der Kleidung und außerdem jeder Jungfer ein Paar gedoppelte und ein Paar Sohlenschuhe geben soll [1]).

Im Jahre 1568 gestattet der Abt Caspar von Springiersbach den Conventualinnen zu Stuben die freie Wahl eines Beichtvaters und 1571 schließt Witwe Antonia von Stein-Kallenfels, geb. von Koppenstein mit ihren Söhnen Vertrag mit dem Kloster wegen Aufnahme ihrer Tochter resp. Schwester Ameley und Kunigunde. Im 17. Jahrhundert kam laut der vorliegenden Erblehnsbriefe zu den

---

1) Sämmtliche Urkunden im Archiv Coblenz.

frühern Lehngütern noch ein solches in Urschmitt hinzu. Sodann entbrannte zwischen Kloster und dem Erzbischof von Trier der fast überall sich erhebende Streit über die Investituren der untergebenen Pfarreien und im Besonderen der Pfarrei zu Dünchenheim, welche die Meisterin zu Stuben selbstständig besetzen zu dürfen behauptete. Es kam zu einem Proceß vor dem päpstlichen Nuntius Antonius zu Köln und wurde gegen den Chorbischof von Trier durch Urtheil von 1619 entschieden. Der Chorbischof von Trier Hußmann von Namedy als Vertreter des Erzbischofs zieht nun vor, statt an die päpstliche Curie zu appelliren, sich mit Meisterin und Convent Stuben dahin zu vergleichen, daß letztere nach dem Ableben des zeitigen Pfarrers binnen Monatsfrist das Präsentationsrecht habe. Diese Vergleichsurkunde vom 3. Juni 1621 liegt in großer Ausfertigung seitens des judex et commissarius Archidiaconalis Phil. Jac. Schien vor[1]).

In der Mitte des 17. Jahrhunderts hatte die Disciplin des Klosters sehr gelitten und der Abt der vorgesetzten Abtei Sprinchirsbach Namens Daniel erschien auf Befehl des hochwürdigsten Fürsten und Herrn Richard Erzbischof und Kurfürsten zu Trier zur Visitation, „damit Ihr (die Conventualinnen) in einem tugendhaften geistlichen gottesfurchtigen und ehrbarlichen Leben beharren möget" ꝛc. Dieser Abt erläßt nun laut Urkunde vom 10. August 1640 Statuten, worin er bei Strafe gebietet und befiehlt, die Ceremoniales der Kirche zu halten, daß man pünktlich zu Tisch im Revender (Refektorium) erscheine; wenn Gäste kämen, denen man nicht

1) Die Urkunde ist sehr schön erhalten und laut Context mit dem großen Archidiakonatssiegel (sigillo archidiaconali) versehen. Dieses Siegel ist aber dasjenige des Archidiakonus Sti. Castoris in Cardona Josephus lib. B. a Kesselstadt, mit dem Kesselstadtschen Wappen und darüber der h. Castor mit der Kirche auf der Hand. Diese, wie sämmtliche bezogene Akte, sind original im Arch. Cobl.

entrathen könne, soll man ein „eigen Hauß dazu haben, und selbige darin traktiren. Abends sollen die Gäste auswendig des Klosters schlafen gehen, keine Jungfrau soll eine eigene Magd oder eigenes Vieh halten, dieselben sollen ihre geistliche Kleidung nach der Regel tragen“, und soll nicht gestattet werden „Traget, Sammet oder dgl. seiderne Köller zu tragen“, — es soll der Meisterin Reverenz, Ehr und Gehorsam bewiesen werden; jährlich soll Rechnung gelegt, und „dieweilen das umschweiffen auff dem Land nicht zu geringen Scandal und Aergernuß der Geistlichkeit und Jungfräulichen Zierde gelanget“, soll ohne Vorwissen der Meisterin nicht erlaubt sein Freunde zu besuchen 2c., auch soll Tags Keine der Jungfrauen ausser der Clausur gehen ohne Erlaubnuß der Frau Meisterin, sodann sollen diese Statuten alle Jahre zweimal zur Nachachten vorgelesen werden [1]).

Wenn man bedenkt, daß meist Töchter hochadeliger Familien den Convent zu Stuben bildeten, welche sich schwerlich unter die Klosterzucht beugen und dem Verkehr mit der Welt entsagen konnten, so läßt sich die Einschärfung der Disciplin leicht erklären. Es begegnen uns z. B. in den Urkunden aus der zweiten Hälfte des 17. Jahrhunderts eine Margaretha Catharina von Soetern als Profeß (1661), welche mit 1000 Thlr. eine Memorie stiftet; im Jahre 1666 Ottilie Anna von Ahr als Meisterin, Maria Catharina von Eltz als Priorin.

Im Jahre 1677 testirt der Prior Johann P. Schleidt zu Stuben über sein Vermögen vor Notar in seiner Behausung zu Ediger zu Gunsten seines Klosters.

Schon lange war die frühere Kirche baufällig und war es der vorgenannten ausgezeichneten Meisterin Ottilie von Ahr vorbehalten, den Neubau auszuführen. Am 30. Januar

---

1) Diese Statuten sind in alter Copie im Archiv Coblenz.

1685 ertheilte der Kurfürst Hugo von Trier auf Ansuchen der Meisterin und des Convents zu Stuben die Erlaubniß zum Abbruch, weil der bisherige St. Nicolai templum vetustate ruinosum und die angebaute Kapelle (adhaerens sacellum) zur Aufbewahrung und Verehrung der werthvollen Reliquien nicht mehr geeignet sei. Er verordnet den schönern Neubau Beider, unter Ertheilung aller üblichen Prärogative, Privilegien und Indulgentien.

Nach 2 Jahren war der Bau der neuen Kirche, davon dach- und fensterlose Ruinen heute noch stehen, fertig und wurde dieselbe am 14. October 1687 durch den trierischen Weihbischof Johann Philipp Burkardt nebst 3 Altären und 2 Altären im Nonnenchor (in Choro Virginum) geweiht[1]).

Die vorhandenen zahlreichen Reliquien wurden, wie es in der Urkunde heißt, in den Altären wieder eingeschlossen, aber von dem werthvollsten Schatz Heinrichs von Uelmen, welcher früher in der Kapelle (Sacellum) war, ist speziell keine Rede. Es heißt nur bei dem einen Altar im Nonnenchor, daß derselbe auch in honorem victoriosissimae Crucis geweiht worden sei. Aus einer spätern Urkunde vom 1. Juni 1779 dürfte zu folgern sein, daß die sogen. Kreuzkapelle nicht mit unter den Neubau gefallen, oder als solche wieder aufgebaut ist. Laut Stiftung vom gnt. Tage stiftet nämlich die Frau Meisterin Maria Ferdinanda Freiin von Maffey de la Serra in der „Kreuzkapelle" jährlich zwölf Messen und schenkt zu dem Zweck dem Kloster 100 Thlr. Diese Stiftungsurkunde hat den für die damaligen finanziellen Zustände des Klosters interessanten Schluß: „In Betracht, daß unser Metzger auff gelt dringet die fleischliefferungen continuiren zu können, solchem nach bekennen Wir Priorin und samtliche Fräulein Conventualinnen vor uns und unsre nach-

1) Beide Urkunden im Archiv Coblenz.

kommende, daß wir den heiligen An- und Vortrag unserer Hochwürdigen frauen Meisterin in allem acceptiren und bewilligen, daß soforth dem Liverant Metzger besagte 100 Thlr. pr. abschlag sollen gegeben werden können, wie dann solches würklich geschehen 2c."

Die Finanzwirthschaft scheint zu Stuben eine nichthaushälterische gewesen zu sein, da trotz des demselben durch Jahrhunderte hindurch zugewandten bedeutenden Vermögens zeitweise solche Ebbe in der Kasse eintrat.

So hatte z. B. noch im Jahre 1724 Anna Elisabeth Gräfin Elter oder d'Autel, Meisterin zu Stuben[1]), dem Kloster 2 ihr von Verwandten zugefallene Legate, eins von 2000 Thlr. Luxemburgisch und das andere von 6000 Thlr. nebst allen verfallenen und rückständigen Zinsen — eine für die damalige Zeit bedeutende Summe — durch notariellen Akt vermacht, und hatte ferner im Jahre 1742 eine Witwe Maria Johanna von Maffey geb. von Kronach zu Ehrenbreitstein einer Tochter, welche im Gotteshaus Stuben Profeß war, ein ansehnliches Capital vermacht.

Trotz dieser Zuwendungen schwand laut der Visitationsprotokolle in der zweiten Hälfte des vorigen Jahrhunderts nicht bloß die innere und äußere Ordnung sondern auch das religiöse Leben, und Clemens Wenzel, dem die Reformation der Klöster am Herzen lag, fand sich genöthigt um 1780 dem vorgesetzten Abt zu Springiersbach die Weisung zu ertheilen, zu Stuben die äußern Eingänge zum Dormitorium sofort schließen zu lassen, und sowohl Verwandten wie Freunden den Zutritt zum Dormitorium, sowie

---

1) Die Familie d'Autel (Elter) vom Schloß Autel (Elter) bei Arlon im Luxemburgischen (jetzt Belgien), war eine hochansehnliche und reiche, deren Ursprung bis in das 13. Jahrhundert hinauf geht. Mitglieder dieser Familie finden sich öfter als Aebtissinnen und Nonnen in dem luxemburgischen Kloster Marienthal, vgl. oben S. 177.

auch den Nonnen die Spaziergänge zu ihren Verwandten zu untersagen. Eine Visitation im Jahre 1784 ergab für Stuben wieder traurige Resultate und ließ die Absicht aufkommen das Kloster in ein domus emeritorum et demeritorum für die Diöcese Trier zu verwandeln. Die damalige Meisterin, Ferdinande von Maffey, hatte durch ungerechte und parteiische Behandlung ihrer Mitschwestern Haß, Neid und Zwietracht unter diese gesäet, sodaß die gegenseitigen Erbitterungen in Schmähungen ausarteten.

Der geistliche Rath von Pidoll wurde mit nochmaliger Revision des Klosters namentlich in Betreff der Finanzwirthschaft aufgefordert, und als diese wiederum zu Ungunsten ausfiel, kam der Entschluß des Kurfürsten das Kloster aufzuheben, im Jahre 1788 zur Ausführung. Es wurde zwar nicht zu einem refugium demeritorum, sondern in ein freies Damenstift umgewandelt unter der Verwaltung eines Commissarius, des geistlichen Raths Arnoldi. Jedem Fräulein wurde eine Pension von 450 Gld. ausgesetzt.

Nach dem letzten kurfürstlichen Hofkalender 1794 war damals in Stuben keine Aebtissin mehr, sondern der geistliche Rath Arnoldi wurde als „gnädigst angeordneter Commissarius" an die Spitze gestellt. Es folgen dann die Fräulein

Maria Anna, Freiin von Berg zu Dürffenthal;
Mar. Antoinetta Freiin von Breiten-Landenberg;
Mar. Catharina Freiin Tünzler von Leoberg;
Eleonore Freiin von Boineburg zu Lengsfeld;
Auguste Freiin von Wevelt;
Friederike Freiin von Wiltberg;
Theresia Freiin von Sohlern;
Cunigund Freiin von Breiten-Landenberg;
Adelheid Reiß aus Coblenz;
Cunigund Linz aus Coblenz;
Elisabeth Staadt aus Trier.

Beim Einrücken der Franzosen mußten die Stiftsfräulein flüchten und begaben sich meist auf das rechte Rheinufer. Ihre Pensionen wurden sistirt, und die Flüchtigen litten Mangel. Fräulein v. Boineburg wandte sich an den Kurfürst um die Erlaubniß, das nach Hanau geflüchtete Silber des Klosters verkaufen zu dürfen, um mit ihren Mitschwestern nicht Noth leiden zu müssen, und wurde diese Noth durch die Klagen der Fräulein von Berg in Ehrenbreitstein und von Wevelt in Wien bestätigt. Wo das Silberzeug geblieben ist nicht bekannt.

Ein einigermaßen zusammenhängendes Verzeichniß der Meisterinnen zu geben, ist erst seit dem 16. Jahrhundert möglich; aus der vorhergehenden Zeit sind nur einzelne Namen überliefert. Die erste war Gisela, die Tochter des Stifters, sodann sind urkundlich bezeugt 1208 Irmgard[1]), Schwester des oben genannten Heinrich von Uelmen, 1253 wieder Irmgard[2]) (ob dieselbe?), 1285 Elisabeth[3]). Für 1364 giebt die Metropolis Aleidis an. Dann folgen nach dieser und der Liste bei Marx[4]):

Sophie von Nickenig, † 1506;
Catharina von Neuerburg, † 1523;
Johanna von Nickenig }
Anna von Nickenig } Jahre unbekannt;
Maria von Nickenig }
Franciska von Metzenhausen, 1558;
Maria von Zandt;
Margaretha von Metternich;
Anna Marg. Cratz von Scharfenstein, 1647, † 1654;

---

1) Lacomblet II. S. 14. Vgl. Caes. Heisterb. Dial. mirac. IV. 30.
2) Beyer III. S. 876.
3) Urkunde des Coblenzer Archivs. Goerz IV. S. 279.
4) Marx IV. S. 253.

Ottilia Anna von Ahr, erwählt 15. April 1654, eine ausgezeichnete Meisterin. Sie erbaute 1685 Kloster und Kirche (jetzige Ruine) neu, regierte 44 Jahre, starb im 70. Jahre nach abgelegtem Profeß und im 87. Jahre ihres Alters 1698;

Anna Elisabeth von Elter, † 1724. Von ihr als Schenkgeberin war bereits früher die Rede;

Anna Maria von Wolfskehl aus Brillingen, 1725—1727;

Anna Ottilia Beissel von Gymnich, 1727—1739;

Anna Charlotte von Eltz-Rodendorf, seit 1740 Sternkreuzordensdame, † 1755.

Maria Ferdinande Freiin von Maffey de la Serra, die letzte Meisterin 1760—1787.

Von dem Kloster ist nichts mehr vorhanden; von der Kirche stehen, wie anfangs erwähnt, nur noch die Umfassungsmauern und schauen den um die Moselkrümmung vorbeifahrenden Geschichtsfreund mit ihren hohlen Fensteraugen mitleidig an. Diese Ruinen sind auch von der Moselbahn aus zwischen Eller und Neef aus der Ferne zu sehen.

Möchte doch ein Theil der während des Culturkampfes zu vielen Millionen angewachsenen, dem katholischen Clerus entzogenen Sperrgelder zur Conservirung alter Klöster- und Burgruinen verwendet werden.

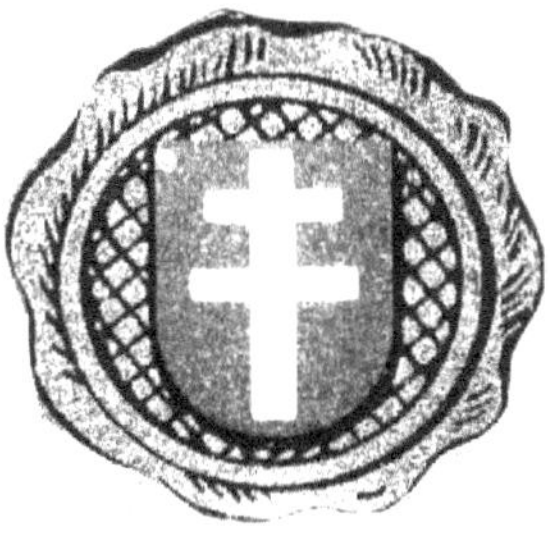

J.M. William Turner: „Calmont und Stuben“

Zwei Blätter aus Turners Skizzenbuch, hier verkleinert abgebildet.

Links 7 Zeichnungen und Rechts mit 4 Zeichnungen, skizziert vom Boot aus während der Vorbeifahrt am 31.8.1824. Sequentielle Abwicklung entsprechend des Flusslaufes und der sich verändernden Blickrichtungen.

Zeichnung Links: Oben links: Bremmer Kirche und Calmont. Oben rechts: Blick über Stuben in Richtung Eller. Obere Mitte: Bremm, Klosterruine Stuben und Calmont. Untere Mitte: Ruine Stuben, darunter Reste der Klosterkirche mit Petersberg im Hintergrund. Unten links und rechts: Calmont und Stuben, in etwa von der Höhe der heutigen Ellerer Eisenbahnbrücke aus gesehen.
Zeichnung Rechts: oben: Kloster Stuben von Norden gesehen mit Resten der Kapelle, links neben der Kirchenruine. Obere und untere Mitte: Ansicht der Klosteranlage von Nordosten mit den Ruinen der Kirche, der Kapelle und Resten sonstiger Klostergebäude. Rechts der Calmont. Unten: Zeichnung mit Angaben der Farben für die spätere malerische Umsetzung: z. B. „allcold“ = kalte Farben (Schatten). darunter "all light“ = lichte Farben (besonnte Weinberge oberhalb der Ruine). Nach der Lage besonnter und schattiger Flächen müssen die Zeichnungen gegen Nachmittag entstanden sein, offensichtlich etwa gegen 16 Uhr (Sommerzeit 17Uhr). Dafür spricht auch die Eintragung auf der linken Zeichnung unten rechts. Originalzeichnungen in der Tate-Gallery London.

Aus Archiv R. Schommers, St. Aldegund

Der Frauenberger, eine Wein-Ballade aus alter Zeit

Gedicht von Reinhold Schommers, St. Aldegund

Ein Ritterfräulein, schön Kunigund,
just 28 und hübsch rund,
es konnte trotz der Liebessünden
gar nirgends einen Freier finden.
Drum Vater Kuno, kurz entschlossen,
zuerst den Kummer hat begossen
und dabei ging er frisch ans Werk
mit einem Stubener Frauenberg.

Der mundet ihm gar köstlich fein,
und dabei fiel ihm etwas ein:
Die Tochter, die scheint's keiner will,
steck ich ins Kloster, dann ist sie still.
Nach Stuben, dort am Moselstrande,
da wächst der beste Wein im Lande.
Und also ging er frisch ans Werk
mit einen Stubener Frauenberg.

„Ave Maria" singt der Nonnenchor,
die Klosterfrauen umhüllt von Flor.
Doch später klingt es: „Prosit, Ihr Nönnchen",
ein Gläschen zum Wohl aus dem besten Tönnchen!"
Es juchzet voll Freude die dicke Priorin
und selig nicht minder die Nonnenseniorin,
und täglich ging man frisch ans Werk
mit einem Stubener Frauenberg.

Doch's Ritterfräulein traurig ist,
weil es die Liebe so vermisst.
"Konnt Vater denn so grausam sein
und steckte mich in's Kloster rein?
Möcht lieber einen richtigen Mann,
der mit mir einen zwitschern kann.
Dann könnt man gehen frisch ans Werk
mit einem Stubener Frauenberg.

Und eines Nachts, der Mond schien helle,
stieg wirklich einer in die Zelle
Aloisius war's vom Stamm der Gietzen,
beliebter Kater bei allen Miezen.
Das Ritterfräulein tief beglückt,
ist immer näher ihm gerückt.
Und dabei ging sie frisch ans Werk
mit einem Stubener Frauenberg.

Priorin hat die zwei ertappt
und führt die Sünder zu dem Abt.
Sie beichten ihr „Confiteor",
umringt vom ganzen Nonnenchor.
Kein Auge, das da trocken bliebe:
"Absolvo" Euer großen Liebe"!
Doch nun Ihr beiden frisch ans Werk,
geht schaffen in den Frauenberg.

Die beiden wurden ein glücklich Paar
und kaum vergangen war ein Jahr,
schenkt's Ritterfrauchen dem Alois
ein Söhnchen, pumelig und süß.
Und jedes mal wenn Herbstzeit war,
vergrößert man die Kinderschar.
Und immer ging man frisch ans Werk
mit einem Stubener Frauenberg.

Als Aloisius kam ans Sterben,
versammelt um sich er die Erben.
"Ich geh jetzt auf die lange Reise"
-Schön Kunigunde seufzet leise-
"Pflegt weiter unsern Moselwein
und mag es noch so hart es sein.
Zum letzten mal jetzt frisch ans Werk
schenkt aus nen Neefer Frauenberg!

Nach einem kräftigen Gluck- Gluck
schlürft selig er den letzten Schluck.
Zum Himmel schwebt er durch die Luft
umwölkt vom Frauenberger Duft.
Und wollt wie er Ihr glücklich sein,
Dann trinkt den besten Moselwein!
Und darum gehet frisch ans Werk
mit einem Stubener Frauenberg!

Die gute bürgerliche Küche

. Die Wächter, landwirtschaftlichen Knechte, Jägerbuben, Arbeiter und fronenden Bauern erhalten

»Des morgens ain suppen oder gemues, ain millich den arbeittern, den andern ain suppen. – Des Mittags suppen vnd flaisch, ain kraut, ain pfeffer oder eingemacht flaisch, ain gemues oder mylich. IIII essen. – Des Nachts: Suppen vnd flaisch, ruben vnd flaisch oder eingemacht flaisch, ain gemues oder millich. III essen.«

Bäuerliches Festessen

Die Bauern tranken Wasser, Milch und Unmengen von Bier und Met, das sich von einem Getränk des Adels zu einem Volksgetränk entwickelt hatte. Wein genoß man nur an Festtagen.

Festliches Mahl der vornehmen Gesellschaftsschichten.

Klosterküche:

»An aim flaischtag auff vnsern tisch. Ain voressen, täglich geendert. Alß von voglen, wildpret, wurst, Kalbskopf, kröß (Gekröse), gelung (edle Eingeweide), leber, kudlfleck etc. – Suppen des morgens offt eingeschnitten vnd flaisch, Henne oder Höner, so die wol vorhanden sind, darain. – kraut vnd ruben gesatten. So gut ochsen da sind ain stuck des flaisch. – Ain pfeffer, darjnn wilpret, Zungen, Ejtter (Euter) etc. – Ain gemues verendert all tag. – Ain eingebickts, Sülts oder kaltfues (Kalbsfuß) etc. Ain prättes (Gebratenes) zwayer oder dreyerley. – So man sew metziget (falls Schweine geschlachtet werden), ain stuck schweines prötlin (Braten). – Ain reys, gersten, kern (gespelzter Dinkel), lynsin etc. – Er mag auch geben für ein vor oder mittelessen: Ochsenhyrn gesotten oder gebachen, ein gebaiß (gebeizter) lendpratten von ochssen.

seltene Beispiel einer für den Bischof bestimmten kompletten Hauptmahlzeit an einem Fasttag (1486). Die Speisenfolge lautet:

1. Mandelmus mit Kügelchen aus Weißbrot
2. frische Fische gesotten
3. Kraut mit gebratenen Forellen
4. in Wein gekochte Krebse, zu einem Mus verarbeitet und mit Gewürznelken bestreut
5. Feigen in Wein (sog. Reinfal) gekocht, mit schwimmenden Mandelkernen darin
6. gekochter Reis mit Mandelmilch, mit Mandelkernen besteckt
7. Forellen in Wein gesotten
8. Krebse in Wein gekocht
9. Schmalzgebäck mit Weinbeeren im Teig, mit Staubzucker bestreut
10. verschiedene Gattungen von Birnen, dazu Äpfel und Nüsse.

Auch soll im Cochemer Schloß ein Feuerhahl (Feuerhaken) aus dem Stubener Kloster vorhanden sein mit der Inschrift: Oldear Anna von Ahr. Frau Meisterin zu Stuben war, hat mich bestallt und auch bezahlt, als man 1659 zahlt.

Die schulische Unterweisung der Kinder

Von Herrn Otto Münster

Neef und das Kloster Stuben standen immer in enger Beziehung zueinander, so daß anzunehmen ist, dass die Anfänge einer schulischen Unterweisung der Kinder von diesem Kloster ausgingen. Dies dürfte vor der ersten Erwähnung einer Schule in Neef anlässlich der Schulvisitation im Jahre 1779 der Fall gewesen sein.

1779 wird die Gemeinde aufgefordert, eine neue Schule zu bauen. Nach der Auflösung des Klosters Stuben - noch vor dem Einzug der Franzosen - zog die Schule in das ehemalige Hofhaus des Klosters, das aber 1847 vom Schulinspektor als zu klein für die größer gewordene Schülerzahl beurteilt wurde.

Früheres Hofhaus von Kloster Stuben, dann Schule

Neefer Schulkinder in den 50er Jahren

Zucht und Ordung hinter den Klostermauern

In der Mitte des 17. Jahrhunderts hatte die Disciplin des Klosters sehr gelitten und der Abt der vorgesetzten Abtei Sprinchirsbach Namens Daniel erschien auf Befehl des hochwürdigsten Fürsten und Herrn Richard Erzbischof und Kurfürsten zu Trier zur Visitation, „damit Ihr (die Conventualinnen) in einem tugendhaften geistlichen gottesfurchtigen und ehrbarlichen Leben beharren möget" 2c. Dieser Abt erläßt nun laut Urkunde vom 10. August 1640 Statuten, worin er bei Strafe gebietet und befiehlt, die Ceremoniales der Kirche zu halten, daß man pünktlich zu Tisch im Revender (Refektorium) erscheine; wenn Gäste kämen, denen man nicht entrathen könne, soll man ein „eigen Hauß dazu haben, und selbige darin traktiren. Abends sollen die Gäste auswendig des Klosters schlafen gehen, keine Jungfrau soll eine eigene Magd oder eigenes Vieh halten, dieselben sollen ihre geistliche Kleidung nach der Regel tragen", und soll nicht gestattet werden „Traget, Sammet oder dgl. seiderne Köller zu tragen", — es soll der Meisterin Reverenz, Ehr und Gehorsam bewiesen werden; jährlich soll Rechnung gelegt, und „dieweilen das umschweiffen auff dem Land nicht zu geringen Scandal und Aergernuß der Geistlichkeit und Jungfräulichen Zierde gelanget", soll ohne Vorwissen der Meisterin nicht erlaubt sein Freunde zu besuchen 2c., auch soll Tags Keine der Jungfrauen ausser der Clausur gehen ohne Erlaubnuß der Frau Meisterin; sodann sollen diese Statuten alle Jahre zweimal zur Nachachten vorgelesen werden [1]).

Wenn man bedenkt, daß meist Töchter hochadeliger Familien den Convent zu Stuben bildeten, welche sich schwerlich unter die Klosterzucht beugen und dem Verkehr mit der Welt entsagen konnten, so läßt sich die Einschärfung der Disciplin leicht erklären.

Der Erzbischof sah diesem Treiben nicht tatenlos zu . Um die Erhaltung der Zucht und Ordnung hinter den Klostermauern zu gewährleisten, wurde folgendes verordnet:

1) statt der bisher gewöhnlichen vier Fleischspeisen des Mittags und der Suppe, Gemüse und zweierlei Fleisch am Abend, sollen zum Mittagessen nur drei Fleischspeisen, des Abends aber nur Suppe, Braten und etwas Kaltes aufgestellt werden.

2) Keine Fremden, sie mögen Anverwandte von Nonnen sein oder nicht, dürfen mehre Wochen beköstigt werden im Kloster.

3) Den fremden Bedienten soll Morgens kein Caffe, und Mittags nicht mehr als Suppe, Gemüse mit einerlei Fleisch und einem Schoppen Wein gereicht werden.

4) Keinem Klosterfräulein darf erlaubt werden, in eigenen Angelegenheiten fremde Boten auf Kosten des Klosters oder das Gesinde zum Nachtheil der Hausarbeiten auszuschicken.

5) Die Schlüssel zum Brod, zu Milch, Wein, Caffe und zum Speicher dürfen den Mägden und andern Dienstboten nicht beständig überlassen bleiben.

6) Keiner Conventualin darf fortan vom Kloster Caffe, Milch oder Zucker unentgeltlich verabfolgt werden.

Kloster-Ruine Stuben b. Bremm a. d. Mosel

"Die Bremmer Brell"

Doch nicht immer fromm ging es im Kloster Stuben zu. Es waren Töchter des Landadels von Hunsrück, Eifel und Mosel, die hier Aufnahme fanden. Dabei war nicht immer frommer Sinn im Spiel. Stuben, das war schon einmal elterliche „Strafe" für allzu muntere und allzu stille Töchter. Auch sie waren nur Menschen. Jede Nonne hatte ihr eigenes Zimmer (Stube). In diesem Zimmer führte sie auch manchmal ihr Eigenleben. Alter Eintrag einer Nonne aus dem 17. Jahrhundert in ihr Tagebuch:

Wäre Dantzen, Sauffen, Singen
Und mit jungen Burschen ringen
gewesen dieses Klosters Orden(Ordnung)
wäre ich eine gute Klosterjungfer worden.

Von dieser Einstellung hörte auch ein junger Mann aus Bremm. Er wollte einmal selbst erfahren, ob es wohl stimme, was da auf der Nikolausinsel so alles passiert. Kurz entschlossen machte er sich auf und setzte bei Dämmerung über die Mosel in Richtung Kloster. Drüben angekommen, schlich er sich in des Klosters Garten. Eine Schwester kam gerade aus dem Kreuzgang und ging in ihre Stube. Er schlich ihr leise nach. Die zufällig vorbeikommende Oberin sah einen Schatten vorbeihuschen. Sie rief laut: "Halt wer da?" In seiner Not erkannt zu werden, griff der junge Mann nach einem Nonnengewand, welches im Flur auf einem Haken hing und zog es geschwind an. Als die Oberin dann plötzlich die Nonne vor sich sah, wusste sie nicht, was ihr geschah. Aufgeregt lief sie in den großen Aufenthaltsraum und schrie so laut, dass es vom Calmont her schallte:
„Alle Nonnen im Kloster direkt zur Visite zu mir, alle..."
Innerhalb von 10 Minuten standen alle Nonnen, alles was ein Gewand anhatte, in Reih und Glied vor ihr. So, nun will ich genau wissen, was hier vorgeht. Ich will jetzt wissen, ob unter euch ein Schwarzes Schaf ist?"

Auch der junge Mann stand zitternd, schweißgebadet und mit rotem Kopfe in dieser Reihe. In seinem Kopf die bange Frage: „Entdeckt sie mich?" Nun zog die Oberin ihre Brille auf und begann mit der Visite. Jede Nonne musste nun ihr Gewand hochheben, damit sie sich selbst davon überzeugen konnte, was sich darunter verbarg. Nun begann sie. Es war alles in Ordnung bis zur Nonne Nr. 16. Das war unser junger Hüpfer. Als nun die Nonne auch ihn genau untersuchen wollte, schlug dieser vor lauter Aufregung ihr die Brille so fest von der Nase, dass diese bis nach Bremm flog. Bis sich dann die Oberin von diesem Schreck erholt hatte, hatte der Übeltäter bereits das Kloster fluchtartig verlassen.

„Meisterin, ich habe ihre Brille gefunden!"

Veräußerung der Klostergüter.

Bei der Übernahme durch die Franzosen hatte das Kloster Besitzungen in Eller, Ediger, Neef, Bremm, Poltersdorf, Aldegund, Düngenheim, Eulgem, Gameln, Schmitt, Alflen, Urschmitt, welche für 79 882 Francs versteigert wurden; die Wiesen, Gärten und Äcker in der Nähe des Klosters, das heutige sogenannte „Stubener Land", wurden verpachtet mit Ausnahme des Stubener Waldes. Als im Jahre 1815 die Rheinprovinz zu Preußen kam, wurde das ganze Gut eine preußische Domäne. Der letzte Pachtvertrag, laut dessen die Güter auf 3, 6, 9 Jahre verpachtet waren, ist datiert vom 21. März 1815, und die letzten Pächter waren Johann Peter Friedrichs und Peter Bartholomäus Gietzen in Eller. Als Bürge hat unterzeichnet Anton Schneck in Zell. Der Flächeninhalt des Gutes betrug 4½ Hektar und die Pachtsumme 186 Thaler 9 Sgr. gleich 558,90 Mark. Es standen 299 Obst- und Nußbäume darauf.

Durch Verordnung des Königlichen Finanzministeriums zu Berlin vom 7. April 1819 mußten die Domänen-Grundstücke im Regierungsbezirk Coblenz veräußert werden. Das Gut beim Kloster Stuben wurde am 10. Juli 1820 in Zell, weil Bremm, Eller und Ediger damals zum Amt Zell gehörten, versteigert für 7300 Thaler gleich 21 900 Mark. Im Auftrage von 25 Teilnehmern aus Eller, Ediger, Bremm und Neef steigerten dasselbe an die Herren Kaspar Friedrichs und Peter Bartholomäus Gietzen in Eller und Thomas Löwen in Ediger. Die Pachtzeit ging erst mit dem Jahre 1824 zu Ende. Die Ansteigerer mußten bis dahin den Pächtern die Ländereien überlassen, dagegen mußten die Pächter das Pachtgeld an die Ansteigerer zahlen. Eine amtlich beglaubigte Abschrift dieses Versteigerungsprotokolls wird in einer Familie zu Eller aufbewahrt, dieser sind die vorstehenden und nachfolgenden Angaben entnommen. Dieses Buch enthält genaue Vorschriften und Bedingungen, welche die Ansteigerer inbetreff der Behandlung der Obstbäume, der Wege, der Fußpfade, des Brunnens, der sich an der unteren Spitze der Wiesen in der Nähe der heutigen Eisenbahnbrücke befand, zu beobachten hatten.

Nachdem das Gut drei Wochen nach der Versteigerung den genannten Ansteigerern übergeben war, schritt man zur Teilung. Man bestallt zwei unparteiische Taxatoren von Bremm, Martin Bellenz und Jakob Unzen. Diese teilten das Gut zunächst in Abteilungen und begrenzten diese mit roten Sandsteinen, von denen man heute noch einzelne in den Wiesen findet. Jede Abteilung wurde wiederum in 14 Lose mit 28 Teilen geteilt, so daß 1 ganzes Los 2 Teile oder 1/4 des ganzen Gutes, 1/2 Los 1 Teil oder 1/28 des ganzen Gutes und 1/4 Los 1/2 Teil oder 1/56 des ganzen Gutes betrug. Nachdem die einzelnen Lose taxiert und mit Schiefersteinen begrenzt waren, fand am 27. Jauar 1821 die Verlosung unter die 25 Teilnehmer statt.

Das oben erwähnte Versteigerungsprotokoll enthält eine tabellarische Darstellung und Beschreibung der 13 Abteilungen und der ganzen Verlosung. Man ist dabei sehr genau und umständlich zu Werke gegangen. Der Wald ist, wie gesagt, damals nicht versteigert worden, sondern er ist bis heute Staatseigentum geblieben und steht unter dem Schutze des Gemeindeförsters zu Neef. Die Wiesen und Gärten sind heute größtenteils noch im Besitze der Nachkommen der Ansteigerer.

Überreste des Klosters Stuben.

Nach dem Versteigerungsprotokoll gehörte das Klostergemäuer zu der vierten Abteilung. Unter den Bedingungen zu dieser Abteilung finden wir folgende: „. . . . 3. muß einer den anderen fünf Jahre den vorfindlichen Schutt und Steine durch sein Land führen lassen, jedoch wo es sich tun läßt, muß jeder auf seinem Eigentum bleiben oder durch den gemeinschaftlichen Weg an die Mosel fahren; nach Verlauf obiger Zeit hört diese Verpflichtung auf." . . . . 5. „Es wird dem Heinrich Henrici gestattet, das Gebäude, das Bandhaus genannt (wahrscheinlich Küferhaus), zwei Jahre von heute an, stehen zu lassen, ohne daß ihm jemand etwas daran beschädigen kann, nach Verlauf dieser Frist muß es aber weggeschafft sein." Demnach ist ein Teil der Klostergebäude von den Besitzern selbst abgebrochen worden, und was als Baumaterial noch brauchbar war, hat man als solches verwandt. An den Umfangsmauern der Kirche sieht man, daß alles brauchbare Hauwerk an Fenstern und Türen, die Sockel in der Kirche, gewaltsam herausgebrochen sind.

Diese Mauerreste rufen uns zu: Hier war jahrhundertelang eine Stätte des Gebetes, des Gottesdienstes, der Abtötung und jeglicher Tugendübung. Hier sieht man aber auch den Verlauf des Irdischen: Aufbau und Zerstörung, Aufblühen und Verwelken, Entstehen und Vergehen! Sie sind ein Denkmal früherer Zeit und wert, daß man sie in ihrem heutigen Zustande der Nachwelt zu erhalten sucht und gegen jede Zerstörung in Schutz nimmt.

Kloster Stuben - Berühmt für die "Stubener Nachtigallen"

Aus: Am Sagenborn der Heimat II, von Robert Kraemer

Nachtigallen im Kloster Stuben

Um das Zisterzienserkloster Himmerod in der Eifel vermehrten sich die Nachtigallen so stark, daß sie den frommen Mönchen die Weltlust ins Herz sangen. Ihre bestrickendsüßen Lieder lockten die Söhne Sankt Bernhards aus den engen Zellen hinaus auf Reisen in die weite Welt, wo sie Gebet und Arbeit vergaßen und sich einem ungeistlichen Wohlleben hingaben.

Als der heilige Bernhard die schlimme Kunde vernahm und allsogleich nach Himmerod eilte, um seine geliebten Söhne vom weltlichen Treiben zur strengen Ordensregel zurückzurufen, bat er die Nachtigallenscharen, aus der Umgebung des Klosters fortzuziehen. Er segnete die gefiederten Sängerinnen und forderte sie auf, zu jenen Kirchen und Klöstern zu fliegen, wo man immer noch schlecht musiziere und mangelhaft sänge: „Laßt euch dort nieder, jubelt so eindringlich, bis man eure süßen Stimmen nachahmt und ihr zu Lehrmeisterinnen des Gotteslobs werdet!"

Die ernste Sorge um seine gefährdeten Söhne, die aus den Worten des Vaters der Zisterzienser klang, rührte die kleinen Vogelherzen. Die Himmeroder Nachtigallen weinten in den Büschen des Klostergartens ein inniges Abschiedslied und dann flatterten sie das Salmtal abwärts zur Mosel. Als sie das junge Augustinerinnenstift Stuben bei Bremm überflogen und dort hoch in Lüften den Choral der adeligen Nonnen vernahmen, beschlossen sie, sich hier niederzulassen, um die hörbar noch recht ungeschulten Mädchen- und Frauenstimmen in der Gesangeskunst zu unterweisen. Und siehe da, hatten die Nachtigallenlieder die Himmeroder Mönche zur Weltlust verführt, so bewirkten sie im Stubener Schwesternkonvent gerade das Gegenteil. Seitdem die kleinen, grauen Vöglein aus den Erlen- und Weidenbüschen der Moselinsel ihre lieblichen Töne erschallen ließen, nahmen Klosterfrieden und Klosterzucht ständig zu, so daß Prior Richard von der nahen Augustinerabtei Springiersbach erfreut Kurfürst Albero von Trier berichten konnte: „Die hundert adeligen Jungfrauen und Witwen im Konvent zu Stuben leben in Eintracht und Gottesfurcht und bilden eine gottwohlgefällige Klosterfamilie, die ihrem Schutzpatron, dem heiligen Nikolaus, alle Ehre macht. Wenn sie nach gewissenhafter Tagesarbeit gemeinschaftlich Vesper und Komplet singen, jubels aus frommen Frauenkehlen hundertfaches Gotteslob. Sie sind als gelehrige Schülerinnen der Himmeroder Nachtigallen Meisterinnen der geistlichen Gesangeskunst geworden. Möge es immer so bleiben!"

Nikolaus Hocker schreibt 1855 in

„Das Moselthal von Nancy bis Koblenz“

über das Kloster Stuben folgendes:

Im grünen Wiesengrunde, von Felsen begrenzt, erheben sich die Trümmer des Augustinernonnenklosters Stuben, im Jahre 1136 gestiftet und mit reichen Gütern begabt. Heinrich von Uelmen, der bekannte Reliquiensammler, schenkte dem Kloster das kostbare Sanctuar des heiligen Kreuzes, das sich ursprünglich in der Sophienbasilika zu Konstantinopel befand, jetzt aber in St.-Mattheis bei Trier aufbewahrt wird. Kaiser Max I. kehrte hier auf seiner Moselfahrt ein, um zum heiligen Nikolaus zu beten. Im Jahre 1788 ward das Kloster in ein weltliches Damenstift umgewandelt, die Bewohner verließen aber in der Revolutionszeit die geweihten Hallen, und so fielen diese dem Alles zerstörenden Zahne der Zeit anheim. Heute sind nur die dachlosen Mauern übrig, die traurig aus der frischen lebensvollen Matte uns anblicken. Auch die Nachtigallen sind verstummt, die der heilige Bernhard aus der Umgebung des Klosters Himmerode in der Eifel nach Stuben verbannt hatte, damit sie mit dem süßen Klange ihrer Lieder die frommen Jungfrauen erfreuen sollten. Zu wundervoll war die Lage, zu reich die Einnahme des Klosters, um die edelgeborenen Nonnen für immer von der Erde abziehen zu können. Wo der Himmel tiefblau lachte, war es ein beseligendes Gefühl, an die Freuden zu denken, die der Gottesbräute jenseits harrten. Aber die Erde macht auch ihre Foderungen geltend; der Frühling war zu schön, die Blumen dufteten zu würzig, die Nachtigallen schlugen zu schmelzend in den nahen Büschen, um nicht endlich die Frömmste aus den stillen Räumen des Klosters an die warme Brust der Weltlust zu locken. Alle ließen sie den Altar der Jungfrau Maria, die ihnen lange Beschützerin und Mutter gewesen war, und suchten anderswo die Ruhe und den Frieden, den sie im Kloster nicht mehr finden konnten.

Das hat mit ihren Sängen
Die Nachtigal gethan!

Sie sangen wie die Nachtigallen

Erzbischof Balduin von Trier pflegte auf seinen Moselfahrten nach Koblenz stets in Stuben einzukehren, um sich an dem Choralgesang des Nonnenkonvents zu erbauen. Im Jahre 1512 unterbrach Kaiser Maximilian seine Reise zum Reichstag nach Trier einundeinenhalben Tag im Kloster Stuben, um dort die kostbare Kreuzpartikel, die Ritter Heinrich von Ulmen aus dem Heiligen Land mitgebracht und den frommen Stubener Frauen geschenkt hatte, zu verehren. Er war von dem gottinnigen Klosterleben auf der Nikolausinsel tief beeindruckt und kargte nicht mit Anerkennung und Lob der sangeskundigen Schwestern im weißen Kleid, schwarzem Mantel und den Rosenkranz am Gürtel.

Als aber der Kaiser nachts im klösterlichen Gastzimmer vor Gedanken und Sorgen um des Reiches Wohl nicht zum Schlafe kommen konnte und sinnend sich auf dem Lager wälzte, erhob draußen im Klostergarten eine Nachtigall ihr schmelzend Lied, daß die bestrickenden Töne sich durchs offene Fenster stahlen. Eine gefiederte Schwester antwortete in den Uferweiden und allsobald fiel eine dritte aus dem nahen Auwald ein. Der Kaiser lauschte hingerissen den lieblichen Tönen und spähte prüfend in die laue Sommernacht. Da gewahrte er, daß die Bäume und Hecken wie lebendig von zauberisch schlagenden Nachtigallen wurden. Beglückt ließ er sich von ihnen in den Schlummer singen und erwachte am Morgen so frisch und froh, daß er beim Abschied der ehrwürdigen Meisterin des Konvents, Frau Odilia von Eltz, bewegt die Hand drückte und schelmisch meinte. "Kein Wunder, wenn die adeligen Nönnlein von Stuben selbst trefflich wie Nachtigallen singen - nicht alle Klöster können sich solch vollkommener Lehrmeisterinnen rühmen".

In Trier aber berichtete der Kaiser dem Kurfürsten Richard von Greiffenklau über die zwitschernden Klostervöglein auf der Moselinsel zu Stuben. Und als der kaiserliche Herr seines Reiches streitbarsten Erzbischof Richard dazu bewog, erstmals das ungenähte Gewand des Erlösers zur allgemeinen Verehrung auszustellen, da entbot er zugleich abwechselnd die Hälfte der "Stubener Nachtigallen" als Ehrenchor in die Hohe Domkirche. Dort sangen dann die fünfzig Nönnlein im weißen Ordenshabit, während das Volk des Trierer Landes in gebührender Ehrfurcht am Heilandskleid vorüberwallte, so daß die Gläubigen noch tiefer ergriffen wurden und vermeinten, alle Nachtigallen ihrer Heimatwälder auf den Eifel- und Hunsrückhöhen und aus den Tälern der Mosel, Saar, Nahe und des Rheines hätten sich im Trierer Dom ein Stelldichein gegeben, um zur Ehre Gottes und seines ungeteilten Rockes süß und selig zu schlagen und zu schluchzen.

Auszug aus dem Pfarrblatt der kath. Pfarrgemeinde Bremm/Mosel (vom 22.11.1981 Nr. 24)

Und zum drittenmal hört es sich wie ein Stück aus einer Sage an, die Geschichte, wie Richard von Greiffenklau, der starke Trierer Kurfürst in den Reformationswirren, die Nönnchen des Klosters Marienburg droben im Zeller Hamm hinab nach Stuben brachte. An einem sonnigen Frühlingsnachmittag landete die rote kurfürstliche Yacht an der Nikolausinsel, und hinter dem breitschultrigen Herrn Erzbischof stiegen sie alle aus, piepsend und zwitschernd wie Amseln und Bachstelzen, voran die hagere Priorin Eva von Metternich. Sie waren hochbeglückt von der Courtoisie des Gnädigen Herrn, der auf ihrer Marienburg erschienen war und sie an diesem lachenden Frühlingstag zu einer Moselfahrt auf seiner Staatsyacht und zu einem Kaffeebesuch bei den Stubener Schwestern eingeladen hatte. Wie bestürzt und erschrocken waren sie am Abend, als der Herr Kurfürst mit seinem roten Schiff verschwunden war, ohne sie auf die Marienburg zurückzubringen. Und wie entsetzt und erregt stoben sie herum, als sich ergab, daß nach dem Befehl des Kurfürsten, heute nicht und nimmer sich ein Fährmann fand, sie nach Hause zu rudern. Weil die Nönnchen ihre Gottes-, und Marienburg auf dem Hamm nicht friedlich aufgeben wollten, hatte der Landesvater seine Zuflucht zu dieser galanten List genommen. „Kanonen braucht unsere kriegerische Zeit auf den Bergen“, schrieb er hernach der klagenden Priorin, „Rosenkränze können auch im Tal gebetet werden“. Sie mußten gehorchen, und es gefiel ihnen mit der Zeit bei den Schwestern auf Stuben, wenngleich das Heimweh nach der Berghöhe mit der weiten Sicht sie nie verließ. Auch hier unten war es schön. Frühmorgens wurden sie von den Nachtigallen aus dem Stubener Wald geweckt, denen sie auch an den warmen Sommerabenden lauschten, dengleichen Nachtigallen, die Sankt Bernhard, der bezaubernde Prediger aus dem Eifelkloster Himmerod hierher verbannt hatte, weil sie den Sinn seiner Zisterziensermönche dort vom frommen Klosterleben abgewendet und zum Irdischen betört hatten. Hier bei den Klosterfrauen auf der stillen Insel mochten Sie Ihr sehnsüchtiges und wehmütiges Lied singen und ihnen den Trost der Einsamkeit und die süße Lust des einfachen Daseins ins Herz träufeln; ihre Noten paßten zum leisen Gesang der Nönnchen wie eine schluchzende Geigenstimme zu einem zarten Kirchenlied.

Nachtigallen schlagen auch heute noch aus dem Stubener Busch; aber die Nonnen sind längst gestorben, ihr Kloster ist abgerissen und vom grünen Rasenteppich und von Rebstöcken zugewachsen. Es war schon innerlich zerfallen, der adelige fromme Geist war schon gestorben, als die Soldaten der Französischen Revolution es besetzten. Einst hatten hundert Edelfrauen das Kloster bevölkert; jetzt lebten noch acht Nonnen wie verloren in den großen Räumen, dazu die Meisterin Maria Fernanda von Maffay de la Serra und die Priorin Maria Anna Freiin von Berg zu Dürfental, wie Gespenster der gestorbenen Feudalzeit. Schon vorher waren sie durch Clemens Wenzeslaus, den letzten Kurfürsten, von der Residenzpflicht entbunden worden; 1790 hatte er das Kloster in ein „freies hochadeliges Stift hochwürdiger hochwohlgeborener gnädiger Freyfräulein“ umgewandelt. Bald flüchteten die letzten „Freyfräulein“ über den Rhein und verkauften zu Hanau das Klostersilber, um nicht des Hungers zu sterben. Das griechische Kreuzreliquiar kam nach langen Irrfahrten in den Limburger Dom, wo es das Kleinod der Schatzkammer ist.

1820 wurde in Zell das Stubener Land für 7300 Taler versteigert. Fünfundzwanzig Bremmer Bürger teilten es unter sich. Den Wald behielt der Staat. Das Stubener Griechenkreuz kann man auf Grenzsteinen, Altären und Türen noch sehen in Eller, Ediger, Neef, Bremm, Poltersdorf, Sankt Aldegund und Ernst an der Mosel und hoch in der Eifel, in Düngenheim, Gamlen, Schmitt, Alflen, Urschmitt, Faid, Kennfus und Kehrig, wo überall das Kloster in seinen Glanzjahren Güter und Gefälle besaß. Die 1685 unter Anna Odilia von Ahr erbaute Kirche wurde abgedeckt, das Barockportal ausgebrochen. Ältäre aus der Klosterkirche stehen in Bremm, Eller, Ernst, Gillenbeuren, Ulmen und Driesch. Die Kanzlei ziert die Cochemer Schlosskapelle. Nur die schwarzen Kirchenschiffmauern blieben, nackt und voll Trauer stehen sie am Fluß, Vanitas vanitatum! Alles ist eitel! So schließt der Chronist.

Auszug aus Buch von L. Mathar:

„Unter der Geißel“

II.

Die Reise zum Pater Martinus

Ein seltsames Paar, der Jude und die Tochter des Ratsschreibers. Ein schäbiger, unter seinem Kasten gekrümmter Tabularkrämer. Ein hochgewachsenes, stolzschreitendes, mutig blickendes Bauernmädchen, dessen vornehmen Stand das Eifeler Schleifenhäubchen, das Kornetchen, das schwarze Umschlagtuch mit dem rostbraunen Rande, der grobe Tirteyrock kaum verbirgt.

Eine seltsame Reise zu einem armen Kapuziner, der eine ganze Stadt vor schwerster Bedrängnis erretten soll.

Zwar ist Marie Ursel im Innern ihres kühl wägenden Herzens recht wenig zuversichtlich. Aber der Vater, die Freunde und vor allem die Gotte glauben felsenfest an einen Erfolg. Und muß sie da nicht alles tun, sie, die eigentlich all dieses Leidens Ursprung ist!

Ein seltsamer Tag. Drunten im Moseltal ist Fastnacht, wenn auch gedrückte, traurige. Da ziehen die Kinder vermummt von Tür zu Tür, heischen und erhalten Äpfel, Birnen, Wal- und Haselnüsse als Entgelt. Rosenmontag ist's. Da zog in früheren, glücklicheren Jahren der Fastnachtszug durch das lustige Cochem, und mehr als einmal war sie Königin.

Nun schleichen sie auf verschneiten, vereisten Pfaden wie Flüchtlinge durch das unwirtliche Gebirg.

In erster Morgenfrühe sind sie aufgebrochen. An der Peters-, der Pestkapelle, vorbei, den Berg hinauf. Gott sei Dank! In der Burg liegt noch alles im tiefsten Schlaf. Nun den steilen, steinigen Pfad zu den Drei Kreuzern hinauf. Schauerlich ragen die Gemarterten aus dem dichten, Berg und Tal verhüllenden Nebel.

Wie oft hat sie hier oben im glasig klaren, flimmernden Sonnenschein gesessen und mit glückseligen Augen auf das liebliche Cond, die düster und jäh starrende Brauselay, den rebengrünen Dalwiger Berg, das geschmiegte, in Blumen verborgene Dörflein hinabgeschaut!

Steiler, höher noch hinauf durch den raschelnden, frostschauernden Hainwald zur Lescher Linde, der Vertrauten manch heimlicher Botengänge. Der Lescher Hof träumt noch in seiner Wallhecke. Das Kapellchen am Kreuzweg duckt sich unter der mächtigen Linde. Nun ist man auf der von Faid über den Eller Berg führenden Straße, mitten im Schweigen des Hochwaldes. Unheimliche Stille. Fester packt Ascher Lippmann seinen Knotenstock, und Marie Ursel beschleunigt den Schritt. Hier in dieser

Waldeinsamkeit nistet das aus den Tälern vertriebene, lichtscheue Gesindel. Die Elenden, die keine Heimat mehr haben, hausen hier oben bei Fuchs und Wolf. Wehe dem Welschen, der hier allein und sorglos seine Straße zöge!

Knackt's da nicht im Dickicht? Lauert da nicht ein geschwärztes Gesicht? Eine schwere, nasse Last, die von hängendem Geäst zu Boden schüttert. Ein huschendes Wild, das aus seinem Schlupfwinkel scheut.

Ascher Lippmanns Hakennase schnuppert. Es liegt Tau in der Luft. Die blendende Weiße des hartgefrorenen Schnees wandelt sich merklich in schmutziges Grau. In den Schluchten der Bergtäler donnert das Gefälle.

Nun sind sie oben auf der weit sich wölbenden Höhe, wo sich uralte Straßen nach Faid, Sehl und Eller kreuzen, wo der wallonische Lederfuhrmann, der niederländische Beutejäger zu Tal zogen.

Rasch dann mit leichterem Herzen nach Eller hinab.

Bleich und matt ist indes aus dünstendem Gewölk die Februarsonne hervorgetreten. Das Tal wird im wallenden Morgennebel erkennbar, das Peterskirchlein, gespentisch weiß am Berg, die Kuppe des Hochkessels, wie Sinai von geheimnisvollem Gewölk umhüllt, der gewaltige Block des Calmond, dem Eller Berg wie zum Zweikampf entgegengetürmt.

Drunten aus dem Gischt der Tiefe wimmern die Glöckchen und verraten die Siedlung der Menschen:

Eller, Ediger und Kloster Stuben am Fuße des Petersberges.

In scharfen Windungen bringt die Straße die raschen Wanderer zu Tal.

„Hol' über! Hol' über!" Dreimal, viermal muß der Tabularkrämer seine heisere Stimme zur Nikolausinsel hinübersenden, ehe sich der Klosterferge zur Überfahrt bequemt. Erst als er, dem Gestade nahe, Marie Ursel erkennt, beschleunigt er des Ruders Schlag.

„Die Jungfern sind noch im Chor," lächelt des alten Nickla Ledergesicht, „die ehrwürdige Mutter hält strenges Regiment." Durch die hohen spitzbogigen Fenster dringt der psalmodierende Gesang der Chorschwestern melodisch hinaus und hallt an den Felsen des Calmond melodisch wider.

Wehmütig schreitet Maria Ursula durch den weiten, sorglich gedeckten Klostergarten, um das Geviert der Klostermauer herum und am Berg durchs mächtig gewölbte Portal.

Ascher Lippmann eilt schon voraus, die Doppelallee entlaubter Kastanien hinunter zum Bremmer Fahr. Will sich drüben in der Halfenschenke beim Vater Amlinger nach der Wege Sicherheit erkundigen.

Der Chor ist verhallt. In dem Zimmer der Äbtissin Anna Odilia von Ahr sitzt die einstige Schülerin der mütterlichen Freundin erwartungsvoll gegenüber. Wie einem Beichtiger hat die Tochter des Ratssekretarius der weltmännisch klugen Dame all ihre

Not geklagt. Nachdenklich sinnt das feine, kluge Gesicht der Nonne.

„Menschlich ist kein Heil zu erwarten, Marie Ursel", sagt in tiefer Stille die Meisterin. „Zum Kriegführen gehört Geld und immer wieder Geld, und der Marschall Boufflers, dessen Ohr der Königsleutnant hat, braucht bis zum letzten Stüber die Kontribution. Ebenso gewiß auch, daß Stadt und Amt Cochem nicht zahlen können, wenigstens nicht bis auf den letzten Rest. Und wird das Geld nicht bis auf Albus und Stüber am 1. Martius gezahlt, nimmt man sich Geiseln, und das erste Opfer wird der leitende Offizial, der Ratssekretarius, sein."

„Ich weiß, ich weiß!" stöhnt wie gefoltert Marie Ursel.

„Dann hast du nur dich, mein Kind, und deine Ehre," leise die Äbtissin und streichelt die in der ihren liegende, zuckende Hand, „dann wird Stuben deine letzte Zuflucht sein. Das steht, dank dem Grafen Montal, unter König Ludwigs höchstem Schutz."

Heftig schüttelt Marie Ursel das stolze Haupt. „Ich schütze mich selber. Ich weiche und flüchte nicht. Kann nicht, darf nicht weichen!"

Mutter Anna Odilia merkt, dieser eiserne Wille läßt nicht von der als richtig erkannten Bahn.

So muß Gott helfen.

Mitarbeiten aber soll Menschenklugheit. Sie rät, eine möglichst große Summe dem Marschall gleich zu zahlen, auf Wingerte, Wiesen und Äcker in Bernkastel Anleihen aufzunehmen. So sieht Boufflers den guten Willen und wird gnädiger gestimmt. Merken sie aber, daß die Endsumme mit keinen Mitteln zu erreichen, so anzuhalten und nicht vergebens und zwecklos ihr gutes Geld ins Bodenlose zu schleudern. Denn gelänge es auch, zu zahlen, Du Saxis in satanischer Gier würde stets etwas Neues, ebenso Unmögliches ersinnen.

„Und der Pater Martinus?" forscht die selber Zweifelnde.

„Hat Ansehen, ist beredt, meint's gut", lächelt die Lebenskluge, Weltkühle.

Ernster dann zu der wesensverwandten Schülerin: „Wir halten Ewiges Gebet vor dem Stubener Kreuz. In cruce salus, im Kreuz allein ist Heil!"

Und nun kniet sie mit Marie Ursel im stillen, hohen Chor. Auf dem Altar, im Glanze von Gold und Edelstein, Perlen und Gemmen das Kleinod, das vor nahezu fünfhundert Jahren Ritter Heinrich von Ulmen aus dem erstürmten Byzanz in die Moselheimat gebracht und zum Heil seiner und seiner Gattin Irmgardis Seele dem Kloster des hl. Nikolaus geschenkt. Schlichtes, altersbraunes Holz, die hochheilige Particula. Menschenwerk der Glanz der Kostbarkeiten.

Durch die weltenferne Stille die zarten Stimmen der Klosterjungfern: „O Herr Jesu Christe, wir beten dich an und preisen dich; denn durch dein hochheiliges Kreuz hast du die Welt erlöst!"

Tief senkt Mutter Anna Odilia das edle Haupt.

In kalter, beängstigender Leere erschauert Maria Ursula.

„Komm, Marie Ursel!“ flüstert die mütterliche Freundin, als sie die Kirche verlassen haben, und zieht Marie Ursel zum Ufer der Mosel hinab.

Da sitzt im Schnee des Gestades eine gekauerte, schauernde Mädchengestalt.

„Das Kättchen, dem Hanni Seine!“ ruft erstaunt Marie Ursel.

„Still, still,“ raunt die Äbtissin, „sie ist scheu wie ein Reh!“

Hart an dem tiefen, glucksenden Wasser hockt sinnvergessen das Kättchen. Sie hat die prallen, gesunden, bis zur Achsel nackten Arme in die eisige Flut getaucht und zieht sie, ein Liedchen leiernd, hin und her. Reibt und scheuert dann mit dem rechten den linken Arm und so weiter, wechselweise.

„Sie nennt das, ihre Schande abwaschen. Wir können sie nicht daran hindern.“

> „Weiß, weiß, lilienweiß,
> Rot, rot, blutigrot!
> Mägdleins Ehr', o bittrer Preis,
> Mägdleins Schande, schlimmster Tod!“

Immer wiederholt sich seelenlos die tieftraurige Leier.

Der Zuschauerin fährt es wie ein jäher Stich zum Herzen. Sie sieht sich wie diese am Stubener Gestade kauern, sie hat wie diese Ehr' und Seele verloren!

„Fort, fort!“ keucht sie. Und ehe die verblüffte

Äbtissin sie hindern kann, ist sie in jagender Eile die Kastanienallee zum Bremmer Fahr hinab.

Überrascht schaut Mutter Anna Odilia der Fliehenden nach. Was aus ihrer kühlen, klugen Maria Ursula geworden ist!

Lange kniet sie im Chor vor Ritter Heinrichs Kreuzesbild. Der Sturm hat den stolzen Wipfel gebeugt. Die Pflugschar hat den harten Acker gefurcht. Nun tu' du, o Herr, dein Werk!

Drunten am schneeigen Moselgestade hat das arme, irre Kättchen seine „Reinigung" vollendet. Mit einem glückseligen Lächeln wandelt es ins Kloster zurück.

Wie gehetzt flieht Marie Ursel die Stätte ihrer glücklichen Kindheit. Eine wilde Furcht schüttelt sie zum ersten Mal. Entsetzlich ist das, was sie dort unten gesehen hat. Gewalt kann auch die Seele töten! Was nutzt da innerer Widerstand? Wie Höllengelächter klingt es ihr in den Ohren:

„Weiß, weiß, lilienweiß,
Rot, rot, blutigrot!"

O Gott, wo die Fähre bleibt! Fort, fort! Hinüber! Weiter, weiter!

Kaum daß sie sich in Bremm von dem guten Vater Amlinger zu stärkendem Imbiß nötigen läßt. Das Moseltal ist zu unsicher, berichtet der weißhaarige Alte. Wie Wölfe lauert das Gesindel. So beschließen sie, über Beuren nach Bertrich, durch den Condelwald ins Alftal nach Kinderbeuren und von dort nach Ürzig ins Moseltal wandern.

Eiligst ersteigen sie, in Windungen aufwärtsklimmend, die Beurener Höhe. Der Krämer mit seinem Kasten kann kaum Schritt halten.

Drunten im warmen, sichern Tal liegt Stuben, auch in Eis und Schnee lieblich gebettet. Da ist das Wäldchen, wo das glückliche, ahnungslose Kind Marie Ursel dem Schlag der Nachtigall gelauscht. Droben schimmert die Peterskapelle, wo es im Totengarten unschuldig sich Kränzlein gewunden. Da thront das Eulenköpfchen, wo es von wilder Schieferley träumend in die frühlingsschönen Lande geschaut.

Weiter, weiter! Nicht rückwärts schaut Marie Ursel. Vorbei, vorbei!

Durch schauerlichen Hochwald von Beuren nach Bertrich hinab, vom Sturm der Höhe umrauscht, von der weltfernen Stille verschlungen. Nur vergessen, vergessen!

Zu Bertrich, bei einem Glaubensgenossen beherbergt Ascher Lippmann seine verstörte Weggenossin. Es dämmert, als sie in der Sicherheit des abgeschiedenen Quelldörfchens geborgen sind.

Ja, hier ist's gut sein! Hier weiß man nichts von der Welt und ihrer Tücke.

Hier feiert man noch Fastnacht in fröhlicher Harmlosigkeit. Vor Marie Ursels Fensterchen singen mit hellen, heischenden Stimmen die Kinder:

Ho, ho, ho! Die Fastnacht, die ist do!
Wer mir sieben Gulden gibt, dem soll sie sein!
Sieben Gulden sind kein Geld.

Drei Pfund Butter, vier Pfund Wurst,
Wer den Wein im Keller hat, leid't keinen Durst.
Ja, hier steht ein guter Mann, stellt die Leiter an die Wand,
Schneidet ein Stück Speck, sieben Ellen lang,
So dick wie ein großer Schuh und wie ein Mühlenstein;
Dann können wir alle zufrieden sein.
Hausmutter, wo seid ihr? Im Stall?
Die Hühner legen all,
Zwei Eier sollt ihr geben,
Lange sollt ihr leben,
Selig sollt ihr sterben,
Das Himmelreich sollt ihr erben!

Da öffnet Sara, das gütige, verhutzelte Judenweibchen, die Tür, und aus weitgeöffneter Schürze regnen Äpfel, Birnen und Nüsse in die jauchzende Kinderschar.

Oben im Schlafkämmerchen lauscht, wehmütig lächelnd, eine Verhärmte. Plötzlich aber beugt sich ein stolzes Mädchenantlitz weit aus dem engen, niederen Fensterchen.

Sieben wahrhaftige, blitzblanke Taler regnen, einer nach dem andern, zu den überglücklich jubelnden Kindern hinab.

Und in ganz Bertrich erzählen die Glücklichen von der stolzen Jungfrau und ihrer märchenreichen Spende.

„'n Prinzessin waor et!" „Nei', de Mottergoddes waor't selver!"

Am andern Morgen wieder in frühester Frühe den Berg zu dem zwischen den Hochwäldern gebetteten Krinkhof hinauf und hinein in die düstere Einsamkeit der Fichtenwälder. Löb Süßkind, der Gastliche, läßt sich nicht abhalten, das seltsame Paar bis Kinderbeuren zu geleiten.

„Mer waiß net, mer waiß net," sagt er bedenklich, „un' zwei Knotestöck senn besser als eine." Endlich öffnen sich die rauschenden, leicht tauenden Wälder, und das verschneite Alftal breitet sich gastlich in der Tiefe, von dunstigen Schleiern leicht verhüllet. „Et taut, un' de Luft wird wärmer," prophezeit schnuppernd der wetterkundige Ascher, „heim müsse mer im Schiffche, so käme mer net weiter."

Nun noch den Hang des Eichwaldes drüben hinauf, und sie sehen Ürzig und die Mosel tief unter sich.

Mittags, nach scharfer Wanderung, sind sie vor der Pforte von Kloster Machern. Das Fräulein hat von Mutter Anna Odilia eine Empfehlung an die Äbtissin. Ascher Lippmann ist mit einem Bettelsüppchen zufrieden.

„Nach Bernkastel wollt ihr euch wagen?" entsetzt sich die in ein recht weltliches Habit gekleidete Dame. „Da haust der welsche Kommandant wie der Teufel. Dem Pater Martinus, dem Unerschrockenen, stellt er seiner losen Weibsbilder wegen nach."

Marie Ursel wirft den stolzen Kopf in den Nacken. In dem Schweigen der Hochwälder, in mancher wortlosen Stunde hat sie die Kraft und den Stolz ihrer Seele wiedergefunden. Wie ein törichter Spuk erscheint ihr nun das Stubener Erlebnis.

Die Herrschaftszeit des Klosters Stuben in Düngenheim

von Alois und Stefan Gorges, Düngenheim
Herausgeber Ortsgemeinde Düngenheim 1997

Das Kloster Stuben weiß über 600 Jahre seinen Besitz in Düngenheim zu wahren, den es auch weiter ausbaut. Es lässt seinen Hof durch einen Hofmann verwalten. Teilweise sind auch Äcker an andere Höfer verpachtet, die wohl unter der Verwaltung des Hofmannes stehen, da alle Güter Hofgüter sind.

Hier sei noch erwähnt, dass Stuben und Himmerod schon früh ihre Besitzungen kenntlich zu machen wissen. Grenzsteine aus Mayener Basalt mit eingemeißeltem Wappen zeugen noch heute davon.

Die Stubener Steine zeigen das Stuben'sche Siegeskreuz in der Form des griechischen Doppelkreuzes. Es symbolisiert das angeblich aus dem Holz des Kreuzes Christi gefertigte Siegeskreuz der sog. Staurothek, welche Ritter Heinrich von Ulmen nach der 1204 erfolgten Eroberung Konstantinopels vom vierten Kreuzzug mitbringt und 1208 dem Kloster schenkt, in dem seine Schwester Irmgard zu dieser Zeit als Meisterin lebt.

Fortsetzung Herrschaftszeiten Düngenheim
(Auszüge aus Chronik Düngenheim)

Die Urkunde ist aus dem Jahre 1140. Sie bezeugt, daß der päpstliche Legat Erzbischof Albero von Trier (1131-1152) dem Nonnenkloster *"de insula d. Nicolai in Stuppa"*, also dem 1137 gegründeten Augustinerinnenkloster zum hl. Nikolaus auf der Moselinsel Stuben bei Bremm, eine umfangreiche Schenkung macht. Es handelt sich um die Kirche zu Neven (Neef) und um den Novalzehnten von den Feldern aus der Rodung des Bischofswaldes Lare bzw. Lehre (oder Lehne = Lehnholz ?) bei Düngenheim *"decimas novalium de nemore, cui nomen Lare iuxta villam Dünichenheim juris"*. Somit besteht zumindest ab dieser Zeit ein Fronhof des Klosters Stuben in Düngenheim.

Gleichzeitig beanspruchen die Ritter von Arras als Vögte zu Elra (Eller) das Recht, am Vorabend des Martinstages im Düngenheimer Hof des Klosters Stuben mit vier Reitern Herberge zu nehmen, die sog. *Nachthelde*, mit zwei Mahlzeiten als Abendessen und Frühstück. Bei der Nachthelde handelt es sich um ein Herbergsrecht als Vogteirecht.

Godefried, der dritte Abt von Springiersbach als Oberer des Klosters Stuben erkennt dieses Recht nicht an. Er bewirkt, daß Herimann von Arras und dessen Brüder darauf verzichten, in *"des Klosters Stuben (eccl. S. Nicolai in loco, qui dicitur, Insula) Hofe zu Thunechingen (auch Thunechingin) Herberge zu nehmen"*. 1179 erfolgt die Verzichtleistung in Gegenwart des Trierer Erzbischofs Arnulf (1169-1183).

1190 weilt dann der neu gewählte Trierer Erzbischof Johann I. (1189-1212) auf seiner ersten Visitationsreise auf Einladung des Abtes Godefried von Sprenkirsbach auch an der Mosel, wo er bei dieser Gelegenheit die *"St. Nikolauskirche der Zelle Stupa" einweiht.* Gleichzeitig bestätigt er dem Kloster die Schenkung über die *"Capelle zu tunechyngen"*, *"damit die frommen Frauen so unbeschwert sich dem Dienste Gottes widmen können"*.

Bei dieser Schenkung muß es sich um den Fronhof handeln, von dem Meesen berichtet, daß er von einem gewissen Egetulfus oder Egelolf dem Moselkloster übereignet wird und der das ganze Dorf umfaßt. Egetulfus übergibt dem Abt Richard von Springiersbach seinen (ganzen?) Besitz mit der Verpflichtung, auf der Moselhalbinsel Stuben ein Kloster zu Ehren des hl. Nikolaus zu errichten. Seine Tochter Gisela wird die erste Meisterin des Klosters.

1333 besitzt Aleidis, die Witwe Heinrichs von Molinbach (Müllenbach ?), mütterlicher Besitz in *Dunchingin*, den sie dem Kloster Stuben für 100 Denare verkauft. Nach Schorn kauft Stuben in den Jahren 1332 bis 1352 *"Wingerte zu St. Aldegund, Eller und Dünchenheim"*. Handelt es sich dabei wirklich um Wingerte? Eher ist es wohl Ackerland wenn auch auf den an die Mosel angrenzenden Eifelhöhen Versuche zum Weinanbau gemacht werden, worüber noch im vorigen Jahrhundert berichtet wird.

Das Kloster Stuben läßt die Gerichtsbarkeit ebenfalls durch einen *Schultheißen* ausüben, wobei offen bleibt, ob es sich um den gleichen Amtsinhaber handelt. Urteile, die Stubener Angelegenheiten betreffen, spricht der Abt von Springiersbach als Oberer des Klosters.

1360 sind ***Heimbürgen*** (= Gemeindevorsteher), ***Geschworene*** und ***Gemeinde*** genannt, die mit dem Konvent des Klosters Stuben einen Vergleich schließen.

1378 verpachtet das Kloster Stuben einen Hof, ***Hayn*** genannt, mit allen Rechten, aber zehntfrei, für 6 Malter Korn, 6 Malter Hafer, ein Schwein zu 20 Schilling an Weihnachten zu liefern und als zusätzliche Leistung eine Fahrt. Pächter ist der Schultheiß Hentze Spieß aus Kaisersesch. Von diesem Hof wird berichtet, daß er später untergeht, also eine Wüstung ist.

Zumindest seit 1506 ist bekannt, daß Stuben sein Recht wahrnimmt, den jeweiligen Priester für Düngenheim zu präsentieren. Am 12. April 1506 ist es die Stubener Meisterin Sophie von Nickenich, die ***"den Priester der Diözese Trier Paul Ellerbach"*** für Düngenheim präsentiert. Der ***Archidiakon*** Friedrich von der Pfalz nimmt am 30. April 1506 die ***Investitur*** vor.

Am 24. Juli 1571 verpachten Franziska von Metzenhausen und Maria Zandt, erstere Meisterin, letztere Priorin in Stuben, einen Hof in Düngenheim. Der Pachtbrief weist die Eheleute Christopherus Frantzen, Hofmann in Düngenheim, als Pächter aus. Als Zeuge fungiert Bartholomäus von Müllenbach, Kaplan zu Düngenheim. Bei der Aufzählung der Parzellen ist einer der Nachbarn der Prior Johann Baum aus Mayen.

1573 streitet die Gemeinde gegen Stuben wegen einem gemeinen Fußweg ***"im oberen Pösch"***, wobei das Kloster ***"den Sonntag vor Margaretha der heiligen Jungfrauen Tag ao 1573 unter dem Amtmann Friedrich Schwanen zu Kaisersesch ihren Nachbarn zu Dünchenheim gestattet, einen gemeinen Fußweg zu mehreher oder durch ihren Pösch bei ihrem Hause zu Dünchelen, welcher Weg der ganzen Gemeinde, In und Ausfahrens halber ganz bequemlich und dem Flor auf die Seiten und besserungshalber nützlich (und) jedennoch haben die Dünchenheimer Deputirten gelobet und vorgemelten Hofpösch als einen Dorffrieden zu freyen und zu halten und den Hofmann den Grommet ziehen zu lassen."***

Schließlich regelt das Weistum noch, was zu tun ist, ***"wan zweyspalt fiele [...] vnd daß man zu voerheubt fahren muß"***. Man soll ***"ansuchen zur Stuben an der rothen pforten, dan soll man vns vort wegweiß geben biß zu Springiersbach in des herrn abts cammer, da soll man das vrtheil erlangen"***.

Auch ein Weistum von 1582 besagt, daß das Kloster für eine gute Wohnung und Besoldung des Priesters zu sorgen hat. Dieses Weistum und auch ein weiteres von 1681 gehen auf das schon für 1521 genannte zurück.

1693 *"ist vom Gerichte zu Kaisersesch für Dünchenheim dahin gesprochen worden, daß es den von den Hofleuten des Klosters Stuben gelegten Kännel möge auswerfen, damit ihnen die Tränk nicht benommen seye". "Soviel aber den Weeg auf Hilbertshart betrift"*, müssen *"jenige, so etwa Felder daselbst haben, nur dessen Nothweg sich bedienen, und die Ochsen in Riemen leiten".*

1743 wird *"an dem Officialat zu Koblenz in Sachen des Adlichen Klosters Stuben Ca die Gemeinde Dünchenheim gesprochen, daß in Zukunft den Zehenden von dem in ihrer Gemarkung angepflanzten Sommer-Saamen zu entrichten schuldig seye".*

1783 schließlich *"entstunde ein Rechtsstreit zwischen dem Klägerischen Gotteshaus (Stuben) und denen Georg Emmeric und Joan Lenzen Erben wegen dem Kurmuth, da ihr Vater die Haushaltung lebend seinen Kindern übertragen"*. Stuben muß sich *"mit dem von denen Erblassern zurückgelassenen beßten Kleide vermöge Weißtum"* begnügen.

Ende des 18. Jahrhunderts lockern sich die Sitten in Stuben, was dazu führt, daß Kurfürst Clemens Wenzeslaus das Kloster in ein Damenstift umwandelt. Damit ändert sich allerdings nichts an der Zinspflicht der Düngenheimer.
In 301 Positionen sind 1791 für Düngenheim die Abgaben an Stuben als Zinsen aufgelistet. Insgesamt betragen sie

an Korn (Roggen)	126 Sümmer 4 Sester 2 Minkel Mayener Maß
an Hafer	7 Sümmer 3 Sester 2 Minkel
an Geldzinsen	
bzw. als sog.. Nachtselheller	31 Albus 5 Heller 1/2 Stuber
an Hühnerzinsen	5 1/2 Hühner.

Gleichzeitig sind die Abgaben des Stubener Hofes *"in die Kellnerei zu Mayen"* aufgeführt:

"It. gibt der Hof alle 4 Jahre 2 Waidhämmel [...]. It. muß eine frischmelkige Kuhe geben und ein Pfd. Kühekäs, oder 2 Albus. Eine Maßkuhe und 1/2 Pfd. Kühekäs. It. gibt der Hofmann 2 Sümmer Haber in die Kurfürstliche Kellnerei zu Mayen. It. die halbe Simpelen".

Nach der französischen Revolution von 1789 besetzen die Truppen Napoleons die linke Rheinseite, die dann 1801 an Frankreich abgetreten wird. 1802 wird das Säkularisationsgesetz erlassen, demzufolge die kirchlichen Besitzungen eingezogen und versteigert werden.

Die Güter des Klosters Stuben bleiben dabei ebensowenig verschont wie viele andere, womit die Zehntpflicht und die anderen Abgaben wegfallen. Gleichzeitig kommen natürlich neue Lasten auf die Gemeinde zu, die bisher Sache des Klosters sind, weshalb die Gemeinde nun neue Steuern heben muß.
Man sieht, die so unbeliebten Steuern und Abgaben sind keine Erfindung unserer Tage. Auch in früheren Jahrhunderten sind erhebliche Abgaben an die Zehnt- und Grundherren zu leisten, damit diese ihren Pflichten nachkommen und ihre eigenen nicht immer

7.2 Die Zehntpflicht und andere Abgaben

Wie bereits erwähnt kommt der Ort Düngenheim im 12. Jahrhundert durch die Übereignung des dortigen Fronhofes (Herrengut), die ein gewisser Egilolfus oder Egetulfus vornimmt, an das Augustinerinnenkloster Stuben. Der Düngenheimer Fronhof umfaßt das ganze Dorf und damit müssen alle Einwohner dem Kloster den Kurmut abliefern. Alle Güter sind Hofgüter und damit dem Kloster zinsbar. Desweiteren übt die Meisterin von Stuben das Kollationsrecht zur Kapelle und später zur Kirche des hl. Antonius in Düngenheim aus.

Düngenheim gehört von 1294 bis zum Ende des Trierer Kurstaates 1794 zum *kurfürstlichen Ämtgen Kaisersesch* mit den Orten *Dünchenheim, Gammeln, Eulgen und Urmersbach.* Das Amt Kaisersesch untersteht zunächst unmittelbar dem Kurstaat und kommt erst nach 1548 zum Oberamt Mayen. Neben den Abgaben für das Kloster Stuben hat Düngenheim somit noch Abgaben zu leisten an den *Flecken Kaisersesch* und für das Kurfürstentum an die *Kellnereien* Mayen, Kochem, Münstermaifeld oder Monreal.

Einzelheiten über die verschiedenen Abgaben belegen erstmals das *"Weisthum zu Dünchenheim"* von 1521 und zwei undatierte Fassungen:

"so jemandts were, der entpfengliche guter hat, der seye schuldig der ehrw. frauwen ein banviertel weins, mag der ablösen mit drei hellern, und den houer (Höfer/Hofmann) *einen bönnischen eimer weins mit dem stab gemessen und vier broter, die binnen der houen* (auf dem Hof) *gewachsen".* Ferner *"weiset der höver heudt zu tag den großen zehenden, wie der hierher gehörig ist, der ehrw. frauwen zu"*, wofür das Kloster aber auch erhebliche Lasten für das Dorf zu tragen hat, wie zum Beispiel Kirche und Pfarrhaus und eine *"muel* (Mühle)*, das Malter zu mahlen".*

Für das Recht, den jeweiligen Priester zu benennen, hat das Kloster Stuben auch die Unterhaltspflicht für denselben. Später heißt es, daß das Kloster auch den Stier und den *Bier* (Eber) zu halten hat.

Auch ein sog. *kleiner zehnden,* bestehend aus *"ferkeln, hanen, honig, flachs, käs und eyer"* wird vom *Schultes* gehoben. Pacht und Zinsen sind auch damals schon *"zu s. martinstag"* fällig.

Weiter hebt die *"ehrw. frauwe das kurmut, wan das ein haupt im haufs stirbt".* Normalerweise bezeichnet man als Kurmut die Abgabe des besten Stückes an den Grundherren, wobei die Fälligkeit mit dem Ableben eines hörigen Untersassen eintritt. Das Düngenheimer Weistum ist hier etwas kulanter. Es besagt, daß das beste Stück *"bei der hahl"*, d.h., beim Feuerhaken, beim Herd, also beim Hausstand bleibt, während das Kloster Anspruch auf das zweitbeste Stück als Pferd, Kuh oder Kleid hat.

Der *Schultes* hebt ferner das ***nachzel gelt***, indem er ***"umbgehen und das fordern"*** soll. Die Grundherren vergeben zur damaligen Zeit vielfach die sog. ***Nachthelde*** (Herbergsrecht für die Nacht) an bestimmte Personen. Wie bereits erwähnt haben in Düngenheim bis zum Jahre 1179 die Herren von Arras dieses Recht inne. Es ist anzunehmen, daß das ***nachzel gelt*** zur Bestreitung der Beherbergungskosten oder zur Ablösung dieses Anspruches dient.

Dem ***Schultes*** wird im Weistum ferner aufgetragen, den ***zeug wein*** zu heben.

1521 hören wir von einem Recht der Kellnerei Münster(-maifeld), wonach diese ***"im Dünchenheimer und Gammeler Wald"*** Brennholz einschlagen darf.

Mit den obigen Abgaben allein ist es aber noch nicht getan. Auch das Kurfürstentum Trier fordert seinen Tribut. Die Untertanen des kurfürstlichen Amtes Kaisersesch mit den Dörfern ***"Kaisersesch, Dünchenheim, Gammeln, Eulgen und Urmersbach"*** sind der Kellnerei ***"Kochheim"*** frondienstpflichtig, wie aus dem ***"gdgsten Befehl des Stadthalteren Wilhelm zu Landskron, Chorbischof und verordneter Stadthalter"*** von 1552 hervorgeht. 1580 wird festgestellt, daß die Gemeinde sechs Malter Frucht, ***"halb Korn und halb Haber"*** wegen dem Hof Lehnholz ***"auf das Haus Ülmen oder Polch, wohin sie bescheiden"***, abzuliefern hat. Der Lehnholzer Hofmann wird 1693 vom Amtmann zu Eltz ***"gleich Kurfürstlichen Hofleuten zu extraordinären Frohnden zu leisten"*** angewiesen. 1590 und 1693 und damit sicher auch in der ganzen Zeit dazwischen hat die Gemeinde aus dem ***"Büschelgen die Hardt genannt"*** jedes erste und zweite Jahr zwei Wagen Holz an die ***"Kurfürstliche Kellnere"*** abzuliefern, während im jeweils dritten Jahr die Gemeinde Urmersbach diese Last zu tragen hat. Daneben erhält der ***"Hr. Pastor zu Dünchenheim"*** jährlich zwei Wagen Holz.

Weitere Verpflichtungen bestehen für ***"diejenige kurfürstlichen Gefälle, so von Alters von dem Amte Kaisersesch der Kellnerei Kochheim geliefert worden"***. Vor 1714 sind dies 23 Malter Korn (Roggen) und 29 Malter Hafer, wozu jeder Bürger ein Sümmer Korn und ein gehäuftes Sümmer Hafer beizusteuern hat. Außerdem hat jeder zwei Hühner zu liefern. Wegen dieser Abgaben kommt es zwischen dem Flecken Kaisersesch und ***"denen Amtsunterthanen"*** zu einem Streithandel. Neben diesen Abgaben für die Kellnerei in Cochem hat jeder Bürger einen Leibsömmer zu liefern, der dem Flecken Kaisersesch selbst ***"zum Guten kommt"***.

Dagegen sind die Amtsgefälle, ***"so der Amtmann gezogen"***, der Kellnerei Mayen ***"einverleibet worden"***. Eine Aufstellung fehlt hier, allerdings gibt die spätere Auflistung von 1724 guten Aufschluß.

1724 finden sich bei den Einnahmen der Kellnerei Mayen folgende Abgaben aus Düngenheim:

11 Gulden von der Weiherwiese,
1 Hammel je Schaltjahr von der Gemeinde,
2 Hämmel je Schaltjahr vom Kloster Stuben,

2 Hühner je Ehe = 80 Hühner,
wobei Schultheiß, Schöffen und Bote befreit sind,
5 Eichenstämme für eine Fallpforte und für Brunnenröhren.

Jeder Hofmann, der ***"vermög seiner Belehnung ein Rind zu füttern schuldig"*** ist angewiesen, bis auf anderweitige kurfürstliche Verfügung einen Reichstaler zu zahlen. Einige Hofmänner, so auch der Burghofmann zu Monreal, haben stattdessen einen kurfürstlichen Jagdhund zu füttern.

Als weitere Einnahmen sind in Mayen verzeichnet:
Bei den Einkünften der Kellnerei Monreal ***"wegen schuldiger Holz- und Handfron zu Dünchenheim"*** 4 Malter Korn und 4 Sümmer Gerste, welche der Schloßhofmann zu Monreal ***"zu sammeln"*** und zur Kellnerei zu liefern hat, bei den Einnahmen im Kirchspiel Masburg 6 Sümmer Hafer, ***"die der Hofmann auf dem Lehnholz jährlich gibt wegen der Vogteigerechtigkeit"***.

Zu den bereits genannten Verpflichtungen gegenüber dem Kloster Stuben kommen später neue hinzu:

1743 ergeht eine Entscheidung des ***Officialat zu Koblenz***, wonach ***"die Gemeinde Dünchenheim in Zukunft den Zehenden von dem in der Gemarkung angepflanzten Sommer-Samen"*** zu entrichten hat und laut 1782 ***"abgehaltener Gemeinds-Rechnung"*** führt die Gemeinde auf ihre Kosten jährlich ein Malter ***Grundbirnen*** (Kartoffeln) als den sog. ***Grundbirnen-Zehnden*** ab.

Die schon 1521 genannten Zehntabgaben an das Kloster bestehen weiter. Der Ort ist auch 1782 noch ***"dem Kloster Stuben ganz zinsbar"*** und zahlt jährlich 16 Malter Korn, die die Bürger aufbringen und die sie um je sieben Heller ergänzen müssen.

Der kleine Zehnt ist 1770 auf zusätzliche Produkte ausgedehnt und wird nunmehr größtenteils in Geld erhoben. ***"Wegen des kleinen Zehenden als Ferkeln, Hanen, Honig, Heu und Wachs wird ein Pfennig, für Kälber ein Schilling, für ein Füllen ein Viering gezogen"*** und ***"des Sonntags vor St. Johannes Tag oder darnach soll der Schultheis umgehen und Käs und Eier heben."***

Damit hat das Jungfrauenkloster Stuben nun endgültig das *Kollationsrecht* für die Pfarrei und ist Zehntherr in Düngenheim. Der ganze Ort - und Teile der heutigen Filiale Urmersbach *"mit der anklebenden Gerechtigkeit"* -, sind Eigentum des Klosters.

"Alle Einwohner (sind) *verpflichtet, dem Kloster den Kurmut abzuliefern und alle Güter sind Hofgüter und damit dem Kloster eigentümlich". "Jeder Bürger wird nach dem späteren Weistum vom Hofschultheiß zu Dünchenheim in Eid genommen. Stirbt das Haupt im Hause, so muß Kurmut bezahlt werden. Alle Ortsgüter an Frucht sind dem Kloster Stuben zinsbar."*

Das Heben des *Kurmut* geschieht, wenn das Haupt im Hause stirbt. In der Regel ist es so, daß es sich beim Kurmut (auch ***Besthaupt*** genannt) um das beste Stück Vieh oder Gewand handelt, welches der Grundherr beim Ableben eines hörigen Untersassen nehmen kann, wobei das Wort selbst aus den mittelniederdeutschen Wörtern ***kor*** für Wahl und ***mede*** für Lohn oder Gabe gebildet ist.[*Nach anderer Meinung leitet sich der Begriff Besthaupt vom lat. bestia = Vieh her und bedeutet somit lediglich die Abgabe eines Stück Viehs und nicht des besten Stück Viehs.*]

1467 findet im Düngenheimer Hof der Äbtissin von Stuben die erste bekannte Visitation statt. Als Sendherr erscheint Archidiakon Johann von Vinstingen mit einem Schreiber und einem Boten samt Pferden, für die gesorgt werden muß. Da der gesamt Ort dem Kloster untersteht, ist er mit Sicherheit samt der Kapelle der Visitation unterworfen. Die Einwohner bringen dem Sendherrn Gaben. Der Küster bringt ein Huhn, einen Sester (Hafer ?), ein Bündel Kerzen und drei Malter Hafer Kirchspiels Maß; ein Handwerker bringt einen Heller.

Dagegen heißt es im Düngenheimer ***Weistum, "das beste pferdt bleibt bey der hahl"***, bei Haus und Herd also, *"darnach mag die ehrw. fr.* (ehrwürdige Frau) ***heben***", womit die Äbtissin in Stuben gemeint ist. Sind keine Pferde da, bleibt die beste Kuh bei der Hahl, bzw. das beste Kleid, wenn auch Kühe fehlen, bevor der Kurmut gehoben wird.

Meesen vermutet, daß Düngenheim aus der uralten Burgherrschaft des vorgenannten Egetulfus entstanden ist. Wenn dieser seinen das ganze Dorf umfassenden Fronhof dem Kloster übereignet, dann kann man auch davon ausgehen, daß er, zumindest bis dahin, hier ansässig ist.

Warum soll Düngenheim in alter Zeit keinen Burgherren beherbergen?

Und die Pflichten des Klosters ?

"dargenen weisen wir, daß vns die ehrw. fr.(ehrwürdige Frau = die Äbtissin von Stuben) *schuldig sey ein kirch mit guten bauw, mit dhurren, dhag vnd fenstern, dasz sie stehe, wie ein ander mutterkirch". "vnd in die kirch seye sie schuldig einen priester, der soll sein gott löblich vnd den nachbarn behulfflich; vnd der soll alle tag miß thun in der kirchen vnd nirgent anders, wo wan er darzu geschickt ist [...]. Forters weisen wir, daß der priester soll haben einen wiedemhob* (Wittumshof), *darauf soll man inen suchen vnd finden thag vnd nacht, frue vnd spat, wan man seiner vonnötten hat leut zu berichten, kinder zu tauffen, frauen auszusegnen vnd zu allen christlichen sachen, darzu sein von nöten ist [...]. Des soll die ehrw. fr. dem priester gnuegsam geben, daß er sich hie erhalten könne vnd nit darf achter die weg zugehen [...]. Furters weisen wir, daß vns schuldig seye die ehrw. fr. ein muel die geng vnd scharpf vnd gut seye, das malter zu mahlen vmb einen bestrichen dritling, wie vff der houen wechst. Der mülner soll auch haben einen knecht, der soll mechtig sein, ein halb malter korns zu tragen vnd zu heben, wan es sach were, daß ein sack abfiele, daß er könne ihn vffheben, daß dem lehnsmann nichts zu scheitern gehe [...].".*

Stuben hat auch den Stier und den *Bier* (Eber) als Zuchttiere zu halten.

25. Die Stier- und Eberhaltung

In früheren Jahrhunderten hat das Kloster Stuben nach dem Weistum *"den Stier und den Bier (Eber) zu halten"*. Später, jedenfalls schon vor 1850, ist die Stierhaltung Gemeindeaufgabe. Durch gute Zuchttiere und regelmäßiges Auswechseln derselben wird für eine gute Nachzucht und damit auch für den Erfolg der Bauern bei der Rindvieh- und Schweinehaltung gesorgt. Es ist nicht bekannt, ob zunächst die Gemeinde alle Kosten der Stierhaltung trägt. 1853 jedenfalls beschließt der Gemeinderat, *"daß ab sofort eine Umlage von 2 Silbergroschen, 6 Pfennige auf die gehaltenen Kühe erhoben wird, um für die Gemeinde einen besseren Zuchtstier zu kaufen"*. Man erwartet hieraus eine Einnahme von 20 Reichstalern, was darauf schließen läßt, daß zu dieser Zeit etwa 230 Kühe in Düngenheim gehalten werden. Die Gemeinde übernimmt regelmäßig den Teil der Stierhaltungskosten, der über die Deckgebühren hinausgeht, die zum Beispiel 1898 auf *"1 Mark 50 Pfennig je sprungfähiges Rindvieh"* festgesetzt werden. 1896 sind drei Zuchtstiere vorhanden, und 1899 muß sich der Gemeinderat gegen einen Beschluß des Kreisausschusses wehren, einen vierten Stier anzuschaffen. Im Inflationsjahr 1923 wird die Stierhaltung öffentlich wenigstfordernd auf drei Jahre versteigert. Die Vergütung für zwei Stiere beträgt 58 Zentner Hafer. Weil das Geld seinen Wert verloren hat, wird die Deckgebühr auf 30 Pfund Hafer oder Roggen festgesetzt. Eine Übernahme der Stierhaltung durch den Kreis wird 1930 durch die Gemeinde abgelehnt, und es erfolgt eine Neuvergabe der Stierhaltung *"an den Wenigstfordernden"*. Neben einer Barentlohnung erhält der Stierhalter die Nutzung von einem Morgen Wiese *in Heppert* und den oberen Teil einer Wiese *in der Feuerbach,* die bis zur Aufgabe der Stierhaltung für diesen Zweck genutzt wird und daher den Namen *Stierwiese* hat.

Weistum = mittelalterliche Rechtssetzung,
beruht auf mündlicher Auslegung geltenden Gewohnheitsrechts. durch von Amts wegen angefragte, rechtskundige Männer. Als Weistümer werden auch die von Ältesten und Schöffen (Laienrichter) erstatteten Rechtsvorträge vor Dorfgerichten u.a. bezeichnet. Bedeutend sind vor allem die alten Bauernweistümer. Natürlich werden diese Rechtssetzungen später auch schriftlich festgehalten.

Klosterruine Stuben zwischen Bremm und Eller

Diese Rechtsauslegung ist in den sog. ***Weistümern*** festgehalten, die zu beachten sind. So wie heute alles nach Gesetzen, Richtlinien und Normen abläuft, so ist es auch vor vielen Jahrhunderten schon. Ist etwas strittig, so befragt man das Weistum. Diese mittelalterliche Rechtssetzung beruht auf mündlicher Auslegung geltenden Gewohnheitsrechts durch von Amts wegen angefragte, rechtskundige Männer. Als Weistümer werden auch die von Ältesten und Schöffen (Laienrichter) erstatteten Rechtsvorträge vor Dorfgerichten u.a. bezeichnet. Bedeutend sind vor allem die alten Bauernweistümer. Natürlich werden diese Rechtssetzungen später auch schriftlich festgehalten und so ist ein Weistum für Düngenheim aus dem Jahre 1521 erhalten. Es berichtet über die Rechte und Pflichten des Klosters Stuben und der Bürger.

Interessant ist, was das Kloster Stuben unter der Verpflichtung versteht, dem Priester ein standesgemäßes Auskommen zu geben (1360) bzw. ihm *"gnuegsam geben"* (1591). Über den Vergleich zwischen Heimbürgen (= Gemeindevorsteher), Geschworenen und Gemeinde einerseits und dem Konvent in Stuben andererseits, wonach der Hofmann des Klosters für ein standesgemäßes Auskommen des Priesters zu sorgen hat, ist weiter oben bereits berichtet. Nach dem Weistum von 1582 kommt Stuben auch für eine gute Wohnung auf. 1621 beträgt die Besoldung 13 Malter Korn für 3 Wochenmessen, je ein Malter Gerste und Hafer, 1 Fuder Wein (der von Ernst (1621) oder Eller kommt) und acht Pfund Oel.

Schließlich regelt das Weistum noch, was zu tun ist, ***"wan zweyspalt fiele [...] vnd daß man zu voerheubt fahren muß"***. Man soll ***"ansuchen zur Stuben an der rothen pforten, dan soll man vns vort wegweiß geben biß zu Springiersbach in des herrn abts cammer, da soll man das vrtheil erlangen"***.

Stuben zieht den *großen zehendt* ein, der später mit 16 Malter Korn und zusätzlich sieben Heller von jedem Bürger beziffert ist. Daneben zieht Stuben *"den kleinen zehnden, ferckeln, hanen, honig, flachs"*, und verlangt weitere Abgaben wie *"Kurmuth, nachzelgelt bzw. naichtzell gelt und zwig win bzw. zeug wein"*. Für Ferkel, Hähne, Honig, Heu und Wachs wird ein Pfennig, für Kälber ein Schilling, für ein Füllen ein Viering gezogen, aber auch hier hebt man noch Naturalabgaben: *"Der schultes soll vmbgehen, des sontags vor s. Johanstag (mittsummers) oder darnach, soll käs und eyer vffheben, soll ein ieder höffer verzehnen, daß er seinem eidt gnugh thue"*. *"Pfecht und zinß ist man schuldig zu s. Martinstag. Da ein man seumig würdt vnd nit liebert, soll ime der schultes die gutter verpieten drei gedinglicher tag"*.

Während man sich unter dem sog. *zeug wein* nichts Genaues vorstellen kann, kann das von den Bürgern zu zahlende *nachzel gelt* sicher mit der Nachthelde in Verbindung gebracht werden, wobei offen bleibt, ob die Kosten für die beanspruchte Nachthelde aus den Einnahmen bestritten werden oder ob die Ritter von Arras als Nachthelde-Berechtigten das Geld als Entschädigung für die Verzichtleistung erhalten.

Die Belastung der Bürger ist nicht gering, und man wird seinen Zehnt nicht mit Begeisterung abliefern. Daß auch versucht wird, die Abgaben so gering wie möglich zu halten, zeigt z.B., daß ein Düngenheimer Bürger schon zu Lebzeiten sein Hab und Gut auf seine Erben überträgt, um damit der Kurmut-Verpflichtung zu entgehen. In diesem Zusammenhang ist auch interessant, daß man andernorts für sog. Zinshühner eine Mindestgröße festlegt. Sie müssen jedenfalls so groß sein, daß Kopf und Beine zu sehen sind, wenn man sie zwischen zwei Händen hält.

Ab 1743 kommt noch die Zehntpflicht für den in der Gemarkung angepflanzten *Sommersamen* (dem Raps ähnliche Ölfrucht) hinzu und die *Gemeinds Rechnung* von 1782 weist noch ein Malter *Grundbirnen* (Kartoffeln) aus, *"jährlichs nach dem Kloster Stuben zu liefern"*.

Der große Zehnt, insbesondere die Abgaben an Feldfrüchten werden zur *Zehntscheune* gebracht, die sich *im Höfchen* befindet. Es ist nicht klar, ob sie immer im heutigen Ortsteil Höfchen zu suchen ist, wo sich damals ein Stubener Hof befindet oder auch dort, wo ein weiteres Höfchen genannt ist, nämlich an der Ecke Urmersbacher Straße - Kirchstraße. Auch dieses Haus ist Stubener Ursprungs und ist noch heute in seinem Hausnamen *Höewe* auf das Wort Höfer (Hofmann) zurückzuführen.

Der Stubener Hof in Düngenheim ist auch die Ablieferungsstelle für Renten, Pacht- und Zehntabgaben von auswärts. Ein Rentenbrief des Klosters Stuben aus Kollig vom 11. September 1575 besagt, daß der dortige Klosterhof für sieben Malter Korn verpachtet ist, die nach Düngenheim oder Klotten zu liefern sind.
Lediglich drei Stubener Hofmänner sind namentlich bekannt, nämlich Christopherus Frantzen, der 1571 genannt ist, Christoffel, der Stubener Hofmann (1593 in einem Pachtvertrag des Klosters Himmerod für Düngenheim erwähnt) und Gorgen Kayser (1726).

Anfang des 17. Jahrhunderts entbrennt der fast überall sich erhebende Streit um die Investitur. So streitet man auch um die Besetzung der Pfarrei Düngenheim. Der Erzbischof

von Trier macht der Äbtissin das Recht streitig, die Pfarrei selbständig zu vergeben, nachdem die Besetzung bis gegen 1610 in Frieden geschehen zu sein scheint. 1619 kommt es zu einem Prozeß. Die Angelegenheit wird an höchster Stelle, nämlich beim päpstlichen Nuntius in Köln am 3. Juli verhandelt und dort gegen den Archidiakon Johann Wilhelm Husmann von Namedy zu Gunsten Stubens entschieden. Chorbischof Husmann zieht es vor, sich mit der Meisterin in Stuben zu vergleichen, statt an die päpstliche Kurie zu appellieren.

Der Vergleich sieht vor, daß die Äbtissin binnen Monatsfrist nach dem Ableben des vorherigen Pfarrers in Düngenheim das ***Präsentationsrecht*** hat. Der Vergleich wird in Anwesenheit des Zeugen Gerhard von Düsternau, Abt von Springiersbach, am 3. Juni 1621 geschlossen. An anderer Stelle heißt es abweichend zu der obigen Vereinbarung, daß der Konvent in Stuben nun innerhalb von sechs Monaten das Vorschlagsrecht auszuüben hat. Es ist weiter vermerkt, daß der Archidiakon bei der Investitur nicht mehr als drei Goldgulden einfordern darf.

Vor dem obigen Streit, bei der ***Visitation*** von 1616, ist der Name des derzeitigen Priesters nicht genannt. Damit bleibt auch die Frage offen, wem die Pfarrei nach dem Vergleich zugesprochen wird. Am 9. Juli 1621, also kurz nach dem Vergleich wird berichtet, daß Pfarrer Johann Wilhelm Spächard wohl von der Äbtissin präsentiert sei, aber nicht investiert, da er mit ***Seiner Heiligkeit in Rom*** im Streit liege. Trotzdem hat er vom Offizialat die Erlaubnis zur Ausübung der Seelsorge. Die letzte Präsentation durch Stuben erfolgt dann am 25. November 1776. Der 1743 in Mehring geborene Theodor Schmitz wird Pastor in Düngenheim, wo er bis zu seinem Tod im Jahre 1793 wirkt.

Wenn man den möglichen Stubener Einnahmen die Verpflichtungen gegenüberstellt, so kann man vermuten, daß die Rechnung oft nicht aufgeht. Bau- und Unterhaltspflicht für Kirche, Pfarrhaus und Mühle sind sicher nicht unbedeutend. Daneben ist der Priester zu besolden und hinzu kommt die Unterhaltung des Stubener Hofes selbst. Stuben scheint deshalb seine Pflichten für Kirche und Pfarrhaus nicht allzu ernst zu nehmen.

1616 wird das *Pastorat*, also Pfarrhaus und -hof, als *"ruinosa"* (= lat. baufällig) bezeichnet. 1621 wird es dann zwar für gut befunden, was auf eine Restauration hindeutet, aber allzu gründlich scheint man nicht gearbeitet zu haben und auch ein Neubau ist auszuschließen, denn 1680 sind schon wieder Reparaturen notwendig. Die Äbtissin muß zur Regelung der Angelegenheit angehalten werden. Nachdem die Priester dann gut 100 Jahre mit ihrer Bleibe zufrieden sind, *"erwünscht"* Pastor Schmitz 1785 *"ernstlich einen Neubau"*. Daraufhin wird 1792 ein neuer Pfarrhof gebaut, der, 1872 noch als im guten Zustand befunden, 1892 einem Großbrand zum Opfer fällt, der auch eine Reihe anderer Gebäude in der Nachbarschaft zerstört. 1893 wird das jetzige Pfarrhaus mit den Nebengebäuden neu errichtet. Die Kosten belaufen sich auf 17.000 Mark, wovon 6.000 Mark aus der Entschädigung der Feuerversicherung zur Verfügung stehen.

Die Kirche wird noch bei der Visitation von 1656 als in Ordnung befunden, aber schon 1659 wird das Dach beanstandet. Anscheinend wird Abhilfe geschaffen, aber man bemüht auch andere zur Mitfinanzierung, denn 1663 wird der Hofmann vom Lehnholz an seine Mitunterhaltspflicht zum Kirchbau in Düngenheim erinnert.

Nach der Jahrhundertwende mehren sich die Klagen. Auch nach einer Besichtigung durch den Stubener Prior Contzen, die auf Drängen von Pastor Feiden im Januar 1726 erfolgt, geschieht zunächst nichts. Stuben verzögert die Angelegenheit offensichtlich, weshalb die baufällige Kirche am 3. Februar 1737 geschlossen wird. Ein *Interdikt* (= lat. Verbot, einstweilige Verfügung) vom 28. Januar 1737 verbietet jede kirchliche Amtshandlung. *"Das heilige Sakrament wird in die Urmersbacher Kapelle gebracht und dort alle Pfarrdienste gehalten"*, so steht es im Pfarrbuch. Damit ist der Filialort Urmersbach vorübergehend Pfarrort und Düngenheim Filiale. Lange währt diese Umkehrung der Verhältnisse aber nicht. *"Auf vielfältige Bitten der Äbtissin zu Stuben wird besagtes Interdikt endlich dahingehend gemildert, daß alle Pfarrfunktionen in dem zu Duenchenheim befindlichen Oratorium gehalten werden dürfen"*. Daraufhin wird im Jahre 1738 *"festo s. Trinitatis et ipso festo s. Simeonis das hl. Sakrament prozeßionalitur von Urmersbach abgeholt und die Pastoralfunktion hierselbst wieder angefangen"*. Zwischendurch *"wird die Gemeinde Düngenheim von Officialats wegen dt. 5. 8ber* (Oktober) *1737 angewiesen, die benothigten Hand- und Spannfrohnden zum Kirchbau zu leißten"*.

1656 ist auch ein kleines *Pfarrwittum* vorhanden, welches nach den Pfarrbüchern von Stuben herrührt, zehntfrei ist und welches der Priester damals selbst bewirtschaftet. Es ist nur vier Morgen groß und liefert den Ertrag von drei bis vier Wagen Heu für drei Kühe und außerdem drei Wagen Holz. Der Priester bezieht außerdem 550 Ostereier, ein Weihnachtsbrot, 71 fl. von Stiftsmessen und er darf 15 Schafe und zwei Schweine frei zur Weide führen. Auch 1663 und 1680 ist es ähnlich. Das Weistum von 1769 besagt außerdem, daß die Äbtissin aus eigenen Gütern Ersatz zu schaffen hat, wenn Mißwachs, Krieg oder Hagel die Früchte vernichten. 1785 begehrt Pastor Schmitz in seinen Eingaben an den Konvent in Stuben statt 81 nun 141 Taler. Er ist wohl mit seiner bisherigen Besoldung unzufrieden.

Im Übrigen hat ja Stuben für den Kirchbau zu sorgen, aber anscheinend will man sich dieser Pflicht entziehen. Die Nuntiatur in Köln wird um Entscheidung im Streit um die Kirchbaupflicht gebeten. Diese fällt am 23. Dezember 1737 gegen Stuben aus, und das Offizialat bekräftigt diese Verfügung am 14. Februar 1738. Jetzt endlich reagiert das Kloster.

Unter Pastor Richard Edmund Feiden wird eine neue Kirche gebaut und 1738 vollendet. Sie ist 8,25 Meter breit und 15 Meter lang, hat zwei Mannhäuser übereinander und ein kuppelförmiges Türmchen. Das Gewölbe ist im Innern ***"aus Brettern gebildet und mit Farbe beschmiert".*** Dieser Bau ist in die heutige Kirche integriert, wie auch der Basalt-Torbogen des damaligen Einganges, der das Stubener Wappen und die Jahreszahl 1738 in erhabener Form trägt, später den Zugang zum Mannhaus bildet und heute Eingang zur Kapelle der Schmerzensmutter in der Turmnische ist. 1742 stattet Stuben die Kirche mit einem neuen Altar aus, wohl ein Simeonsaltar, der 1766 für 63 Gulden und 1782 für 50 Taler restauriert wird und bis 1931 in der Kirche steht.

Zwei weitere Weistümer von 1767 und 1769 belegen noch einmal die Stubener Pflichten in Bezug auf Kirche, Pfarrhof und Priester. U.a. ist gesagt, daß Stuben Kirche und Pfarrhof zu bauen, ***"auch beyde bäu in allnötigem jederzeit unterhalten, darzu die Pfarr allein die Materialien auf und von der Platz doch ohne die mindest handfrohn zum bau ist verbunden; auch muß es die Pfarr mit einem geistlichen versehen, der soll haben einen wiedumshof, darauf soll man ihn suchen und finden Tag und Nacht, früh und spät, wenn man seiner vonnöthen hat".***

Das Weistum von 1769 besagt, daß die Äbtissin von Stuben Ersatz aus eigenen Gütern zu schaffen hat, wenn der Zehnt weniger einbringt, als dem Pastor an Leistungen zustehen, so etwa, wenn bei Mißwachs, Krieg oder Hagel die Früchte vernichtet sind.

Das Ende der Stubener Besitzungen kommt, als nach dem Krieg, der auf die französische Revolution von 1789 folgt, französiche Truppen Ende des 18. Jahrhunderts das ganze linke Rheinufer besetzen und unsere Vorfahren französische Staatsbürger werden, nachdem Preußen 1795 im Sonderfrieden von Basel und im Friedensschluß von Luneville vom 9. Februar 1801 der Abtretung der links-rheinischen Gebiete an Frankreich zustimmen muß.

Das 1788 *"wegen seiner verfallenen Disziplin und seiner schlechten wirtschaftlichen Verhältnisse"* in ein Damenstift umgewandelte Kloster Stuben löst sich 1794 von selbst auf, als seine letzten elf Insassinnen vor den französischen Truppen auf das rechte Rheinufer flüchten.

Zusammen mit dem linksrheinischen Kirchenvermögen wird auch das Stubener Eigentum durch das Säkularisationsgesetz von 1802 verstaatlicht, zu französischem Nationalgut erklärt und später versteigert, nachdem alle geistlichen Ordenshäuser aufgehoben sind und der Klerus schon vorher der Nutznießung seiner Güter und Einkünfte beraubt ist. Ausgenommen sind lediglich Kirchen, die Bischofssitze und die Pfarrhäuser nebst Gärten.

Die französischen Behörden versteigern die ganzen Nationalgüter in den Jahren 1803 bis 1813. Die Versteigerungen erfolgen ***bei brennender Kerze.*** Hierzu werden kleine Wachskerzen mit einer Brenndauer von vier bis sechs Minuten Brenndauer verwendet. Der Zuschlag erfolgt, wenn mindestens drei Kerzen abgebrannt sind und bis zum Abrennen der letzten Kerze kein weiteres Angebot abgegeben wird.

Die Versteigerung des Stubener Hofes erfolgt am 30. Juli 1807 für 27.600 Franc = 7.360 Taler. Erwerber sind der Landwirt J. Jungbluth aus Klotten und J. Meid aus Niederfell, die den Hof nicht selbst bewirtschaften, sondern verpachten. Als spätere Hofleute sind Anton Weiler und seine Ehefrau Gertrud Schlaf bekannt, die den Hof nach Ihrer Hochzeit 1822 zunächst pachten und danach für 1.500 Trierische Taler erwerben. Hierbei kann es sich allerdings nur um das Haus mit Bering des früheren Fronhofes handeln, da der gesamte Besitz 1807 den Franzosen bekanntlich das Fünffache einbringt.

"Der Eifeler ist kleiner Statur, hart wie Eisen, untrausam, ist arbeitsam, roh, lebt einfach und weiß wenig vom Weine."

Hochwasser im Kloster

Das Hochwasser vom 28.02.1784 hatte im Kloster Stuben großen Schaden angerichtet. Das Wasser stand ca. 1,90m in der Klosterkirche. Viele Wirtschaftsgebäude waren überflutet. Solch eine Hochwasserkatastrophe hatte Stuben schon lange nicht mehr erlebt.

Hochwasser 1993

Die Kreuzkapelle (nach 1275 erbaut)

Kreuzkapelle von oben, während der Ausgrabung

Die Reliquienkapelle wird beim Neubau nicht besonders erwähnt und scheint erhalten geblieben zu sein, wie aus einer Messestiftung v. J. 1779 der letzten Meisterin Maria Ferdinande Freiin v. Maffey à la Serra (1760 – 1787) hervorgeht.

Kreuzkapelle von Osten

Ihr Geschenk (Abt. 181, Nr. 3, Bl. 107; Staatsarchiv) von 100 Talern für jährlich zwölf Messen in der „Kreuzkapelle“ musste jedoch zur Bezahlung von Schulden verwendet werden. Unter dieser parteiisch gesonnenen Meisterin geriet die klösterliche Zucht in Auflösung und 1780 musste der dem Kloster vorgesetzte Abt von Springiersbach eingreifen.

Aus einer spätern Urkunde vom 1. Juni 1779 dürfte zu folgern sein, daß die sogen. Kreuzkapelle nicht mit unter den Neubau gefallen, oder als solche wieder aufgebaut ist. Laut Stiftung vom gnt. Tage stiftet nämlich die Frau Meisterin Maria Ferdinanda Freiin von Maffey de la Serra in der „Kreuzkapelle“ jährlich zwölf Messen und schenkt zu dem Zweck dem Kloster 100 Thlr. Diese Stiftungsurkunde hat den für die damaligen finanziellen Zustände des Klosters interessanten Schluß: „In Betracht, daß unser Metzger auff gelt dringet die fleischliefferungen continuiren zu können, solchem nach bekennen Wir Priorin und samtliche Fräulein Conventualinnen vor uns und unsre nachkommende, daß wir den heiligen An- und Vortrag unserer Hochwürdigen frauen Meisterin in allem acceptiren und bewilligen, daß sofortһ dem Liverant Metzger besagte 100 Thlr. pr. abschlag sollen gegeben werden können, wie dann solches würklich geschehen 2c.“

Kreuzkapelle von Süden gesehen
(zusammengefügt aus 2 Bildern)

Die Kirche wird hier als "Kreuzkirche des hl. Nikolaus auf der Insel“ bezeichnet. Die Reliquien wurden in einer besonderen Kapelle „iuxta ecclesiam" aufbewahrt und verehrt, für deren Neubau Erzbischof Heinrich von Trier im J. 1275 dem Kloster ein Ablaßprivileg erteilt und zugleich den Klerus des Archidiakonats zu Beiträgen auffordert (St. A. K. Abt., Nr. 21. - MRR IV, Nr. 189). Nach Mitteilung von Hirschfeld befindet sich dabei ein Schreiben des Trierer Archidiakons Heinrich von Bolanden und ein Schreiben von Prior, Meisterin und Konvent des Klosters, wonach sie 1276 den Priester Ludolf aussenden zum Einsammeln von milden Gaben für den Bau der Kapelle (Abt. 181, Nr. 19 u. 20. - MRR IV).

Die Abside vor der Entschuttung

VIII. Mosel und Eifel.

1. Von der Strafe eines gelähmten Weibes, welches den Leib des Herrn unter ihre Gemüse gesät hat (IX, 9). Auf der Insel des h. Nikolaus[1] habe ich ein Mädchen aus dem Laienstand gesehen, welches besessen war. Als der Teufel durch einen Priester gefragt wurde, weshalb Hartdifa von Cochem (Cogheme) so lange und so grausam gequält werde, erwiederte er durch den Mund den Mädchens: „Warum? Sie hat es genugsam verdient; sie hat den Allerhöchsten unter ihre Kräuter und Gemüse gesät.“ Der Priester verstand dieses Wort nicht, und da der Teufel es nicht erklären wollte, begab er sich zu jener Frau, theilte ihr mit, was die Besessene über sie ausgesagt hatte, und ermahnte sie, nicht zu leugnen, falls sie wisse, was jene Aeusserung bedeute. Sofort bekannte sie ihre Schuld und sagte: „Ich weiss recht wohl, was sie bedeutet; habe jedoch mit keinem Menschen je darüber gesprochen. Als ich noch ein junges Mädchen war und die Pflege des Gartens übernommen hatte, beherbergte ich einmal in einer Nacht eine fremde Landfahrerin. In der Unterhaltung mit ihr klagte ich darüber, dass die Pflanzen in meinem Garten so sehr von Raupen zerfressen würden; da erwiederte jene: ,,Dagegen weiss ich dir ein gutes Mittel anzugeben: nimm den Leib des Herrn, zerreibe ihn in möglichst kleine Stückchen und streue diese über die Pflanzen; sofort wird der Schaden durch Raupen ein Ende nehmen.“ Ich Elende, die ich mehr Sorge hatte um meinen Garten, als um das heiligste Sakrament, nahm in der Osterzeit den Leib des Herrn und that, wie mir geheissen worden, den Pflanzen zum Heil, mir aber, wie der Teufel bezeugt, zur Qual.“ Noch heute büsst die Frau für jenes schwere Vergehen und ihre Qualen sind unerhört.

---

1) Oder Stuben, Augustinerinnen-Kloster zwischen Bernkastel und Cochem, gegründet unter Erzbischof Albero 1136 bezw. 1138. Eine Schilderung der Klosterruinen gibt Storck in seinen Darstellungen aus dem Preuss. Rhein- und Mosellande (1818) II, S. 303 ff. Stuben ist auch durch die Nachtigallen bekannt, welche der h. Bernha / Umgebung von Himmerode dorthin verbannt haben soll.

4. Von einer Nonne, welche am Glauben zweifelnd sich in die Mosel stürzte (IV, 40). Vor einigen Monaten wurde eine Nonne, eine Frau in vorgerücktem Alter und, wie man glaubte, von grosser Heiligkeit, so vom Geiste des Misstrauens, der Zweifelsucht, des Unglaubens und der Gotteslästerung erfasst und gepeinigt, dass sie vollständiger Trostlosigkeit anheimfiel. An Allem, was sie von Kindheit an geglaubt hatte und glauben musste, fing sie an zu zweifeln und konnte nicht mehr dazu gebracht werden, die h. Sakramente zu empfangen. Als die Schwestern und ihre leiblichen Nichten sie fragen, warum sie so verhärtet sei, erwiederte sie: „Ich gehöre zu den Verworfenen, zu den Verdammten." Eines Tages sagte der in hohem Grade bestürzte Prior zu ihr: „Schwester, wenn du aus diesem Zustand der Ungläubigkeit und Gottentfremdung nicht wieder zu dir kommst, lasse ich dich, wenn du gestorben bist, auf dem freien Felde begraben." Zu diesen Worten schwieg sie, behielt sie aber fortwährend im Sinn. Einige der Schwestern wollten einmal irgendwohin fahren; da folgte ihnen jene Nonne heimlich bis an das Ufer der Mosel, an welcher jenes Kloster gelegen ist, und als der Nachen sich vom Ufer entfernt hatte, stürzte sich die Unglückliche in den Fluss. Jene, welche im Fahrzeug waren, hörten das Geräusch, sahen sich um, meinten aber, es wäre ein Hund ins Wasser gesprungen. Ein in der Nähe befindlicher Mann eilte schnell an die Stelle und als er bemerkte, es sei ein Mensch ins Wasser gestürzt, sprang er eiligst in den Fluss und zog jene Nonne, die bereits am Ersticken war, heraus. Alle erschraken im höchsten Grade; man wandte Mittel an und nachdem sie das eingeschluckte Wasser wieder von sich gegeben hatte und wieder reden konnte, frug man sie: „Aber, Schwester, warum hast du so etwas Entsetzliches begangen?" Sie antwortete: „Jener Herr" — und dabei deutete sie mit dem Finger auf den Prior — „hat mir gedroht, er würde mich nach meinem Tode auf dem offenen Felde beerdigen lassen; darum wollte ich lieber in den Untiefen des Flusses untergehen, als gleich einem wilden Thier auf dem freien Felde eingescharrt zu werden." Man brachte sie in das Kloster zurück und bewachte sie sorgfältiger als bisher. Diese Frau war seit ihrer Kindheit im Kloster gewesen; sie war eine reine Jungfrau, fromm und der Andacht ergeben, ja sogar strenge; alle von ihr erzogenen Mädchen zeichneten sich durch Zucht und Frömmigkeit aus. Ich hoffe deshalb, dass Gott, der so barmherzig ist, der seine Erwählten auf allerlei Weise versucht, der sie in seiner Barmherzigkeit aus dem Wasser errettet hat, sie in Anbetracht ihres frühern gottgefälligen Wirkens nicht zu Grunde gehen lassen wird[1].

22. Von dem bei uns befindlichen Zahn des h. Johannes des Täufers und den Wundern, welche dieser Zahn gewirkt hat (VIII, 54). Es befindet sich bei uns ein grosser Backenzahn des h. Johannes des Täufers mit drei Spitzen; wie dieser Zahn zu uns gekommen ist, und was der Herr durch ihn Wunderbares gewirkt hat, will ich jetzt berichten. Als die Stadt Konstantinopel durch die Kreuzfahrer verwüstet wurde, und die Einen hier, die Andern dort Beute machten, nahm der Ritter Heinrich von Uelmen (Ulme) neben andern kostbaren Reliquien aus der Kirche der h. Sophia auch jenen Zahn mit. Nach Hause zurückgekehrt, baute er für diese Reliquie, die er im höchsten Grade werth hielt, auf seinem Schloss eine besondere Kapelle, in deren Altar er den Zahn aufzubewahren gedachte. Seine Schwester, die Meisterin auf der Insel des h. Nikolaus, eine Frau, welche sehr viel auf unser Haus hielt, rieth ihm, er möge uns diesen Zahn schenken, konnte jedoch ihren Bruder nicht dazu bewegen. Bald nachher gerieth er in die Gefangenschaft Werners von Bolanden (Warnerus de Bonlant) und befahl im Vertrauen auf unser Gebet, man sollte uns den Zahn übersenden. Während dessen träumte eine Schwester, Heinrich würde, sobald uns der Zahn übergeben worden sei, aus der Gefangenschaft befreit werden, und das ist auch geschehen. Unser Prior, welcher den Zahn abholte[1], entging durch die Kraft desselben bei der Fahrt auf dem Rhein einer grossen Gefahr. — Graf Heinrich von Sayn (Comes Seynensis) hatte einen achtbaren, aber des Verstands beraubten Ritter; in der Hoffnung, derselbe könne sowohl durch die Kraft unserer Heilthümer, als durch unser Gebet geheilt werden, brachte er den Kranken zu uns. Kaum aber mit dem hochheiligen Zahn berührt, empfand der Ritter die Wirkung dieser Berührung und nur einen Bogenschuss weit vom Kloster entfernt erklärte er sich freudig für genesen. Es ist dieser Zahn, wie gesagt, gross und stark und um so mehr zu Heilungen geeignet, als er nicht durch den Genuss feiner Speisen abgenutzt ist.

Könnte man sich sieben Jahrhunderte zurückversetzen, so würde man in dem Kloster dort vielleicht einen alten Bekannten antreffen, der, wie es scheint, im Jahre 1208, als die Reliquien zum ersten Male im Kloster Stuben gezeigt wurden, die Mosel hinauf gepilgert ist — Cäsarius von Heisterbach, dessen Spuren wir später auch noch an anderer Stelle im Moselkrampen finden werden. In dem 14. Kapitel einer 5. Distinctio de daemonibus nämlich beginnt er: „In festo omnium Sanctorum, hoc anno cum essem cum Priore meo in Insula sancti Nycholai, quae vulgo Stupa vocatur, et est monasterium sanctimonialium, vidimus ibi puellam ante adventum nostrum obsessam sed tunc beneficio reliquiarum liberatam.

(Als ich am Allerheiligentage dieses Jahres mit meinem Prior auf der St. Nikolas-Insel war, die gewöhnlich Stuben genannt wird, sahen wir dort ein Mädchen, welches vor unserer Ankunft besessen und durch die Wohltat der Reliquien geheilt worden war

Ein byzantinisches Reliquienkästchen des ehemaligen Frauenklosters Stuben an der Mosel, jetzt in der Domkirche zu Limburg a/L.

Nach Ehrenbreitstein war es vom Churfürsten von Trier während der französischen Kriege geflüchtet worden, weil man es in seinem seitherigen Aufenthalte, dem Kloster Stuben auf einer Insel der Mosel, vor Raub und Entweihung nicht genug geschützt glaubte. Im trier'schen Lande selbst aber, in jenem Frauenkloster Stuben hatte es während 5 Jahrhunderten sich eine bleibende Stätte bewahrt und eine große Verehrung bei jenen frommen Frauen gefunden, die sich als Wächter jenes Heiligthums besonders geehrt sahen und ihm, wie Browerus berichtet (Annal. Trev. lib. II. C. 58) eine eigene Capelle mit vorzüglicher Pracht erbauten. Die

Den Hauptinhalt bildet ein die ganze Länge und Breite der Lade ausfüllendes hölzernes Kreuz, um welches sich in den durch seine 4 Arme gebildeten Feldern auf jeder der beiden Seiten eine Reihe von je 5 kleinern Kästchen anreiht, in welchen sich Reliquien vom Herrn, von seiner h. Mutter und vom h. Johannes nach der Angabe der Inschriften befinden sollen.

Aus dem Anfange des dreizehnten Jahrhunderts führt Cäsarius von Heisterbach uns eine Nonne zu Stuben vor, die sich durch eine besondere Berehrung des h. Johannes des Täufers und poetische Besingung seines Lobes ausgezeichnet hat. Irmgard, die damalige Meisterin zu Stuben, erzählte den Cäsarius, diese Nonne, Hildegund mit Namen, habe sich nicht begnügt, an ihren Lieblingsheiligen zu denken, ihn durch Dienstleistungen und Gebete zu ehren, ihren Mitschwestern dessen Vorzüge zu preisen, sondern dass sie auch, um sein Andenken zu verewigen, seine Ankündigung, Geburt und die Freude seiner Eltern in Gedichten besungen habe; denn sie sei gelehrt gewesen und habe, was sie von des h. Johannes Heiligkeit gelesen, poetisch bearbeitet. Wenn dieselbe sich mit weltlichen Personen unterhielt, bat sie dieselben, ihre Söhne Johannes und Zacharias, die Mädchen Elisabeth zu nennen.

Von einer Nonne, welche den Vorläufer des Herrn besonders verehrt hat (VII, 50). Frau Irmingard, die Meisterin auf der Insel des h. Nikolaus, erzählte mir im verflossenen Jahre von der ausserordentlichen Liebe einer mir wohlbekannten Nonne zum Vorläufer des Herrn. Sie verehrte ihn mehr als alle übrigen Heiligen, und es genügte ihr nicht, fortwährend über ihn zu meditiren, ihn durch Gebete und Andachten zu ehren und ihren Mitschwestern seine Vorzüge zu preisen.

Alle Weltleute bat sie dringend, sie möchteu ihre Söhne Johannes oder Zacharias, ihre Töchter aber Elisabeth nennen. Als sie auf dem Sterbebett lag, kam der Mönch Johannes von Himmerode, sie zu besuchen und da er ihre Liebe zum h. Johannes kannte, frug er sie: „Tante, wenn du gestorben bist, welche Messe soll ich für dich lesen, die für die Abgestorbenen oder die des h. Johannes?" - "Die des h. Johannes!“ erwiderte sie, ohne sich einen Augenblick zu besinnen. Als es mit ihr zu Ende ging, empfand sie Mitleid mit der sie bedienenden Schwester und sagte zu ihr: „Geh hinauf und ruhe eine Weile!“ Die Schwester tat so; als sie aber eben in einen leichten Schlummer gesunken war, vernahm sie eine Stimme, welche rief: „Was liegst Du hier? Der h. Johannes ist unten bei der Schwester Hildegunde." So hieß nämlich die Sterbende. Auf diesen Ruf erwachte die Schwester, nahm sich nicht Zeit, ihre Kleider anzulegen, sondern eilte im Hemde hinunter. - Schwester Hildegunde aber hatte bereits ihren Geist ausgehaucht. Um ihre Leiche war ein so überaus süsser Wohlgeruch, dass die Schwester nicht zweifelte, der h. Johannes sei dagewesen, um die Seele seiner Verehrerin der englischen Chöre zuzuführen.

Der Einsiedler und das Kloster Stuben

Wenn man eine Wanderung zum Hochkessel macht, findet der Wanderer mit etwas Glück an der Nordseite des Berges Mauerreste. Hier lebten im Mittelalter mehrere Einsiedler und diese bringt man immer wieder mit Kloster Stuben in Verbindung. Alte Geschichten erzählen von einem Eremiten, welcher von seiner Behausung täglich zur Peterskapelle wanderte, um dort an der heiligen Messe teilzuhaben. Der Prior von Stuben hält hier die Messe für die Klosterfrauen. Nachdem Neef eine eigene Kirche erbaut hat, bekommt das Kloster die Peterskapelle vom Erzbischof Johann zugeteilt. Nach der heiligen Messe in der kleinen Kapelle folgt der Einsiedler den Nonnen ins Kloster. Vorbei geht es an den Stationen,welche den Weg zeigen. Man bleibt einmal kurz stehen, um an einer Station die hochwachsenden Dornen zu entfernen. Nach einiger Zeit sind alle an der Klostermauer angekommen und durch einen kleinen Seiteneingang erreichen sie den Klostergarten.Weiter geht es an blühenden Rosen vorbei zu den Wirtschaftsgebäuden. Eine Nonne nimmt den bärtigen Mann mit in die Klosterküche und reicht ihm Brot und Käse. Dann nimmt die Nonne einen Krug mit Wein, der am gegenüberliegenden Calmont gewachsen ist und gießt dem Mann ein. Gleich zweimal hält er sein Glas hin, dann ist sein Durst vorerst gestillt. Nachdem Heinrich gegessen hat, macht er sich etwas nützlich im Kloster. Arbeit gibt es hier immer. Das letzte Hochwasser hat an der Anlegestelle für die Nachen und Boote viel Unrat angespült, der nun beseitigt werden muss. Einige Stunden hat der Mann vom Hochkessel hier zu tun. Dann ist es wieder sauber hier unten am Wasser. Es wird nun wieder Zeit, in seine Klause zurückzugehen. Nachdem er sich von den Klosterfrauen verabschiedet hat, reicht ihm eine noch etwas Brot und Obst als kleine Wegzehrung für den langen Heimweg. Nun nimmt er seinen Stock, den er immer bei sich hat und geht seinen Weg. Es dämmert schon, aber der Waldmensch hat keine Angst. Die Natur ist sein bester Freund. Von weitem hört er noch die Stubener Nachtigallen singen. Zurück nimmt er nun einen anderen Weg. Er geht an der Mosel entlang bis gegenüber Ediger und steigt hier steil hinauf zu seiner Hütte. Als er sie erreicht hat, ist es fast dunkel. Nun versorgt er noch sein Vieh, eine Ziege und zwei Hühner, die er immer gut, wegen des Fuchses, einschließt. Nach einem Abendgebet geht er zu Bett. Ein Strohsack und einige Felle dienen ihm als Nachtlager. Am nächsten Tag geht der alte Mann ausgeruht wieder den Weg zu der Peterskapelle.

Die alte Einsiedelei am Hochkessel

Wecker, 1598:
»Ein Steinmilch
Nimb gute feiste Milch / je feister je besser / setz sie auff ein klein fewer / leg schöne kiselstein in das fewer / daß sie glühend werden / so hebs mit einer zangen ab / daß sie nicht unsauber seyn / halts in die Milch biß sie abgelescht werden / das thu so offt biß die Milch von steinen krauß wird / alßdann thu es inn ein sauber geschirr.«

Fast alles im Kloster wurde gemeinschaftlich begangen, auch die Mahlzeiten.

Weinetiketten mit dem Kloster Stuben

Maler in den 30er Jahren hinter der Ruine

Kloster Stuben mit Gartenmauer und Durchgang

Kinder an der Pumpe hinter der Ruine in den 40er Jahren

Merler Weinverkauf 1670 im Kloster Stuben

Horst Werner

(Entnommen der Zeller-Zeitung vom 9. Sept. 1894)

Was mag den Trauben
diesen Duft, dem
Wein das Feuer geben?
Ein Abt steigt jährlich
aus der Gruft, zu
segnen seine Reben.
Wer von dem edlen
Trank erhält, dem
strahlt im Sonnengold
die Welt.

»Es ist gewiß für manchen Leser von Interesse, aus alten Akten zu erfahren, wie man im vorigen Jahrhundert bei Weinverkäufen verfuhr, welchen Preis man erzielte und unter welchen Bedingungen verkauft wurde.

Um das Jahr 1670 lebte auf der Burg des Hochgerichts zu Wollmerath die Freifrau von Landenberg als Witwe. Eine ihrer Töchter war zur besagten Zeit als Ordensschwester im adeligen Frauenstift Stuben »auf der St. Nicolaus-Insel bei Bremm an der Museln«, wie die Akten sagen. Die Herren von Landenberg hatten Besitzungen in Arras und Merl, die von ihren Vorgängern, den aus Merl stammenden Herren von Zandt durch Verheiratung auf sie übergegangen waren, weshalb sie sich nannten, »die Herren von Wollmerath, Arras und Merl«.

Bei Gelegenheit eines Besuches seitens der Freifrau von Landenberg im Kloster Stuben, verkauft sie ihren Wein an Herrn Pastor Müller in Nürburg. Das Aktenstück lautet so: Heut zu Endgesetztem dato ist ein aufrichtig redlicher accord zwischen ihro gnädigen Freifrau von Landenberg, so dan Herrn Antonius Müller Pastoren zu Nürburg getroffen worden, inhalts wessen vorhin hochged. frau Verkäufferin dem Herrn Pastoren verkauffet haben ihre sämtlichen zu Merl liegende weine von verschiedenen Jahrgängen dergestalt, daß derselbe für jedes Fuder wie sie da liegen, vollgefüllt undt abgestochener ohne fass auff seine Herrn Käuffers Kösten fünfzig Thlr. bezahlt, dahingegen gdge. frau Verkäufferin den abstiech deren newen weinen auff ihre Kösten thuen solle, undt so fern das letzten fass nicht voll werden würde, so solle solches mit 58ter alda liegenden weinen zugefüllet werden, sollte Ein- und Einhalb ohm firmen weinen übrig verbleiben, so verbleiben solche Frau Verkäufferin, sofern aber etwas darüber so muß Herr Käufer solche in accordirtem Preis übernehmen, so bald der newe wein abgestochen, so liegen selbige auff Herrn Käuffers gefahr undt sollen selbige längstens vor dem Herbst abgenommen werden, worauff Herr Käuffer bereits Ein hundert fünf Thlr. bezahlet, den restirenden Kauffschilling aber verspriecht Herr Käuffer innerhalb 14 Tagen, wo der abstiech auch Geschehen wirdt, gdger. fraw Verkäufferin abzutragen. Urkundlich dessen haben wir den contract unterzeichnet. Kloster Stuben den 26ten Febr. 1670 bekenne ich A: Müller Pastor p. t., in Nürburg.

Der Stubener Kaminfeger

Ein armer Wandersmann zog einst im 18. Jahrhundert von Koblenz moselaufwärts nach Trier. Hunger war sein ständiger Begleiter. Er war froh um jedes Stück Brot, was er erbettelte. Auch war er bereit, etwas zu arbeiten, damit er was zu beißen hatte. Er hackte da Holz, da half er einem Handwerker und ging auch mal mit in den Weinberg. So zog er moselaufwärts und kam eines Tages nach Ediger. Dort half er einem Kaminfeger beim Reinigen der Schornsteine. Dabei hörte er von jemanden: "Im Nahen Kloster Stuben geht es gar lustig zu. Und zu Essen gibt es da reichlich. Auch solle da getanzt werden". Da wurde er hellwach und dachte:
„Da muss ich hin und werde mir da meinen Bauch so richtig voll schlagen". Am selben Abend noch legte er des Kaminfegermeisters Gewand an, heftete sich zwei Bockshörner auf die lederne Kappe, nahm zur Seite eine Jagdtasche über, in eine Hand des Kaminfegers Kratze, machte sich das Gesicht höllenschwarz und zog los, in Richtung Kloster Stuben. In der Dunkelheit setzte er mit einem Nachen vom Calmont über zum Kloster. Dort schwang er sich über die Klostermauer und fand in einem großen Raum die Klosterfrauen singend und tanzend vor. Durch das Fenster konnte er alles genau sehen. Der Tisch war reichlich gedeckt. Mit Wurst, Käse, Pastete, Fisch und mehr. Auch stand auf dem Tisch reichlich zu trinken. Wein und andere Getränke. Das Wasser lief ihm im Munde zusammen. Eine der Klosterfrauen spielte Violine, das war ihr ganzes Orchester. Die anderen sangen und tanzten!

"Herr Jesu Christ, komm, willst Du mit uns tanzen?" Der entschlossene Wandersmann zerschlug nun mit seiner Kratze die Fensterscheibe und schrie mit fürchterlicher Stimme in den Saal hinein: "Der Teufel kommt und steckt euch Nonnen in den Ranzen". Als die Nonnen die rußgeschwärzte Gestalt sahen, sind sie alle fürchterlich erschrocken und liefen aus dem Saal in den Garten. Der schlaue Wandersmann hechtete nun zum Tisch und stopfte sich alle Taschen voll Wurst, Käse, Fleisch und mehr. Seine linke Hand griff flink eine Flasche Wein und fort war er wieder. Zum Nachen gerannt, übergesetzt und zurück nach Ediger. Die geflüchteten Nonnen kamen erst um Mitternacht in den Saal zurück und sahen die Bescherung. Eine hatte ganz glänzende Augen und sagte:
"Und trotz allem, es war doch ein schönes Teufelchen!"

Familienbuch (FB) Bremm; Nr. 172

Brem Franz, Kloster Stuben oo 13.03.1771 Mar Ferdinanda Christin
An. Marg. R.D. Magistra in Stuben; Patin 1630 in Bremm III/21
R.D. Jak Brem Sucellanus in Stuben; Pate 1645 in Bremm III/52
Rus. Dnus. Franz Contzen, Prior in Stuben; Pate 1727 in Bremm 1/23

Familienbuch Ediger-Eller, Nr. 209

R.D. Contzen Franz Gerhard, Prior im Kloster Stuben:
Vertreter Johann Schultes, Organist in Stuben; Pate 26.01.1728 in Ediger - Eller

Nr. 374

Anna Barbara Otillia Johanna Clara Beißel , Priorissa im Kloster Stuben:
Vertreterin Sebleder Mar. Kath. aus Trier Dienerin der Priorisa;Patin 18.02.1720 in Ed.- Eller

Familienbuch Neef

Personen im Kloster Suben

07 Josten Mar. Cath.; **Magd**, gest. 26.6.1754
08 Noll Maria Eva, **Magd**, gest.13.10.1785
10 Bells Maria aus Faid, **Magd**, gest. vor 1780
36 Kirstges Mar. Magdalena; **Magd**, geb. 17.9.1758
228 Burges Veronika, Urmersbach; **Magd**
263 Notz Mar. Anastasia aus Lieser; **Magd**
286 Scheer An. Marg. Ürzig; **Magd**
Treyß Nikolaus (Georg)genannt; **Knecht**, gest. 30.4.1762
Nickel Johann Heinrich aus Eckfeld; **Knecht**, ertrunken am 2. Sonntag nach Ostern
Theisen Johann aus Urschmitt; **Knecht**
P.Abfall, Mich. **Gärtner** Kloster Stuben
Linden Elis. aus Alflen, **Köchin** Kloster Stuben
Schavo Josef aus Kaimt **Cellarius** im Kloster
R.D. Hymphen Joh. **Sacellan** in Stuben
Josef Stahl war **Organist** im Kloster

Basaltkreuz an der Pfarrkiche Ediger

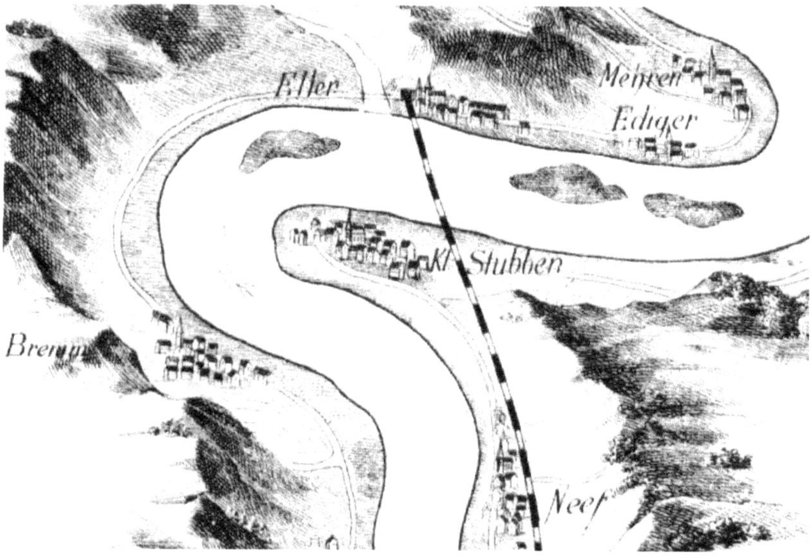

Archiv für mittelrheinische Kirchengeschichte 33 Jg. von 1981

DAS INVENTAR DES AUGUSTINERINNENKLOSTERS ST. NIKOLAUS IN STUBEN A. D. MOSEL IM JAHRE 1789

Von Ferdinand *Pauly*

Der Trierer Erzbischof Albero bestätigte im Jahre 1137 die Stiftung eines gewissen Egelolf, der auf einer Halbinsel gegenüber Bremm a. d. Mosel sein Haus mit Kapelle und nicht näher bezeichnetem Besitz für die Gründung eines Klosters zur Verfügung gestellt hatte, in welchem seine Tochter Gisela zusammen mit anderen Jungfrauen oder Witwen in Armut dem armen Christus nachfolgen wollte. Die Stiftung wurde dem Abt Richard von Springiersbach zur Hut und weiteren Entwicklung unterstellt. Richard, der erste Abt des nach dem *Ordo monasterii*, der ersten und strengsten Augustinusregel, lebenden Klosterverbandes nahm die Stiftung an und ordnete die noch offenen vermögensrechtlichen Fragen mit den Verwandten und Erben Egelolfs. Dann erbat und erhielt er die Bestätigung der in eine klösterliche Niederlassung *(cella)* umgewandelten Stiftung durch Erzbischof Albero, der die Zahl der Schwestern auf höchstens 100 begrenzte [1]). Diese Einschränkung läßt erkennen, wie stark in der ersten Hälfte des 12. Jahrhunderts der Andrang von Frauen aus den Kreisen des Adels und des Bürgertums der Städte zu den neu entstehenden Frauenklöstern der Springiersbacher Observanz sich auswirkte. Es verdient festgehalten zu werden, daß Richard von Springiersbach es war, der im Rheinland neben den sehr seltenen Frauenstiften, die den Töchtern des Hochadels vorbehalten waren — im Trierer Bistumssprengel bestand nur eine einzige klösterliche Niederlassung dieser Art: Oeren-St. Irminen in Trier [2]) —, die ersten selbständigen Frauenklöster gründete, die nach der Augustinusregel lebten, hinsichtlich der Einhaltung dieser Regel aber der Aufsicht des jeweiligen Abtes von Springiersbach unterstanden. Von Springiersbach erhielten die Frauenklöster — zu nennen sind neben Stuben die Klöster St. Thomas vor Andernach, Martental, Marienburg, Pedernach bei Boppard — auch die Priester, die als Seelsorger und Güterverwalter tätig waren [3]).

Die Unterstellung unter die Aufsicht des Abtes von Springiersbach konnte ebensoviele Vorteile wie Nachteile nach sich ziehen, je nachdem, ob Springiersbach den Geist der Gründungszeit und des ersten Abtes bewahrte oder nicht. Leider hat dieser Geist das Leben der Springiersbacher Klöster noch nicht einmal hundert Jahre bestimmt. Ende des 12. Jahrhunderts, zwischen 1190 und 1193 berief man den aus dem Pariser Augustinerstift St. Viktor stammenden Absalon zur Durchführung einer Reform nach Springiersbach. Absalon starb jedoch bereits nach wenigen Jahren, so daß seine Reform sich nicht durchsetzen konnte. Die Ursachen, aus denen der Ab-

---

[1]) MRUB 1 Nr. 495.

[2]) Vgl. Th. Zimmer, Das Kloster St. Irminen-Oeren in Trier von seinen Anfängen bis ins 13. Jahrhundert, Trierer Zeitschrift 23, 1954/55.

[3]) Vgl. F. Pauly, Springiersbach, Trierer Theologische Studien 13, 1962, S. 16—27.

fall vom Ideal der Gründungszeit nach Absalons Urteil sich entwickelte, kennen wir aus seinen Schriften. Es war im Grunde ein Hauptübel, aus dem alle anderen stammten: der Abfall vom strengen Ideal der Armut. Absalon wirft den Äbten vor, sie nähmen Geschenke undurchsichtiger Herkunft an, forderten bei der Aufnahme von Novizen für sich besondere Abgaben und bereicherten sich am gemeinsamen Gut. Er wendet sich gegen Mitbrüder, die sich durch ungeordnete Wünsche nach einer besseren Lebensweise und eine falsche Erklärung des Geistes der Freiheit innerlich und äußerlich der Gemeinschaft entfremdet haben. Er spricht von solchen, die ohne Erlaubnis über Geld und eigene (bessere) Kleidung verfügen und die Verbindung mit Verwandten und Freunden hohen Standes in der Welt in einem Ausmaß pflegen, als seien sie nie in ein Kloster eingetreten. Den Schlußstrich unter diese Entwicklung zog ein halbes Jahrhundert später der Trierer Erzbischof Theoderich von Wied in einem Brief, den er am 26. August 1241 an den Abt von Springiersbach schrieb: „Da durch Deine und Deiner Untergebenen Sorglosigkeit in allen Klöstern, die Deiner Leitung unterstehen, die Ordenszucht — wie Wir erfahren haben — ohne Rücksicht auf die Furcht vor Gott gering geachtet wird..." [4]). Zu retten war aber auch mit einer so strengen Zurechtweisung nichts mehr, da die Springiersbacher Klöster zu diesem Zeitpunkt längst zu Versorgungsstätten vornehmlich für unversorgte Söhne und Töchter des einheimischen Adels geworden waren. Zwar unternahmen Trierer Erzbischöfe und einzelne Springiersbacher Äbte — zu nennen ist besonders der Abt Matthäus von Merl (1352—1374) — immer wieder Versuche zur Durchsetzung von Reformen, aber sie fanden nicht die Konvente, die bereit gewesen wären, mit ihnen den Weg heraus aus einer immer billiger werdenden Mittelmäßigkeit zu gehen. So blieb am Ende nur der bittere Entschluß zur Auflösung: Erzbischof Johann von Baden (1456—1503) hob 1487 das indirekt von Springiersbach ausgegangene Frauenkloster Schönstatt bei Vallendar und 1497 das Frauenkloster Pedernach bei Boppard auf; in St. Thomas vor Andernach ließ er 1499 mit Gewalt die Reform durchführen, die aber keinen Bestand hatte. Erzbischof Richard von Greiffenklau (1511—1531) hob mit päpstlicher Zustimmung 1516 das Frauenkloster Marienburg und 1521 das Frauenkloster Martental auf [5]).

Mit dem Frauenkloster Stuben, wo 1511 eine Visitation gehalten worden war, wollte man es weiter versuchen, doch erwies sich in den folgenden Jahrhunderten die Hoffnung auf Besserung bei Trierer Erzbischöfen immer wieder als größer als die Wirklichkeit. Der Visitationsbericht vom Jahre 1762 — der Springiersbacher Abt Karl Kaspar von Holtrop (1758—1789) hatte im Auftrag des Trierer Erzbischofs die Visitation gehalten — nennt die seit Jahrhunderten bekannten Mißstände: Nachlässigkeit im Chorgebet, häufige Abwesenheit der Schwestern zum Besuch der Angehörigen, Verletzung der Klausurbestimmungen durch zahlreiche verwandte Besucher und Gäste, denen man überall Zutritt gewährte. Festgestellt wurde auch eine wenig gewissenhafte Wirtschaftsführung durch die Äbtissin, die alle Entscheidungen an sich gezogen und den Konvent wirtschaftlich in Not und

---

[4]) Vgl. Pauly, Springiersbach S. 59—63.
[5]) Ebd. S. 78—87.

bei den Lieferanten der Umgebung in Verruf gebracht hatte. Die vom Trierer Erzbischof angeordnete Änderung der Wirtschaftsführung — Bestellung einer Schwester zur Zellerarin und des Hausgeistlichen zum Güterverwalter — erwies sich als unwirksam, weil die Äbtissin durch geschicktes Taktieren immer wieder Aufschub und Zeit gewann [6]). Erst eine in den Monaten Juli und August 1784 durch den Springiersbacher Abt im Auftrag des Erzbischofs durchgeführte letzte Visitation brachte eine Lösung: Absetzung der Äbtissin, Bestellung eines Springiersbacher Kanonikers zum bischöflichen Administrator und Umwandlung des Frauenklosters in ein adeliges Damenstift mit sieben Mitgliedern, die keine Gelübde ablegen und jederzeit austreten können. Das Organisationsstatut für das Damenstift wurde 1787 erlassen. Ein Rechtsgutachten bestätigte die Umwandlung kraft der ordentlichen bischöflichen Gewalt, bestand aber auf der Zustimmung des Trierer Domkapitels, die am 19. Oktober 1788 erteilt wurde. Nach Rom teilte man die erfolgte Umwandlung mit [7]). Im Januar 1789 nahm man eine Bestandsaufnahme des Stubener Inventars vor, die im folgenden veröffentlicht und — wenn nötig — erläutert wird [8]).

Allgemeine Tabell
des zu Stuben errichteten Inventariums im Monate Jänner 1789

Nr. 1. Silber im Hause:

Ein schönes neues Lavoir; ein Kafepott, ein Theepott, ein Milchpott; dito ein kleineres; eine façonnirte Zuckerschale; dito eine kleinere; 12 Kafelefelger [Kaffeelöffelchen]; *ein Maytrunkbecher verguldet mit dem dazugehörig Deckel; ein Suppenschüsselgen mit Deckel; dito eines ohne Deckel; dito eines vergoldet ohne Deckel; ein vergoldeter Becher mit Deckel; ein dito; ein dito; ein dito; ein vergoldeter Praesentirteller; ein dito nicht vergoldet; ein Paar Leuchter; ein dito etwas geringer; ein dito kleinere; 3 Laden zu Lichtbuzen nebst 2 Lichtbutzen mit silbernen Grifen; eine Machine für Essig- und Baumöhlgläser nebst gesagten 2 Gläsern mit silbernen Deckel und Grifen; dito eine kleinere; 3 grose Vorlegeleffel; 12 Lefel zum täglichen Gebrauch; 12 dito, 12 Bestecker zum täglichen Gebrauch, die Gabel ganz von Silber, die Messerstile* (ganz von Silber); *12 neue besonder in einer Custodie, die Lefel, die Gabel, die Messerstile* (ganz von Silber); *ein vergoldetes Besteck, Messerstil, Lefel und Gabel* (ganz von Silber); *5 Messer- und 2 Gabelstile* (ganz von Silber).

Das Silber im Haus wog 38 Pfund und 17 Loth, im Wert taxiert auf 973 Reichstaler, 13 Albus und 2 Denare.

---

6) Ebd. S. 107—108.

7) Ebd. S. 113—114.

8) Bistumsarchiv Trier, Abt. 63, 47 Nr. 6 S. 169—247. Für die Publikation wurden Hauptwörter — abweichend von der Vorlage — grundsätzlich in Großschreibung, andere groß geschriebene Wörter dagegen dem Sinn entsprechend in Kleinschreibung gesetzt.

Nr. 2. Kirchensilber:

2 Messenkänger [Messkännchen] *mit dem dazu gehörigen Teller laçonnirt; dito etwas schwererer; dito geringer; 1 grösere und eine kleinere Kerzen von einem Muttergottesbild; 2 Herzger* (Herzchen) *vom Muttergottesbild; ein Sengler* (Kerzen-Anzünder?) *vergoldet; ein Rauchfaß, ein dazu gehöriges Schilgin* [Schiffchen] *mit dem Lefelgen; eine Kirchen Ampel; dito eine grösere; ein Paar grösere Kirchenleuchter nach Abzug des Eisen; dito mittelmäsige nach Abzug des Eisen; dito kleinere nach Abzug des Eisen; dito noch kleinere; Reliquiarium Sanctae Annae Silber; ein kleines Crucifix vergoldet; ein Kelch mit Paten und Lefelgen vergoldet; dito mit etlichen Steinen besetzt; dito ohne Stein; dito mit 2 Patenen und Lefelger; dito mit kupfernem Fuß, übrigens Silber; ein Ciborium vergoldet; eine schön laçonnirte Monstranz mit geringen Steinen besetzt cum lunula; Pixidae oleorum* [Gefäße für die hl. Öle]; *ein mit Silber stark beschlagenes Messenbuch; ein mit Silber beschlagenes Crucifix, wo der Christus von Silber ist; ein hölzernes Crucifix mit einem silbernen Christus; ein dito, wo der Stam*(m) *von Kupfer, der Christus von Silber ist.*

Das Kirchensilber — gerechnet bis auf die Pyxis für die hl. Öle (diese ausgenommen) — wog 48 Pfund und 7 Loth, im Wert taxiert auf 1279 Reichstaler und 49 Albus.

Im Verzeichnis des Kirchensilbers ist unter dem Titel *Reliquiaria* eine neue Reihe mit dem Buchstaben a) begonnen, unter dem — ohne Angabe des Wertes — das Stubener Kreuzreliquiar genannt wird, doch ist das Verzeichnis an dieser Stelle nicht zu Ende geführt worden. Es beginnt wieder auf S. 231 unter der Nr. 28 *(Reliquien)* und wird — der Einheitlichkeit des Kirchensilbers wegen — hier angeführt:

Ein grosser Theil vom heiligen Kreutz, welcher sehr kostbar eingefasset ist und hier von sehr alten Zeiten her der ölentlichen Verehrung mit Ertellung eines vollkommenen Ablasses ausgesetzet wird. Die Geschichte hiervon ist im abteilichen Archiv aufbehalten. Ein schwerer Kasten mit 3 silbervergoldeten Figuren, worin ebenfalls unterschiedene Reliquien enthalten sind [Zusatz von späterer Hand: Hl. Demetrius, ebenfalls griechische Arbeit. Wo ist das geblieben?]. *Zwei kleinere silberne Kästgin mit Reliquien; eine kleine Monstranz von Silber mit Reliquien; dito eine kleinere; dito eine mittelmäsige von Kupfer; ein Krügelgen, Fus und Hals von Kupfer; 5 unterschiedene Kästgen mit Reliquien; Reliquiarium sanctae Annae; unterschiedene sonstige Reliquien Behälter mehrenteils ohne Autentick* *). [Das Anna-Reliquiar wird bereits weiter oben beim Kirchensilber genannt].

---

*) Zum Kreuzreliquiar vgl. zuletzt W. Michel, Die Inschriften der Limburger Staurothek. Archiv für mittelrheinische Kirchengeschichte 28, 1976, S. 23—43. — Zum Schicksal des Kreuzreliquiars und des Stubener Kirchensilbers vgl. H. W. Kuhn, Zur Geschichte des Trierer und des Limburger Domschatzes. Die Pretiosenüberlieferung aus dem linksrheinischen Erzstift Trier seit 1792. Archiv für mittelrheinische Kirchengeschichte 28, 1976, S. 155—207 (mit der ganzen Literatur und den Archivquellen). — Zum Kommissar für Stuben, das sich in Umwandlung vom Augustinerinnenkloster zu einem Damenstift befand, hatte der Trierer Erzbischof und Kurfürst Klemens Wenzeslaus den Geistlichen Rat und Kanoniker von St. Florin in Koblenz Heinrich Arnoldi bestellt. „Nach

Nr. 3. Zinn im Hause:
12 grösere, theils mittelmäsige, theils kleinere Suppenschüssel mit Hängen; 24 grose alte Schüssel; 17 neue dito; dito 26 kleinere; dito 12 etwas grösere; 4 Tortenschüssel mit 4 Teller; 5 Duzend neue schön façonnirte Teller; dito 6 Duzend ohne; 74 Teller zum täglichen Gebrauch am herrschaftlichen Tisch; 16 Teller zum Gesindetisch; 11 theils grösere, theils kleinere Lavoirschüssel mit den dazu gehörigen 10 Becher von Zinn; eine grösere und 2 kleinere Suppenschüssel ohne Henken, mit einem Vorleg- und zehn Eßlefel; 6 tiefe Schüsselger ohne Henken; 2 Kafe-, 2 The-, 1 Milchpott; 3 Credenzteller; 12 Leuchter; 1 Schwengkessel; 5 Nachtgeschirr; altes Zinn allerhand; ein groses Kafeplatt mit Füsen; ein Distillirmaschine; eine Stechpfanne.
Das Zinn wog 607 Pfund, im Wert taxiert auf 157 Reichstaler und 20 Albus.

Nr. 4. Porzellan, Fayanse etc.
6 Teller von feinem gemalten Porzellan; 48 Teller von terre de pipe; dito zehn gemahlte; 2 Hasen-Formen, gemahlt terre de pipe; 1 Pastetenschüssel mit Deckel (terre) de pipe; sechs grose façonnirte länglichte Schüssel; dito sechs kleinere; dito 2 mittelmäsige; dito 5 runde grösere; dito 5 kleinere; 3 façonnirte länglichte Compotschüssel; dito 3 runde; dito 2 runde mit blauem Anstrich; 6 Saucieren terre de pipe; dito 6 kleinere; 2 Butterschalen; 6 untereinander verschiedene Teller; dito 2 kleinere; 3 noch tiefe Schüssel blau gemahlt; 1 Motarde und 3 Salzkänger (Salzkännchen); *1 Thee- und 2 Milchpöttgen; eine Zuckerdoß nebst einem Schwenggeschirr; 5 Tassen von feinem Porzellan; dito 4 andere viel geringer; 2 Schwenggeschirr terre de pipe.* — Geschätzt auf 14 Reichstaler und 14 Albus.

Nr. 5. Entfällt wegen eines Irrtums in der Numerierung.

Nr. 6. Weiszeug:
46 feinere grose Tischtücher zum herrschaftlichen Tische; 11 grobe Tischtücher zum Dienertisch; 615 feinere Servietten zum herrschaftlichen Tisch; 113 gröbere zum Aufwarten und andern Tischen; 64 feinere Bettücher zum herrschaftlichen Gebrauch; 61 grobe Bettücher für Knechte und Mägde;

Inventarisierung des gesamten Klostervermögens brachte Arnoldi Kirchensilber, Reliquiare und Paramente in zwei Kisten (ein großer Koffer und ein Verschlag) am 17. Januar 1789 nach Koblenz ins Karmeliterkloster. Dort sind die Sachen in den folgenden fünf Jahren unberührt aufgehoben worden. Ein Vorschlag Arnoldis vom 12. November 1793, das Silber zu verkaufen, wurde von der kurfürstlichen Landstatthalterschaft abgelehnt. Am 28. Januar 1794 brachte der Stiftungskommissar als erster 68 Mark 6 Lot Silber für 1268 Gulden 10 Kreuzer in die Koblenzer Münzstatt. Den Rest schaffte er im Oktober nach Montabaur, von wo die Sachen im September 1795 weiter nach Hanau geflüchtet wurden", von wo sie auf Umwegen über Dillingen und Augsburg schließlich im Jahre 1800 nach Dresden gelangten (Kuhn S. 199/200). Nach ihrer Rückführung nach Ehrenbreitstein im Dezember 1802 erhielt die kleine katholische Gemeinde in Weilburg 1803 die kleine Stubener Monstranz, ein silbervergoldetes Ciborium und ein Kreuz in Ebenholz mit einem Christus in Silber (Kuhn S. 201). — Das Kreuzreliquiar wurde 1811 in die nassauische Residenz Wiesbaden verbracht und gelangte erst 1835 anläßlich der Konsekration des Bischofs Bausch in den Limburger Dom (Kuhn S. 202/203), wo es sich noch befindet.

44 Küssenzüge; 47 einfache Handtücher; 20 doppelte dito grob; 3 Achtücher; 17 Fenstervorhänge. — Geschätzt auf 1 082 Reichstaler und 33 Albus.
Davon befinden sich 484 Stücke im Zimmer für das schwarze Leinwand, 18 sind im Gebrauch des Verwalters (Kellners) und 20 im Gebrauch des zurückgelassenen Gesindes. Das übrige ist im Weiszeugszimmer.

Nr. 7. Weiszeug in der Kirche:

22 Alben, mehrenteils mit schlechten Spitzen; 6 Korröck dito; 27 Altartücher auf den grosen und die kleinere Altäre; 28 Handtücher; 25 Kopftücher; 10 Leibbendel; 41 Handtüchelcher an den Altären; 35 Kelchtüchelcher; 20 Corporalia; 3 Kommunikantentücher; 2 Kanzeltücher; 3 Kelchsäckelger. — Geschätzt auf 140 Reichstaler.

Nr. 8. Bettungen:

Eine seidene Decke im Thürmgen, 10 federne Unterbetter, 1 ledernes Oberbett, 10 Pülfen [10], 19 Federn-Küssen, 2 pferdhärene Matrazen, 1 Bett- und ein Küssenzuge leer.
1. Zimmer: 2 Strosäcke, zwei wollene Matrasen, 2 Federn-Unterbetter, 2 Pülfen [10], 6 federne Küssen, eine neue Decke; dito eine alte, ein Oberbettgen.
2. Zimmer: 1 Strohsack, 1 wollene Matraß, 1 Unterbett, 1 Pülfen [10], 2 Küssen, ein Strohsack, ein Unterbett, 2 Pülfen [10], 2 Küssen, 3 Decken.
3. Zimmer: 1 Strohsack, 2 wollene Matrasen, 1 Federbett, 2 Pülfen [10], 4 Küssen, 1 Decke.
4. Zimmer: 1 Oberbett, eine wollene Matrase, ein Unterbett, ein Pülfen [10], ein Küssen, eine wollene Decke, eine neue Decke.
5. Zimmer: 1 Strohsack, eine wollene Matraß, 1 federnes Unterbett, ein Pülfen [10], 3 Küssen.
Mönchenzimmer: 2 Strohsäcke, 2 Unterbetter, 2 Pülfen [10], 2 Küssen, eine Decke.
Sogenannte Kartauß: 3 Unterbetter, 3 Pülfen [10], 3 Küssen, 3 Laden.
Im sogenannten blauen Zimmer: 2 pferdharene Matrassen, ein Unterbett, 2 Pülfen [10], 2 Küssen, eine wollene Decke, eine neue gestepte Decke, eine ältere.
Im Vorzimmer zur Orgel: 1 Strohsack, 1 Unterbett, ein Oberbett, 2 Pülfen [10].
In einem Küchenschrank: Strohsack, Unterbett, Küssen.
Im Zimmer beim Backhause: ein Strohsack, Unterbett, ein Pülfen [10], der andere nichts werth, 1 Küssen, eine Decke, die andere nichts werth.
In dem ehemaligen Fremdenzimmer: Ein Strohsack, zwei Unterbetter, ein Pülfen [10], 5 Küssen, 3 alte Decken.
Sogenanntes Mägdzimmer: Ein Unterbett, ein Pülfen [10], ein Küssen, 2 alte Decken, das übrige nichts werth.
Brauhauß: Ein Unterbett, 3 alte Pülfen [10], 2 Küssen, eine alte Decke.
Im Kellnereibau, Kellnerszimmer: Ein Strohsack, ein Unterbett, Pülfen [10], 2 Küssen, ein Oberbettgen, zwei wollene Decken.

---

[10]) Oberbetten, Bettdecken.

Daselbst i Kapuzinerzimmer: Unterbett, zwei Pülien [10]), zwei Küssen, eine Decke.
Dito im 1. Kapuzinerzimmer: Strohsack, Unterbett, Pülien [10]) und Küssen, eine alte Decke.
Im Zimmer des Gartenknechtes: Ein Unterbett, 2 alte Küssen, 3 alte Decken, das übrige von keinem Werth. Eben so sind auch die im Pferds- und Kühstall vorrätige Sachen fast von keiner Achtung. — Geschätzt auf 446 Reichstaler und 6 Albus.

Nr. 9. Bettladen:
Im blauen Zimmer: mit Cortinen [11]) von Cadun (Kattun).
Im Prelaten-Zimmer: mit Boden und Kortinen [11]) von gedrucktem Leinwand.
Auf dem alten Bau im 4. Zimmer: mit Boden und Kortin [11]) von gutem Hausmacherzeug.
Im 3. Zimmer: eine ohne Boden.
Im 3. Zimmer: eine ohne Boden, die dazugehörige Kortinen [11]) von Zitz [12]); daselbst eine mit Boden und Kortinen von grauem Tamin.
Im zweiten Zimmer: mit Boden und Kortinen [11]) von grünem Tamin [13]); daselbst mit Boden und Kortinen [11]) von blauem Tamin [13]).
Im ersten Zimmer: eine mit Boden und zitzigen [12]) Cortinen [11]); dito mit Cortinen von gefärbtem Leinwand.
Mönchenzimmer: beide mit Cortinen [11]) von Tamin.
Kartauß: nicht näher bezeichnet.
Auf der Abtei im 4. Zimmer: eine ganz einfache.
Im Vorzimmer bei der Orgel: mit Boden und Kortinen [11]) von Tamin [13]).
Im Zimmer beim Badhause: eine einfache Bettlade.
In dem ehemaligen Fremdenzimmer:
Erstes: 2 leere Bettladen mit Kortinen [11]) von Tamin [13]).
Zweites Zimmer daselbst: eine einfache (Bettlade), (eine) mit Kortinen von Tamin.
Im sogenannten Mägdzimmer: (drei) alte (Bettladen).
Im Brauhauß: mit alten Vorhängen.
Kellnereibau:
1. Kapuzinerzimmer: mit Vorhängen von Tamin [13]).
2. Zimmer: einfach; daselbst Feldbettlade.
Eine gemeine Bettlade auf dem Speicher der Abtissin. — Geschätzt auf 58 Reichstaler und 27 Albus.

Nr. 10. Spiegel:
Ein mittelmäsig groser Spiegel mit vergoldeten Rahmen; dito ein etwas kleinerer; dito ein von der ähnlichen Gröse mit halb vergoldeten Rahmen;

---

11) Vorhänge.
12) Geblümter Kattun (Zitzkattun). Vgl. Trübners Deutsches Wörterbuch 8, 1956, S. 422.
13) Tamin: vielleicht von französisch „Tamise" = leichter englischer Stoff aus reinem Leinen bzw. aus Leinen mit Seide. Vgl. Grand Larousse de la langue française 7, 1978, S. 5931.

ein kleiner Spiegel mit vergoldeten Rahmen; dito einer vornehmlicher Gröse; einer von mittelmäsiger Gröse mit schwarzgefärbten Rahmen; dito ein etwas kleinerer; 2 kleine schlechtere, nichts werth. — Geschätzt auf 29 Reichstaler und 18 Albus.

Nr. 11. Commoden:

Mit 3 Auszügen, einem Aufsatz von 10 Schubladen und einem Schränkelgen, Holz Nusbaum, Beschlag Messing; dito mit 3 Auszügen ohne Aufsatz, von Nusbaum, Beschlag Messing; dito mit 3 Auszügen von Eichbaum, Beschlag Messing; dito ein schlechtes ebenso wie N. 3.; dito mit 3 Auszügen, einem Aufsatz von 3 Schubladen und .... Schränkelgen, von Nusbaum eingelegte Arbeit, Messing; ein Schreibpult mit 7 Schubladen, von Nusbaum, eingelegte Arbeit; ein Commod mit 3 Auszügen, einem Aufsatz von 7 Schubladen, Tannen Holz. — Geschätzt auf 90 Reichstaler und 18 Albus.

Nr. 12. Stühle:

Im Ansprachzimmer: ein Kanape, 2 Sessel, 10 Stüle, alles mit von Wolle gefütterten Küssen.
Im Saal: 12 Stüle mit Küssen dito.
Im blauen Zimmer: Ein Sessel gefüttert mit Stroh, überzogen mit geblümtgestricktem Zeug; daselbst 5 Stüle von Nusbaum, Gezeug dito.
Im Prelatenzimmer: Ein Sessel, 4 Stüle, 2 Tabourets, Sitz und Rücken gefüttert, überzogen mit geschorenem Sammet.
Im 4. Zimmer: Ein Sessel mit 6 Stülen, Sitz und Rücken gefüttert, überzogen mit blümigt gestricktem Zeug.
Abtei: Sessel mit 5 Stülen, gefüttert, überzogen mit gewürfelt gestricktem Zeug; Sessel mit 10 Stülen, gefüttert, überzogen mit roth-weis gestreiftem Peluche (Plüsch); Sessel, gefüttert, überzogen mit blumigt gestricktem Zeug; 2 Stüle dito; ein Sessel gefüttert, überzogen theils mit Leder, theils mit gestricktem Zeug; ein alter Sessel, gefüttert, überzogen mit gestricktem Zeug; dito 2 Stüle; ein Sessel, roth überzogen; noch unterschiedene schlechtere Stüle, theils mit Leder überzogen, theils mit geflochtenem Strohe, theils von Holz. — Geschätzt auf 107 Reichstaler.

Nr. 13. Öfen:

Einer im sogenannten Ansprechzimmer; dito im grosen Saal, von Guß; dito im 4. Zimmer auf dem neuen Gang; einer in dem sogenannten blauen Zimmer; dito im ersten Zimmer der Ablissin; dito im zweiten ibidem; im sogenannten Teestübgen; dito im sogenannten Conventszimmer; ein Windofen im sogenannten Vorzimmer bei der Orgel, mit dem Rohr; einer im Speisezimmer der Domestiquen; dito im Speisezimmer des Gesindes; in der Kellnerei: a) im Wohnzimmer des Kellners, b) im Kapuziner Zimmer, c) im sogenannten Winterstübgen; im Bandhauß (Haus der Faßbänderei); in der Badestube; ibidem im sogenannten Holzkämmergen; im sogenannten Gartenzimmer einer von Blech; einer nicht eingesetzte(r); dito noch einer; im sogenannten Takenzimmer eingesetzt; ein kleines Zimmeröfgen in der Mühl. — Geschätzt auf 119 Reichstaler und 18 Albus.

--- 356

Nr. 14. Tisc

Von Tannenholz, das Gestell von Nusbaum, mit einem Auszug, Überzug von Wachstuch; ein Spieltisch von Nusbaum, eingelegte Arbeit; ein Nachttisch, grün angestrichen; ein Spieltisch von Nusbaum, mit blauem Tuch überzogen, mit einem Auszug; dito mit Wachstuch überzogen, ein Auszug; ein gemeiner mit blosem Blatt und Schragen; dito ein etwas kleinerer; ein groser Spieltisch von Eichenholz; dito nämliche Art; dito ein kleiner Tisch; einer wie N. 1; im sogenannten Sommerzimmer dito ohne Auszug; ein kleiner Kafetisch.

Im Prelatenzimmer: einer wie N. 1, etwas gröser; ein Nachttisch, ein Toilettetisch mit Wachstuch überzogen, ein wie N. 14, ein wie N. 15, ein wie N. 16. NB. Diese Nummern entsprechen den drei Tischen im Prälatenzimmer; *ein gemeiner Tisch; ein Kafetisch mit nusbaumenem Fuß wie N. 16.*

Mönchzimmer: ein ganz gemeiner Tisch; dito.

Auf dem Speicher: ein groses Tischblatt mit Schragen; dito ein kleineres.

Im Domestickenzimmer: Von Tannenholz mit Schubladen und 2 Bänken; daselbst im Gang ein ganz gemeiner Tisch.

Abtei: Von Tannenholz mit Auszug, Fus von Apfelbaum; ein Kafetischelgen; dito ein kleinerer; im Bedientenzimmer bei der Orgel, von Eich; von Nusbaum mit Auszug, überzogen; daselbst im Gang (ein Tisch).

Im Torstübgen: Mit Auszug; auf einem Schränkelgen ruhend.

Im Kapitelhaus: Einer mit Schubladen; ein ganz groser Tisch.

Im Gesindszimmer: Ein schlechter Tisch mit Bänken.

Im sogenannten Tackenzimmer: Ein groser Spieltisch.

In der Mehlkammer: 2 Schragen mit einem Tischblatt.

In der Benderstub: (ein Tisch).

Im Kapitelhaus: Ein sogenanntes Tabuletgen.

Auf dem Konventsspeicher: Ein Tisch, 2 Bord breit, 12 Schuhe lang.

Im Kellnereibau: Ein Tisch mit Wachstuch überzogen; 3 gemeine Tisch; noch unterschiedene Tische (7), wovon jeder mit per 24 Albus angeschlagen werden kann, alle im Kapitelhause. — Geschätzt auf 41 Reichstaler und 8 Albus.

Nr. 15. Schränke:

Von Eichbaum mit 2 Thüren; von Tannenholz, angestrichen, für Gläser; ein schöner Schrank mit 14 Schubladen, einem Auszug mit gläsernen Türen; von Nusbaum mit 2 Thüren; von Tannenholz mit 2 Thüren; mit Nusbaum überzogen, 2 Thüren; von Nusbaum mit 2 Thüren; ein kleiner Eckschrank mit gläsernen Thürgen, ein viereckigter Schrank mit 2 Thüren; ein dito; ein dito; von Tannenholz mit 4 Thürgen; von Tannenholz mit 2 Thürgen, viereckigt; von Eichbaum mit 2 Thüren; Tannenholz mit 2 Thürgen; von Nusbaum mit 2 Thüren; dito; ein Eckschrank von Nusbaum mit einem Aufsatz mit gläsernen Thüren; von Nusbaum mit 2 Thüren; dito; ein klein Hengeschränkelgen; in der Mauer, so herausgezogen werden kann; ganz klein; dito; von Eichenholz mit 2 Schubladen; von Tannenholz mit 2 Thüren; ein schlechtes Gläserschränkelgen; von Nusbaum mit 4 Thürgen; mit 1 Thüren, im Teestübgen.

257

In der Kuch: Ein Bettschrank mit 2 Thüren; einer mit zwei grosen Thüren; dito ein kleiner.
Im Tackenzimmer: Ein Eckschrank mit Aufsatz, blau angestrichen; dito, ein eingemauerter mit 6 Thürgen; dito einer mit 2 Thürgen.
Im Zimmer beim Backhause: (Ein Tisch).
Backstub: Mit 2 Thürgen.
Kellnerei: Ein Schrank mit Aufsatz.
In der Kapitelsstube: (Zwei Tische). — Geschätzt auf 112 Reichstaler und 30 Albus.

Nr. 16. Kisten:

Im Kapitelshaus: 15 unterschiedlich große Kisten.
Im Brauhauß: 2 Kisten.
Im Rauchhauß: 6 Kisten.
Beim Domestickenzimmer: 1 Kiste.
In der Abtissin Nebenzimmer: 1 Kiste; *dabei eine eichene.* — Geschätzt auf 21 Reichstaler und 42 Albus.

Nr. 17. Küchengeschirr:

11 sogenannte Schlaustöpfe, mehrentheils mit Deckel; 5 eiserne Kessel von unterschiedener Gröse; dito ein groser von Eisenblech; 3 Küchenpfannen von unterschiedener Gröse; 3 Röste; 3 Schöpflefel; 1 Kasserol von Eisenblech mit Deckel; 1 Schaumlöfel; 2 Stockfischblech; zwei Hackmesser; 6 Wafel- und Suppeneisen; eine Seye von Blech; 3 Bratpfannen; eine Feuerhale; 1 Feuerhaken zum Feuerschüren; ein sogenannter Brandredel; 3 Dreifüßger; 1 Fleischgabel; 1 Feuerschippe; 1 Feuerzange; 1 Bratenwender mit Zugehör, nämlich 2 Bratspieß und Spiesträger; ein eisenes Ofenblech; ein Schmelztiegel für Unschlitt; 2 eisene Kohlepfannen mit eisenem Fuß; ein Schlachtmesser; eine Auflaufform; 2 Bügeleisen mit Zugehör; ein Bügeleisengestell; 3 Spiesger zum Braten; 1 Fleischkron zum Fleisch; 2 Bratenfänger; ein kleiner eisener Tiegel; dito 1 für Schuschmier; 2 Tiegel von Blech mit Steinen zum Speisenwärmen; ein kleiner Blasbalg; ein zerstumleter Bratenwender; eine eisene Feuerplatte; dito eine kleinere; 2 Küchenbretter in der Kellnerei; 5 Tortenformen mit Zugehör; 3 Kasserollen von unterschiedener Gröse; 6 Kessel von unterschiedener Gröse; 3 Schunkenkessel; 1 kleiner Fischkessel; 3 Schwengkessel; 1 groser Schmelztiegel für Wachs; 1 Eyerpfanne; 3 Stösser mit den Stösseln; 4 Theekessel; 1 Schopflefel; 1 Kafe Mühl; 2 Kafepott; 1 Chocoladepott; 1 Presentirteller; 4 Leuchter; eine Ampel; 6 Wasserbütten; 5 Wassereimer; eine sogenannte Anricht in der Kürche. — Geschätzt auf 109 Reichstaler und 3 Albus.

Nr. 18. Mühl- und Wassergeschirr:

Ein groses noch gutes Seil; ein älteres dito; dito ein mittelmäsiges, noch gut; dito ein schlechteres; ein sogenannter Rettkasten; ein Beuteul(?)- und Vorkasten; eine Zarg und Trim; 6 alte Kornsäcke; ein Feuerschüpgen; ein groser Fahrnachen von 1782; ein etwas kleinerer vom Jahr 1785; eine alte sogenannte Ponte; ein Vorschlaghammer; 2 grose Ketten. — Geschätzt auf 120 Reichstaler und 24 Albus.

Nr. 19. G[illegible]angeschirr:
im Pferdsstall:
2 Spalen; 3 Rechen mit eisenen Zähnen; dito einer von Eisen; 4 Kärste; drei Giesen von Blech; eine Gartenscheer; ein Kappesfaß; ein Grundsipp; 3 Hauen; 1 Mistgabel; eine Schaufel; zehn Lorbeerbäum; sieben Sensen; vier Schlotterfässer mit 3 Steinen; ein Sensenhammer und Stock; 11 Sichel; 3 Leyenpickel; 3 Graspickel. — Geschätzt auf 14 Reichstaler und 11 Albus.

Nr. 20. Backgeschirr:
Eine Mul in der Backstube; ein groser Mehlkasten in der Mehlkammer; dito daselbst (es folgen vier nicht näher bezeichnete Posten); *eine Mehlschaufel; eine grose Wage mit Gewicht.* — Geschätzt auf 12 Reichstaler und 30 Albus.

Nr. 21. Geschirr
im Pferdstall:
3 Pferdshammen; dito ein alter; 4 Afterkronen; 3 Karrenküssen; 3 Zugketten oder Silen; 2 andere Ketten; dito eine Remkett; eine Halsscheid mit 4 Ketten; 2 Zugsstränge; 1 Tragleder für die Zugsstränge; ein Strigel; eine Heblade mit Zugehör; eine Schaufelschippe von Eisen; ein Reidtküssen; 2 Heugabel; ein Eisen zum Hufschneiden; ein Hufhammer; eine Hufzange; eine Pferdsscheere; eine Seule; eine Hufraspel von Eisen; Pferdsreifen; 2 Krüppen.
im Kühe Stall:
Drei Mistgabel; drei Kärste; zwo Sichel; ein Schuschmiertigel; eine Hechselbank mit Zugehör; drei Grabpickel; drei Leyenpickel; Krüppen und Reifen; 3 Zugkronen zum Pflug; 3 Maulhalter für die Pferde; ein Pflugeisen. — Geschätzt auf 31 Reichstaler und 31 Albus (nach Abzug von vier Teilen im Wert von 3 Reichstalern, die an anderer Stelle verzeichnet sind).

Nr. 22. Geschirr in der Schmiede:
Ein groser Blasbalg mit dem Gestell; zwei schwere Schlag- oder Fürhämmer; ein Handhammer; 3 grose Zangen; 2 halbe Räderzangen; ein Räderbohr; ein Heerdspieß; ein Trumeisen; ein Nägeleisen; zwo Trumsengen; ein Schraubstock; ein Amboß; ein Nagelstock; ein Sperrhacken; eine eisene Schlag; ein Hebeisen. — Geschätzt auf 42 Reichstaler und 30 Albus.

Nr. 23. Arbeitsgeschirr in der Scheuer:
4 Dreschflegel; eine grose Wanne und eine kleine; ein Stück Holz für einen Kelter Mudel; 18 Fälgen für Räderkranz; 12 Speichen in Räder; 2 Hölzer für Achsen in Wagen; eine Fuchsfalle; eine Feuerleiter; 13 andere Leiter; 1 Wagen mit 4 Räder und 2 Leitern; 1 Karren mit 2 Rädern; ein kleiner Schrodtwagen; zwei Schubkarren; eine 2 rädrige wohlbestellte Chaise; ein groser Schleifstein; eine Kornmühle; ein Pflug mit allem Zugehör. — Geschätzt auf 86 Reichstaler und 20 Albus.

Nr. 24. Bendergeschirr:
Ein Gärgelstamm mit Eisen; dito ein kleiner; vier Reifhup; 2 Zangen von unterschiedener Gröse; 2 Zirkel von unterschiedener Gröse; 2 Handbeile;

ein Stemmeisen; ein Hohleisen; 3 stracke und ein krummes Schneidmesser; zwei Faßschrauben mit einem Zugrif; 9 Hobeln von unterschiedener Gröse; 3 Klammer mit Eisen-beschlagen; 1 Degel; ein doppelter Wolf zum Brennen; ein Durchschlag; eine grose und 2 kleine Seyen; eine Lochseg; eine Scheibenschraub; ein Scheibenbohr; ein Kranenbohr; ein Spontenbohr; ein Digelbohr; ein Auszieher; 2 Fugblecher mit den Eisen; 2 Bodeneisen; ein kleiner Hammer; eine Raspel; eine Feile; ein Ritzer; zwei Trestergrif; ein Las(t)kranen; ein kupferner Weinkessel; eine grose Winde; eine Faßwinde; ein neuer Blasbalg zum Abstechen; dito ein etwas älterer; ein Digeleisen; eine Spaltaxe; eine alte Kneip; drei Krummesser; ein blecherner Trichter; 2 Schrotseile mit 4 Krampen; 3 Lasleder; 4 grose Schrotleiter mit Eisen beschlagen; 10 kleine Schrotleiter ohne Beschlag; die Waldaxt; ein groser Braukessel; ein Brandweinkessel mit Zugehör zum Brennen. — Geschätzt auf 73 Reichstaler und 44 Albus.

Nr. 25. Kirchenparamente:

Blaue Farb: Eine Kasel von geschorenem Sammet, das Kreutz von gelbem Atlaß, besetzet mit goldenen Borden; dito von blauem trapdeul (drap de toile = Leinentuch) [14]), *Kreutz rothgestickt, mit silbernen Borden, zween Levitenröck und Korkapp mit Zugehör; Korkapp von geschorenem Sammet.*

Violett: Eine Kasel von geschorenem Sammet, Kreutz von weisem Atlaß, besetzt mit goldenen Spitzen; dito von Atlaß, das Kreutz von Croditur [15]), *besetzet mit gelben Galonnen* (galon) [16]).

Grün: Eine Kasel von doppeltem Atlaß, das Kreutz dito, besetzt mit ganzsilbernen Borden, modi(s)ch; dito mit 2 Levitenröcken grün und roth, reicher Stoff, silberne Spitzen.

Roth: Eine Kasel von Damast, Kreutz dito, weise Galonen [16]); *dito von doppeltem Tamast, Kreutz grün geschorener Sammet, silberne Spitzen; dito von Atlaß, Kreutz dito, silberne Spitzen; dito von batavia* [17]), *Kreutz dito, soliche Borden; dito von geblümtem reichen Damast, Kreutz von dito weisem, silberne Spitzen; dito von Croditur* [15]), *Kreutz von weisem gestickten dito, silberne Spitzen; eine Korkappe von rothem Sammet; dito eine von falschgoldenem Stoff.*

Schwarze: Eine ganze Kapelle von doppeltem Damast, Kreutz von weiß dito, Galonen [16]); *eine Kasel von Sammet, silberne Borden.*

Weiß: Eine Kasel von Croditur [15]), *Kreutz trap d'or, mit goldenen Borden; dito trap d'argent, Kreutz Croditur* [15]), *silberne Borden; dito Croditur, Kreutz dito, goldene Spitzen; dito Croditur, Kreutz dito, gelbe Galonen; dito weiß gestickt mit Gold, goldene Borden; eine ganze Kapelle vom reichem Pariser Stoff, Kreutz roth dito, goldene Borden; eine Kasel von doppeltem Atlaß, Kreutz roth dito, Galonen* [16]); *dito von doppeltem Damast, Kreutz dito, silberne Spitzen; eine Korkappe von weisem Damast; dito von*

---

[14]) Vielleicht drape de toile = Leinentuch (Grand Larousse de la langue française 7, 1978, S. 6094).

[15]) Nicht verifiziert.

[16]) Borte.

[17]) Niederländischer Stoff (Grand Larousse de la langue française 1, 1971, S. 350).

Crodilur [15]), lars ilberne Borden; 9 alte Kasel von unterschiedener Farbe; ein Kasten, worin 2 Fahnen, unterschiedene Kleider für das Muttergottesbild und seidige Vorhänge.

Antipendia (sic!)

Auf der Kirchenkammer: 7 grose für den grosen Altar, 7 mittlere, 10 kleine. In der Kirche: 2 grose, 4 kleine. — Geschätzt auf 877 Reichstaler.

Nr. 26. Kirchengerätschaften:

Der Hohe Altar, gröstentheils stark vergoldet, noch ziemlich neu und in gutem Stande; zween neue Nebenaltäre ebenfalls stark vergoldet und in gutem Stande; 2 kleine Altäre auf dem Kor [18]); eine ziemlich alte Orgel mit Zugehör; 2 Korstüle auf beiden Seiten des Hohen Altars, schlecht; eine Kanzel mit Bildhauerarbeit [19]); Korseule [20]) auf dem Kor; ein Schrank zur Verwahrung der Paramenten mit 6 Auszügen in der Kirchenkammer; ein dito zur Verwahrung des Kirchenweißzeuges daselbst; dito einer daselbst; 2 Beichtstüle, die beste; dito 2 schlechtere; eine lange Kiste zur Verwahrung der Paramenten mit 2 Auszügen in der Sakristie; 10 grose kupferne Altarleuchter; dito ein gröserer, auch noch ein kleinerer mit 4 Zacken; dito 4 von Eisen; dito 2 grose, hohe, ausgeschweifte; 2 grose Singpulten; ein kleiner Weiwasserkessel von Kupfer; dito einer von Zinn an der Kirchenthür; 4 Paar Messenkänger(-kännchen) von Zinn mit dazugehörigen Teller; 6 Schellen; 4 Glocken im Kirchthurn; dito eine kleine in der Sakristiethür; eine grose Kirchenuhr; 6 ausgehauene Leuchter von Holz, versilbert; ein kleiner Tisch neben dem Hohen Altar; ein kleiner Spiegel in der Sakristie; in der Sakristie nebst den Zimmeren Handkessel, noch einer von Messing mit einem Krängen (Kränchen); eine Kirchenampel von Kupfer; in der Kirch sind noch unterschiedene Altarkruzifixer, Büchergestelle und Kniebänke nebst anderem Gehölze von geringem Werth; ein hoher Schrank zur Verwahrung der Korkappen in der Kirchenkammer; dito ein weiser, mittelmäsig hoher Schrank zur Verwahrung sonstiger Kleinigkeiten; dito einer mit 4 Thürgen zur Verwahrung der Messenkenger(-kännchen); dito einer mit einem Thürgen; eine Kiste hinter dem Hohen Altar; zwei Schränke hinter den Seitenaltären; ein Altarkruzifix von Blech; unterschiedene Kirchenstüle; eine Stange mit einem Cruzifix von Kupfer. — Geschätzt auf 907 Reichstaler und 20 Albus.

Nr. 27. Kirchenbücher:

4 grose noch gute Psalteria Romana in Folio, Einband Schweinsleder, Beschlag Kupfer; ein Martirologium Romanum Roswini in Folio, Einband Schweinsleder, Beschlag Kupfer, im guten Stande; 4 alte Gradualia in Folio, Einband Schweinsleder, Beschlag Kupfer; 2 Antiphonalia in Quarto, Einband Schweinsleder, Beschlag Kupfer, im guten Stande; ein dito; 1 altes Graduale in Folio; 7 Processionalia in Quarto, Band Schweinsleder, Beschlag Kupfer, gut; 6 Antiphonalia in Quarto, Einband Schweinsleder, Beschlag Kupfer, gut; 1 Rituale Romanum, similiter; 1 altes Missale Roma-

---

[18]) Vgl. Kunstdenkm. Krs. Cochem 2 S. 720.

[19]) Vgl. ebd.

num; 3 noch ziemlich gute dito; ein altes dito; dito 2 de [illegible] *em; unterschiedene sonstige Bücher, so von keinem Wert sind.* — Geschätzt auf 58 Reichstaler und 7 Albus.

Nr. 28. Reliquien: Vgl. den Anhang zu Nr. 2.

Nr. 29. Allerhand:

Eine Preß für Leinwand; dito; ein Rad mit zugehörigen 10 Brettern für Kerzen zu ziehen; ein Düppenbrett in die Küche; dito auf dem Speicher der Abtissin; ein Mückenschrank; ein Gestell mit 6 Schubladen in dem Vorzimmer; dito ein anderes ohne Schubladen für Gläser und Krüg; unterschiedene Gestelle zum Wasch Aufhangen; 14 Spinnräder; ein Garnwinder; ein Nachtstuhl überzogen; 3 Hobelbänk; 24 Bänd Nusbaumholz; auf dem Kirchenspeicher unterschiedenes Schreinerholz; 6 nusbaumene Diel auf dem Speicher der Frau Abtissin; eine Standuhr; Bilder von geringem Werth, nämlich 34 heilige, 32 profane und etliche Heilige Statuen; alte zerrissene Gebetbücher; alt Eisen und Gehölz. — Geschätzt auf 66 Reichstaler und 45 Albus.

Nr. 30. Leere Bütten und Fässer:

Eine grose Trauben Bütte mit 4 eisenen Reifen, hält 3 Fuder; dito eine mit 3 eisenen Reifen ad 2 Fuder; dito eine mit 2 eisenen Reifen, 1 Fuder 3 Ohm; eine Bütte mit 1 eisenen Reif, 1 Fuder 3 Ohm; dito eine mit 3 eisenen Reifen, 1 Fuder 3 Ohm; dito eine mit 3 eisernen Reifen, 3½ Ohm; dito eine zu 2 Ohm, ohne eisene Reifen; dito eine mit 3 eisenen Reifen zu 3 Ohm; dito eine zu 3 Ohm ohne eisene Reifen; dito mit 1 eisenen Reif zu 3 Ohm; dito eine zu 3 Ohm mit 1 eisenen Reifen; dito eine zu 3 Ohm ohne eisenen Reif; dito eine zu 3 Ohm mit 1 eisenen Reif; dito eine similiter; dito eine zu 3 Ohm mit 3 eisenen Reifen; dito eine zu 4 Ohm; 8 Kappesbütten, jede mit 3 eisenen Reifen; 2 kleine Kappesfässer, jedes mit 4 eisenen Reifen und zu 2 Ohm; ein neues Fuderfaß mit 6 eisenen Reifen; dito ein älteres mit 6 eisenen Reifen; dito eines; dito eines; dito eines; dito ein altes in Holz gebunden; dito eines similiter; dito eines mit 6 eisenen Reifen im Bandhaus; dito eines daselbst mit 4 eisenen Reifen; dito eines daselbst ohne Reifen; dito eines auf dem Kirchhof mit 7 eisenen Reifen; ein altes Zulastfaß; ein gewöhnliches mit 6 eisenen Reifen; eines dito mit 5 eisenen Reifen; eines altes Faß ad 1 Ohm; 11 sogenannte Beschoff zum Traubentragen; 12 Legel; 3 Paar Herbststiefel. — Geschätzt auf 161 Reichstaler und 39 Albus.

Nr. 31. Weinvorrath:

Der Wein wird nach folgenden Kellern geordnet angegeben: *a) Guteley Keller* (39 Fuder und 3 Ohm), *b) Unterer Keller* (32 Fuder und 2½ Ohm), *c) Hauskeller* (1 Fuder), *d) Kirchhaus Keller* (7 Fuder), *Vorderer Apfelkeller* (15 Fuder), *Hinterer Apfelkeller* (18 Fuder und 5 Ohm). Für den Keller in Eller werden 2 Fuder, für den Keller in Ediger 16 Fuder und 3 Ohm, für den Keller in Ernst 3 Fuder und 3 Ohm angegeben.

Nach Jahrgängen lagern:

Jahr 1781	1 Fuder
Jahr 1783	3 Fuder
Jahr 1785	15 Fuder
Jahr 1786	34 Fuder
Jahr 1787	29 Fuder
Jahr 1788	49 Fuder u. 2 Ohm
Zusammen	131 Fuder u. 2 Ohm
dazu roter Wein von 1788	— 2 1/2 Ohm

Die Weine sind unterschieden in solche eigener Kreszenz und in Zehntweine, wobei die Weine aus Eigenbau (Teiltrauben aus verpachteten Weinbergen) etwa zwei Drittel des Gesamtbestandes ausmachen. Bei den Weinvorräten sind zusätzlich aufgeführt: eine halbe Ohm Samenöl, 10 Sester Nußöl und 13 Sester Branntwein.

Nr. 32. Vieh-Vorrath:

Pferde: Ein Wallach, ohngefehr 12 Jahre alt; eine Stute, ohngefehr 16 Jahre alt; dito eine von 9 Jahren.
Rindvieh: Ein fetter Ochse; die erste Kuh neben dem Ochsen (usw. bis zur 9. Kuh); *ein Rind von 2 Jahren; dito ein jähriges;* ein Reitochs (Stier), *welchen die Abtei für die Gemeinde Neel halten muß; dito ein jüngerer zum Verkauf; Hühner verkauft; Schrauten* [23]) *— verkauft. —* Geschätzt auf 389 Reichstaler; nach dem Verkauf von Vieh für 230 Reichstaler und 45 Albus verbleiben 158 Reichstaler und 9 Albus.

Nr. 33. Vorrath an Früchten und Geld, auch sonstigen Sachen den 10. Jänner 1789:

	Malter	*Sester*	*R.taler*	*Albus*	*Denare*
An Korn	39	6	198	40	4
An Weitzen	3	3	20	13	4
An Gersten (verkauft)	—	—	14	13	4
An Haber (verkauft)	50	4	151	27	—
An Wicken	—	2,5	1	—	—
An Erbsen (diese werden zum Gebrauche des noch vorrätigen Gesindes bestimmt)					

[23]) Truthühner.

	Malter	Sester	R.taler	Albus	Denare
An Heu 16 Wagen	—	—	80	—	—
An Stroh 200 Bauschen	—	—	9	14	—
An Nüssen	12	—	53	18	—
An Hühner 24 Stück	—	—	4	—	—
An Schrauten 12 Stück	—	—	8	—	—
Am rückstehendem Geld von verkauftem Wein			92	—	—
Von verkauften Ochsen			33	—	—
An noch zu liefernden Früchten, theils in Geld, theils in natura ohngefehr			200	—	—
An vorrätigem Leder ohngefehr			4	—	—
An ausstehenden Interessen ohngefehr			20	—	—
An vorrätigem Flachs			6	—	—
An vorrätigen grünem und dürren Gemüß			4	—	—
An vorrätigem dörren Fleisch			12	—	—
An versteigerten Zehntlämmern zu Urschmitt			18	—	—
An Geld			200	—	—
Zusammen			1128	18	4
Hingegen sind hievon noch zu bezahlen					
a) die Simplen von vorigem Jahr ohngefehr			250	—	—
b) auch unterschiedene Rechnungen bei Schiler, Koch und Moritz			60	—	—
Bleibt noch Vorrath			310	—	—
ohngefehr			818	18	—

Dem Inventar ist eine Zusammenstellung der aufgerechneten Einzelposten in der Reihenfolge der Numerierung vorangestellt, die folgende Ergebnisse bietet, die hin und wieder geringfügig von den für die Einzelnummern angegebenen Schätzungen abweichen:

264

	Taxe		
	R.taler	Albus	Denare
Nr. 1	973	13	2
Nr. 2	1279	49	—
Nr. 3	157	20	—
Nr. 4	14	14	—
Nr. 5	entfällt		
Nr. 6	1082	33	—
Nr. 7	140	—	—
Nr. 8	446	6	—
Nr. 9	58	27	—
Nr. 10	29	18	—
Nr. 11	57	18	—
Nr. 12	174	—	—
Nr. 13	119	18	—
Nr. 14	41	8	—
Nr. 15	112	30	—
Nr. 16	21	42	—
Nr. 17	109	24	—
Nr. 18	120	24	—
Nr. 19	14	11	—
Nr. 20	12	30	—
Nr. 21	31	31	—
Nr. 22	42	30	—
Nr. 23	86	20	—
Nr. 24	76	13	2
Nr. 25	877	—	—
Nr. 26	907	20	—
Nr. 27	58	7	—
Nr. 28	entfällt		
Nr. 29	66	45	—
Nr. 30	161	39	—
Nr. 31	5323	—	—
Nr. 32	158	9	—
Nr. 33	818	18	4
Zusammen	13506	24	6

Man kann diese Zusammenstellung des Hausrates eines Klosters und dessen Taxierung mit sehr gemischten Gefühlen lesen, handelt es sich doch unter einem anderen Gesichtspunkt um eine Konkursmasse, von deren Einzelbeständen nur wenige wirklich interessierte Abnehmer fanden. Das Silber wanderte zum größten Teil in die kurfürstliche Münze in Koblenz [21]). Interesse fanden die Leinwand, das Bettzeug, die Paramente und die Kircheneinrichtung (Nr. 25 u. 26), von der einzelne Stücke in Nachbarkirchen weiterverfolgt werden können [22]). Ein in der Kleruskartei des Bistumsarchivs Trier nicht zu findender Pater Benignus erwarb von den Kirchenbüchern (Nr. 27) 4 alte Gradualien für 2 Reichstaler und 36 Albus sowie 6 Antiphonalien für 16 Reichstaler. Guten Absatz fand wohl der Wein, der im Durchschnitt für 40 Reichstaler pro Fuder gerechnet wurde, ferner das Vieh, von dem ein Teil bereits im Januar verkauft war. Mit den übrigen Dingen dürfte es so gegangen sein, wie es zu gehen pflegt, wenn jemand verkaufen möchte oder zu verkaufen gezwungen ist: mit jeder Woche, die verstreicht, werden die Dinge billiger. So bleibt die Frage nach dem wirklichen Erlös der Stubener Hinterlassenschaft offen.

[21]) Vgl. Anm. 9).

[22]) Vgl. Anm. 18—20. Nach W. Kuhn (vgl. Anm. 9) wurden die meisten Stubener Paramente „bis zum September 1803 praktisch ausnahmslos für rund 310 Reichstaler an Kirchen im Nassauischen verkauft" (S. 201).

265

Folgende Zimmer und Räume wurden 1789 bei der Inventaraufistung des Klosters Stuben genannt

Zimmer 1-5
Mönchenzimmer
Blaues Zimmer
Vorzimmer zur Orgel
Zimmer beim Backhaus
Ehemaliges Fremdenzimmer
Sogenanntes Mägdezimmer
Kellnerszimmer
Kapuzinerzimmer
Zimmer des Gartenknechts
Prelatenzimmer
4 Zimmer auf dem alten Bau
Zimmer auf der Abtei
Zimmer beim Badhaus
2 ehemalige Fremdenzimmer
Ansprachzimmer
Das Winterstübgen
Sogenanntes Holzkämmergen
In der Äbtissin Nebenzimmer
Domestickenzimmer
Kapitelhaus
Takenzimmer
Speisezimmer
Mehlkammer
Benderstube
Küch
Backstub
Brauhauß
Rauchhaus
Sogenannte Karthauß
Strauhauß
Haus der Faßbänderei
Schmiede
Pferdestall
Scheuer
Kirchenkammer
Bandhauß
Speicher
Im Kellnereibau
In der Mühl
Zimmer der Äbtissin
Torstübgen
Das Teestübgen
Sogenanntes Gartenzimmer
Conventszimmer

Der Kreuzgang macht sich durch die Balkenlöcher der Deckenbalken und Dachsparren noch an der Südwand der Kirche bemerkbar

Sicherungsarbeiten an der Klosterruine

Aus dem Jahrbuch der Rheinischen Denkmalpflege III. Jahrgang 1927, Heft 1

Dort, wo die Mosel sich unterhalb Bullay scharf gegen Südosten wendet, um in dem weiten Bogen des Kochemer Krampens das jetzt von dem langen Tunnel durchbrochene Felsmassiv zu umgehen, liegt auf dem breiten Vorgelände des rechten Ufers die Kirchenruine des Klosters Stuben (Abb. 9-12). Es ist eines der schönsten Bilder des Moseltales; gerade hier liegt in den Frühstunden gerne der feine Dunst über dem Strom, aus dem leuchtend die vielfensterige Ruine sich abhebt. Die geschichtliche Bedeutung und die landschaftliche Schönheit überwiegen den speziellen architektonischen Wert der Anlage. Das Kloster ist die Gründung eines reichen, frommen Mannes Egelolf aus dem Jahre 1137, dessen Tochter erste Äbtissin wurde. Sie unterstand von Anfang an der Abtei Springiersbach und wurde schon bald eines der reichsten Klöster des Moseltales; ursprünglich war das Gelände von dem anschließenden Bergmassiv durch einen Moselarm abgetrennt, denn die Gründung heißt Stuba sive Insula Sancti Nicolai; durch den Zusammenhang mit Springiersbach wurde sie zu

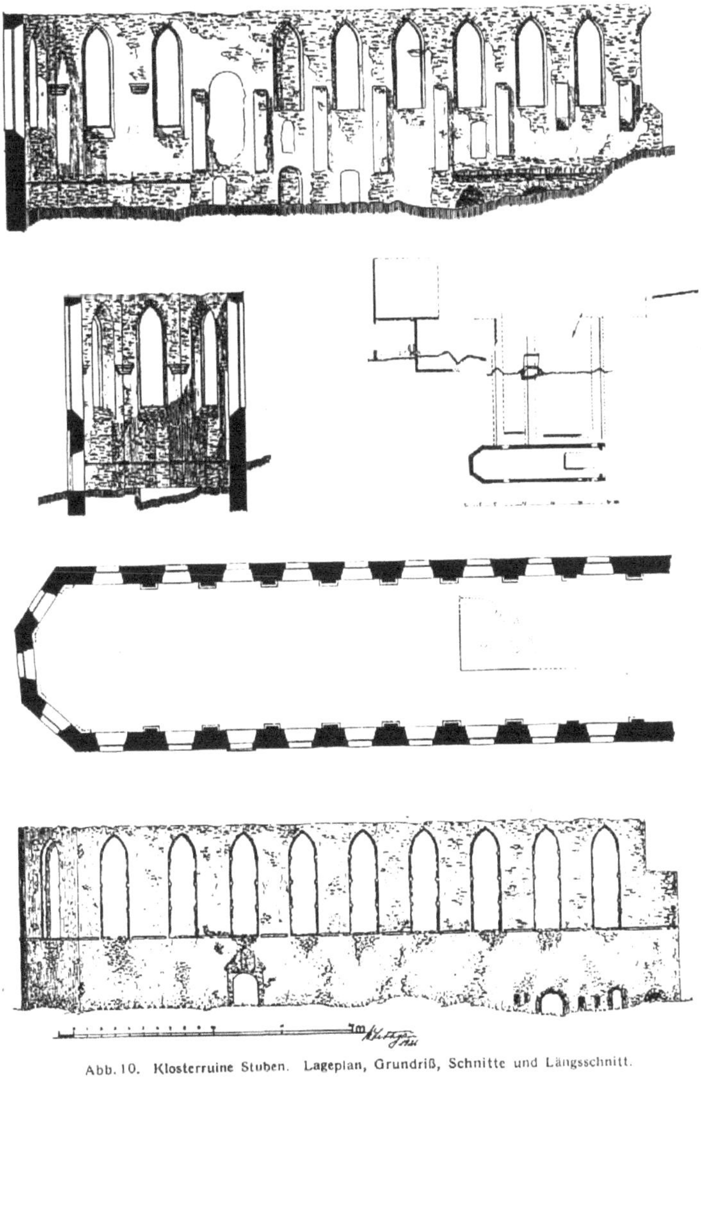

Abb. 10. Klosterruine Stuben. Lageplan, Grundriß, Schnitte und Längsschnitt.

einem adeligen Augustinerinnenstift. Seinen großen Aufschwung verdankt das Kloster dem Umstand, daß der Kreuzfahrer Heinrich voll Ulmen, der bei der Plünderung der Hagia Sophia im Jahre 1204 die wichtigsten Reliquien an sich zu bringen wußte, das angesehenste Stück seiner Beute im Jahre 1208 dem Kloster Stuben schenkte, in dem seine Schwester Irmgard Meisterin war. Es ist die große Kreuzpartikel in Form des griechischen Doppelkreuzes, in der prächtigen byzantinischen Goldfassung des 11 . Jahrhunderts durch Kaiser Konstantin Porphyrogenittis, die sich heute im Limburger Domschatz befindet, und von der im Mittelalter wohl die meisten Kreuzpartikel abgetrennt worden sind.

Für diesen wertvollsten Schatz des Klosters erbaute man nach 1275 eine besondere Kapelle, die anscheinend erhalten blieb, als die Meisterin Ottilie Anna von Ahr, die von 1666 bis zu ihrem Tode im Jahre 1698 dem Kloster vorstand, in den Jahren 1666 bis 1687 den als Ruine noch erhaltenen Bau errichtete. Es ist ein typischer strenger Barockbau, wie sie so zahlreich unter dem Trierer Kurfürst Johann Hugo von Orsbeck (1676-1711) entstanden sind nach den Verheerungen durch die französischen Raubzüge; die noch hochaufstehenden Mauern der Kirche zeigen eine langgestreckte, einfache Anlage, deren Westteil Spuren einer Nonnenempore mit darunter liegender Gruft erkennen läßt. Die Westfront der Kirche ist in der Tiefe des Westflügels weggebrochen; man erkennt nur noch, daß dieser Teil der Kirche

[illegible] 2 Klosterruine Stuben. Ansicht von Südosten

einheitlich mit jenem Flügel der Klosterbauten erbaut war. Die regelmäßige Anlage der Klostergebäude ist zwischen den Schutthügeln noch eben sichtbar und einige Keller zu erkennen. Am Äußeren der Kirche sieht man in den Konturen die Gesamtform eines sorgsam ausgebrochenen Barockportales, das sich wahrscheinlich an einer der Kirchen oder Kapellen der Umgebung wiederfindet. Der einzige Schmuck des Inneren besteht jetzt aus den schlichten Kämpfern der Pilaster, die das gradige Kreuzgewölbe trugen. Im Wiesengelände verteilt findet man hie und da Reste der Gartenmauern. Alles zeigt das typische Bild der in der Eifel üblichen systematischen Ausnutzung der in der französischen Zeit üblichen planmäßigen Ausschlachtung der auf Abbruch verkauften Burgen und Klosteranlagen; jeder Haustein ist sorgsam herausgepflückt worden, nur die hoch sitzenden Kämpfer des Gewölbes blieben verschont und in den Fensterleibungen die kleinen Binder, während von den langen

Läufern der Fenstereinfassungen in den vielen Fenstern keiner übrig blieb. Auch von den mittelalterlichen Bauten ist nichts mehr vorhanden als einige bei dem Neubau eingemauerte schlichte Werkstücke, u. a. ein schönes Ornamentstück, das im Kircheninneren neben dem Portal sitzt.

Phot. Wildeman

Abb. 11. Klosterruine Stuben. Ansicht von Westen

Schon vor der Anhebung durch die französische Regierung im Jahre 1794 war das Kloster so heruntergekommen, daß der letzte Trierer Kurfürst im Jahre 1788 sich veranlaßt sah, das Augustinerinnenstift in ein weltliches Damenstift zu verwandeln. Die Aufhebung von 1794 hat nicht allein die reiche Kirchenausstattung in eine Reihe umliegender Kirchen verstreut, sondern auch den ziemlich großen Gebäuden einen schnellen Untergang bereitet; alsdann wurde auch noch das Klostergelände parzelliert, so daß sich heute fünf Eigentümer den Besitz der Ruine teilen.

Da für die Erhaltung der Kirche seit jener Ausplünderung vor mehr als 100 Jahren nichts geschehen war, hatte sich allmählich eine Reihe von Schäden eingestellt, die den Eindruck des Bauwerkes wesentlich zu beeinträchtigen drohte. Insbesondere war die Mauerkrone soweit hinab verwittert, daß eine Anzahl von Fensterbogen einzustürzen drohte; ebenso waren unterhalb der Fensterbänke größere Teile des Mauerwerks zerstört. Beimauern der Fensterbänke und der Mauerkrone, sowie Abdecken mit Rasen haben den wesentlichen Teil der Sicherungsmaßnahmen ausgemacht; daneben handelte es sich namentlich um das Ausmauern einiger bedenklicher Ausbruchstellen u. a. mehr. Die Arbeiten sind im Sommer 1927 unter der Leitung des Hochbauamtes Koblenz 1 zur Durchführung gekommen und haben einen Betrag von 2500 Mark, wie im Kostenanschlag vorgesehen war, erfordert. Hiervon haben der Prov.-Landtag 1500 Mark, Staat und Kreis je 500 Mark bereitgestellt. Damit dürfte der Bestand der geschichtlich so interessanten und landschaftlich so malerischen Ruine wieder auf lange Zeit hinaus gegen die Unbilden der Witterung gesichert sein.

Renard

Auszug aus dem Führer für Eisenbahnreisende

Ausg. Köln 1881

... Stromaufwärts liegen, das sei noch im Vorbeieilen bemerkt, die Ruinen des vorhin bereits genannten, adligen Frauenstiftes „Stuben“, während von der bewaldeten Höhe herab die freundliche „Peterskapelle“ in das Thal hernieder schaut. Die öden Klostermauern dienen nunmehr, ein Zeichen der Zeit, zur Aufbewahrung des beim Bau der Bahn so vielfach gebrauchten Dynamits. ...

Die Ruine auf einer Urkunde „Weinprämierung 1961“; entworfen von Carl-Fritz Nicolay

Kloster Stuben Ruine
vor der Ausgrabung
Quelle:
Internet www.calmont-mosel.de

Während der Ausgrabung 2001

Baggern im Kloster Stuben
Zu Zeit wird unter der Leitung von Architekt H. Niespor das Innere des Klosters Stuben ausgegraben und untersucht. Hochinteressante Funde wie tieferliegende Räume, Gänge, Treppen und ein Turm – Fundament wurden im Rahmen des „Calmont-Kloster-Stuben-Petersberg-Projekt" per Bagger freigelegt. Sogar Menschenknochen und Schädelfragmente fand man im Untergrund.
Quelle: RZ vom Sommer 2001
Foto: H. Schausten

Der Grabungsleiter F. Gebert mit seiner Helfern

Säulenbasis;
Steht vor der Kirche zu Eller

Eine weitere wurde bei den Ausgrabungen in der Krypta gefunden.

Säulenfundament aus Kryptaraum

Leuchterhaus im Gang zum Kreuzhof

Blick in die Krypta während der Ausgrabung

Wandausbruch an der Kloster Ruine

Blick von Außen

Blick von Innen

Die Firma Richard Kranz, gemeinsam mit der Fa. Franzen, bei den Ausbesserungsarbeiten und Anbringung der Türgitter.

Freilegung und Restaurierung

Nördliche Mauer der Krypta während der Ausgrabung

Mauerausschnitt

Farbige Putzreste an der Ruine

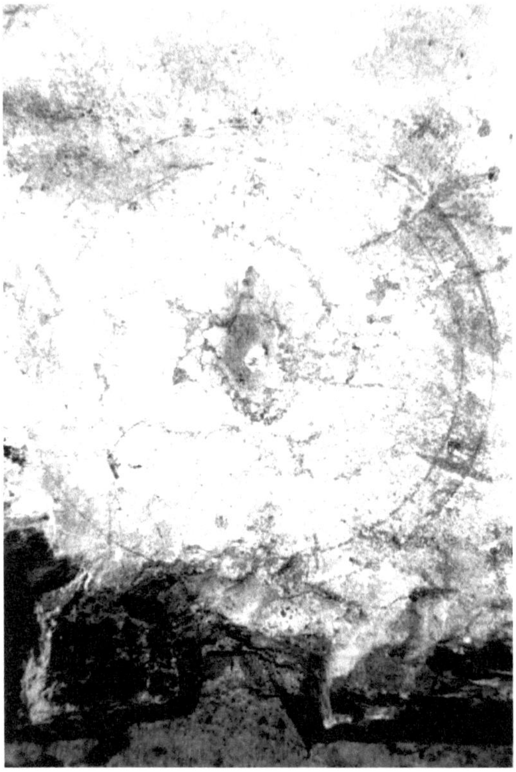

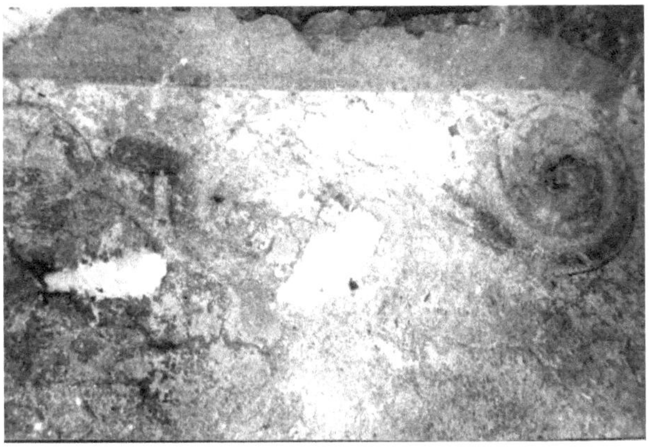

Bemalungen Portal
Nordseite

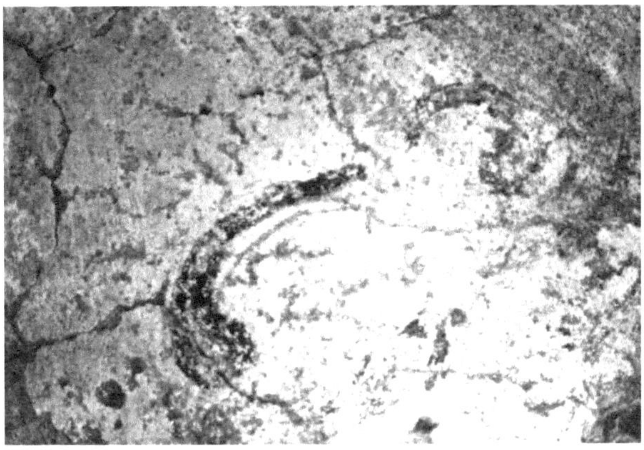

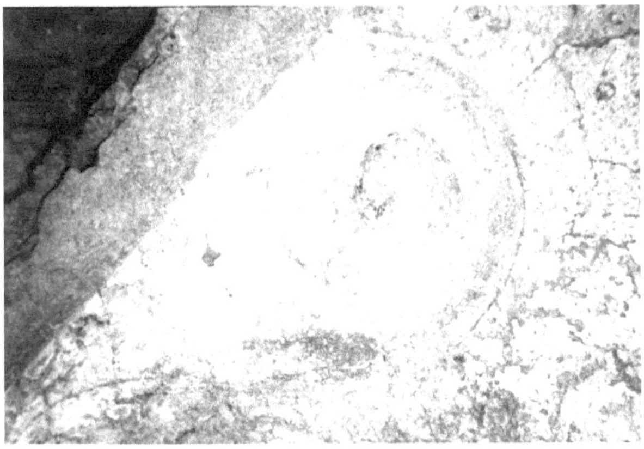

Bemalte
Putzreste

Impressionen des Klosters Stuben

Im Jahre 1208 schenkte der Ritter Heinrich von Ulmen dem Kloster die Staurothek. Fast 600 Jahre pilgerte man nach Stuben, um diese Kostbarkeit zu sehen. Ausgestellt war Sie in der Kreuzkapelle.

Pilgerpaar aus rotem Sandstein; gefunden in Stuben (Privatbesitz)

Kreuzkapelle, von Südwesten aus gesehen

An der Westseite der Kreuzkapelle sieht man deutlich einen schwarzen Sockel, ca. 30 cm hoch.

Gräber in der Ruine gefunden

Bei Ausgrabungen im Kloster fand man 3 Skelette

Von Kurt Bergen

Im Sommer 2001 half ich bei den Ausgrabungen in der Klosterruine in Stuben bei Bremm. Diese Tätigkeit war mir von meiner früheren Arbeit beim Landesmuseum Trier bekannt. Von 1978-1986 gruben wir das keltisch-römische Gräberfeld in Wederath bei Morbach aus (Belginum). Dort bargen wir über 1600 Gräber. Die Arbeit in der Ruine war mir also nicht fremd. Hacken, Schaufeln, Kehren, Einmessen und vieles mehr gehören genauso wie Zeichnen und Bergen von Funden zu dieser Arbeit. Eine manchmal schweißtreibende Tätigkeit, die auch viel Spaß macht. Spannend von morgens bis abends. Jeder Spatenstich bringt Spannung. Beim Tieferlegen geschah es dann. Wir stießen in der Kapelle des Egelolfs in der Ruine auf eine weiße Schicht. Nach dem Abtragen fanden wir einige Eisennägel. Nach vorsichtigem Tieferlegen fanden wir dann ein vollständiges Skelett in gestreckter Rückenlage. Die Zähne waren besonders gut erhalten. Ein Anblick, von dem mancher eine Gänsehaut bekommen könnte. Auch die Knochen waren vollständig erhalten. Auf dem Brustkorb, an der Stelle des Herzens hielt es die rechte Hand, die linke war ausgestreckt neben dem Körper. Beigaben fanden wir hier nicht. Weder ein Amulett, noch einen Rosenkranz oder einen Ring. Bei dem Fund handelte es sich vielleicht um eine Meisterin des Konvents. Nachdem das Skelett gezeichnet, eingemessen und fotografiert war, wurde es vorsichtig geborgen. Später brachte man es dann nach Frankfurt zu weiteren Untersuchungen. Bei Gesprächen mit den Einheimischen hört man immer wieder Schauermärchen, dass man sich ungewollter Kinder hier im Kloster entledigt hat. Bei den bisher durchgeführten Ausgrabungen konnte man dieses allerdings nicht bestätigen. Was hier wirklich geschah, das wissen nur die Nonnen von der Nikolausinsel.

Die Vermessung eines Grabes

Skelett, gefunden an der nördlichen Mauer von Egelolfs Kapelle

Die Grabstätten in den Klöstern.

Derselbe Frommsinn adeliger Familien, dem die Stiftung und Beschenkung von Klöstern und Stiften erflossen ist, hat Stifter und Wohlthäter auch bestimmt, ihre Grabstätten in den Klosterkirchen zu wählen. Die Kirche, der Kreuzgang eines Klosters, boten den sterblichen Ueberresten der Hingeschiedenen eine Ruhe, einen Frieden und eine Sicherheit vor Entweihung, wie sonst nirgends eine Stelle. Ein Kloster nahm, als Gotteshaus, gleichsam Theil an der Unvergänglichkeit der Kirche als göttlicher Stiftung; war die Kirche, der Kreuzgang, das Kloster veraltet, oder war eine gewaltsame Verwüstung darüber hergegangen, so erhoben sie sich bald wieder verjüngt an derselben Stelle und umhegten und schützten wieder auf Jahrhunderte die Grabstätten der Wohlthäter. Ferner aber waren den Stiftern und Wohlthätern und allen Gliedern ihrer Familien Werke der Liebe in den Schenkungsbriefen ausbedungen; die Ordensleute, zu welcher Zeit sie in einem Kloster leben mochten, genossen die Wohlthaten der Stifter und Benefaktoren und wurden durch den täglichen Anblick der Grabstätten derselben daran erinnert, ihrer im Gebete eingedenk zu sein und sie Theil nehmen zu lassen an allen Werken, die nach der Regel und den Statuten des Gotteshauses Tag und Nacht geübt wurden. Endlich findet sich in der Geschichte der Gründung von Klöstern sehr häufig, daß Söhne und Töchter der Stifter wie spätere Sprößlinge ihrer Familien in großer Anzahl in jene Klöster eingetreten sind. Daher trafen denn in dem stillen Frieden der Klostermauern die Lebenden und die Verstorbenen zusammen, wandelten die Nachkommen in steter Erinnerung an die Ahnen und blieben mit ihnen in einem tröstlichen und beiderseits heilsamen Liebesverkehr, indem die Verstorbenen aus dem Grabe predigten, die Lebenden für sie Gebete und andre gute Werke verrichteten.

So war es in allen Klöstern, Manns- und Frauenklöstern aller Orden. Nicht allein, daß Stifter und Wohlthäter sich meistens eine Grabstätte ausbedungen, es haben auch einzelne Personen sich geradezu durch eine Stiftung oder Schenkung eine Grabstätte in einem Kloster erkauft. Erzbischöfe haben bei Bestätigung von Klosterstiftungen die Erlaubniß ertheilt, in den Klöstern auswärtigen Personen ein Begräbniß zu gewähren, nur mit Vorbehalt der Pfarr-Rechte für die Mutterkirche [1]).

Skelett, Fundort neben Altarfundament

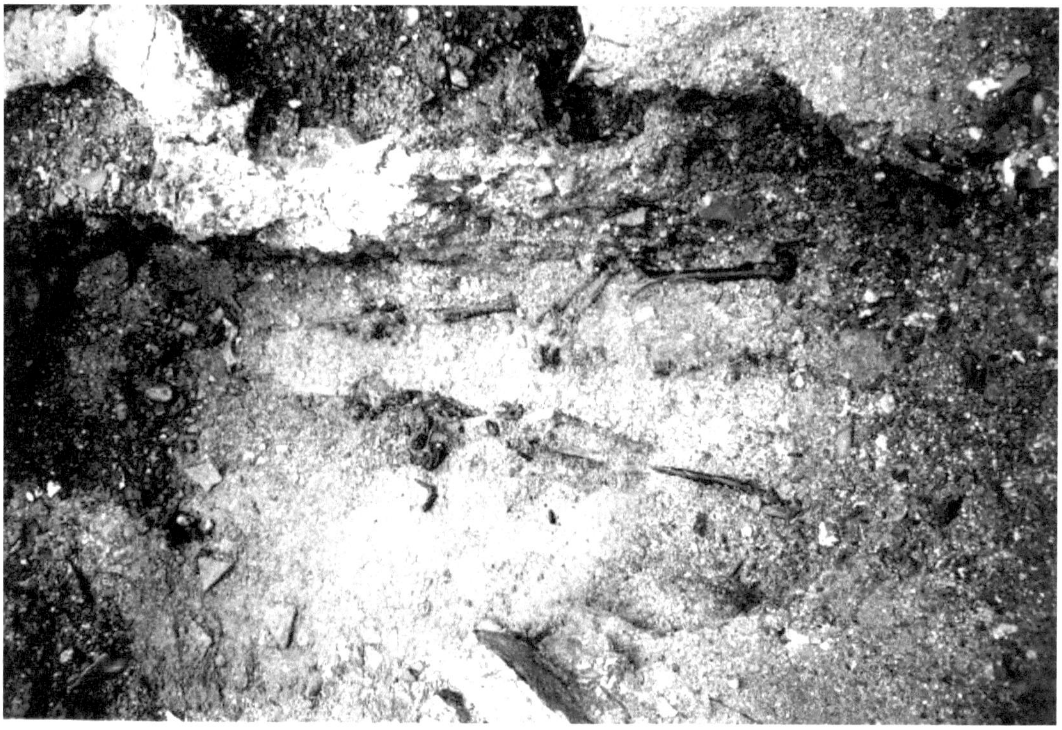

2. Skelett, gefunden nördliche Mauer in der Kapelle von Egelolf

Fundament der Hauptabside (romanisch)

Die Einbuchtung einer Feuerstelle an der Nordseite des Turmes von Egelolf

Links, eine angesetzte Mauer an den Turm

Blick vom Norden in die Krypta und auf den Gang zum Kreuzhof

Mauerwerk von unbekannter römischer Zeit

Zweitverwendung von romanischen Steinen in der heutigen Klosterkirche

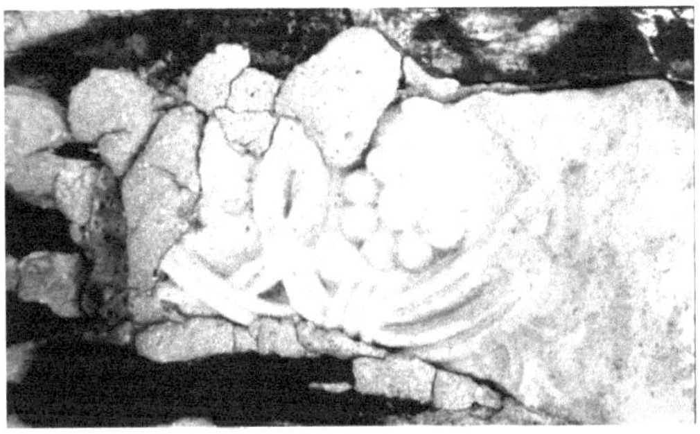

Gerüst am Kloster 2001

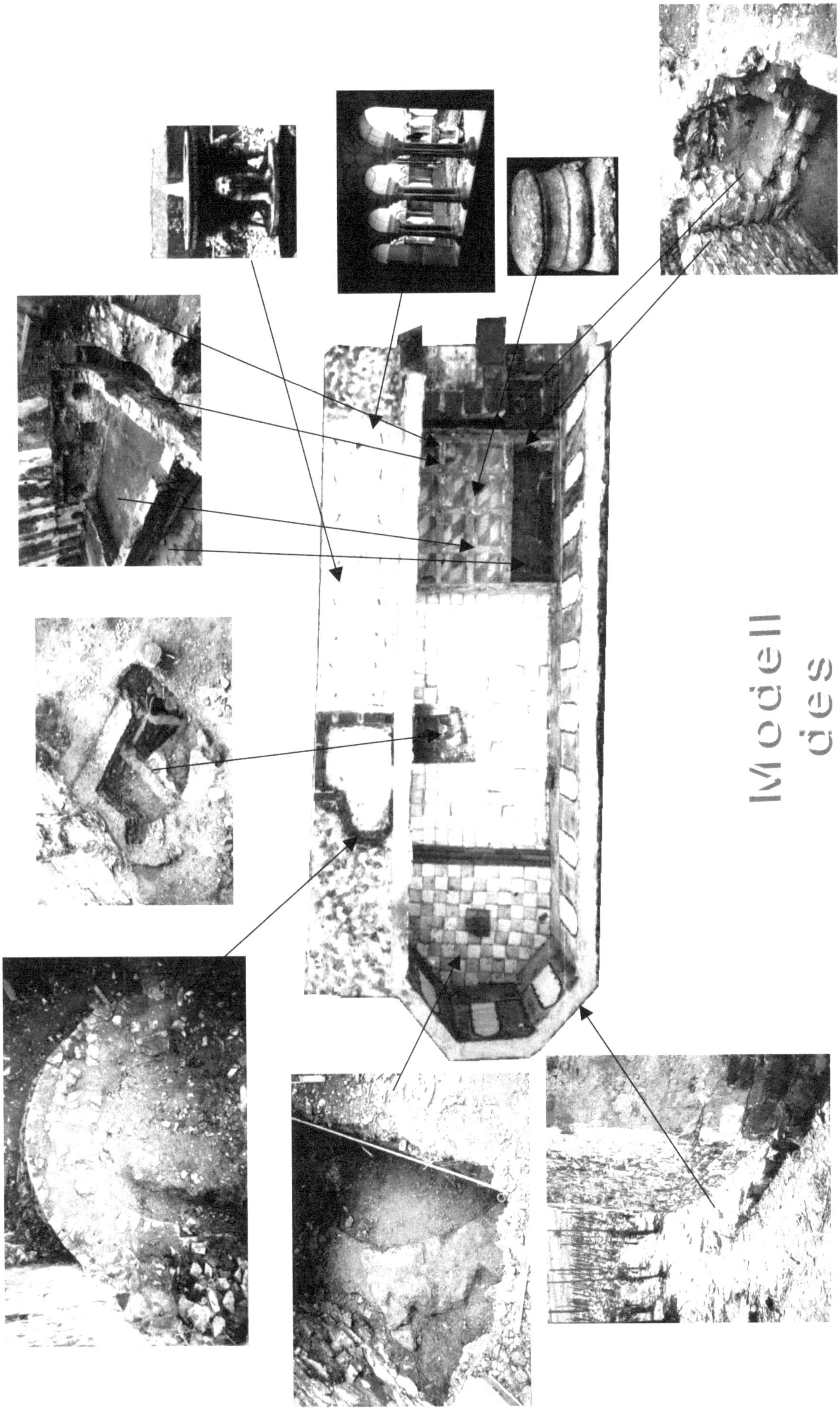

Modell des Klosters Stuben

Der Fußboden

Die Gestaltung des Fußbodens ist milieuabhängig. Gestampfter Lehm, allenfalls Bretterböden sind für alle Wohnbereiche der Unterschicht anzunehmen. In klösterlichen Räumen finden sich neben dem Estrich auch öfter Fußböden aus Ziegeln, Natursteinen oder Tonfliesen.

Fliesen aus der Klosterkirche

Bodenfliesen in Zweitverwendung an der heutigen Ruinenwand

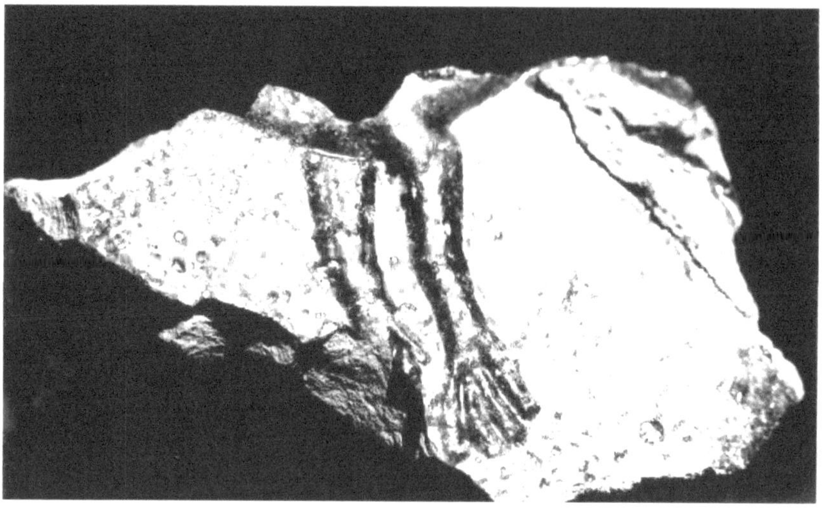

Bodenfliese mit Tierfüßen aus dem Kloster

Wo es auf Repräsentation ankommt, sind die Bodenfliesen reliefiert und weisen für sich ein geschlossenes Muster auf und ergeben erst in mehrteiliger Komposition ein Ornament.
Heraldische, figürliche, tiergestaltige und pflanzliche Motive überwiegen.

Reliefierte Bodenfliesen sind
reine Repräsentationsobjekte

Knopf aus Bein mit Glasfragment und Spinnwirtel,
gefunden beim Kloster

Ihre tägliche Beschäftigung war folgende: Von morgens vor Sonnenaufgang hatten sie die kirchlichen Tageszeiten, die kanonischen Stunden, zu halten, d. h. in gewissen Stunden gemeinschaftliche Gebete zu verrichten, zu denen sie durch Glockenschlag zusammenberufen wurden. Nach der hl. Messe versammelten sie sich zum Kapitel; dort wurden die Regeln des hl. Augustinus vorgelesen und etwa vorgekommene Übertretungen gerügt. Bei der gemeinschaftlichen Mahlzeit wurde aus der hl. Schrift, dem Leben der Heiligen oder einem Erbauungsbuche vorgelesen. Während des größten Teils des Tages mußte Stillschweigen beobachtet werden. Bei Sonnenuntergang ertönten Vesper und Komplet. Die übrige Zeit des Tages war der Arbeit gewidmet. Alle vorgeschriebenen Fast- und Abstinenztage wurden sehr streng gehalten. Der Abt Absalon von Springiersbach (1193—1196) verschärfte das Fasten und die Abstinenz und erließ die Vorschrift, daß nicht nur die Brüder seiner Genossenschaft, sondern auch die ihm unterstellten Frauenklöster, also auch Stuben, sich von jeglicher Fleischspeise zu enthalten hätten; während der Fastenzeit war sogar der Genuß von Milch und Butter untersagt.. Erst am 4. März 1530 erhielten die Klosterfrauen von Stuben durch den Erzbischof Richard von Greiffenklau zu Trier (1511 bis 1531) Dispens von diesen strengen Vorschriften. Dazu erlaubte dieser ihnen auch, „aus Ersparnis" statt der weißen Röcke solche von schwarzer Farbe zu tragen.

Fragment mit 2 Muscheln

Der rechte Seitenaltar der Pfarrkirche in Ernst/ Mosel, der von Lothar von Metternich gestiftet wurde, zeigt das Wappen mit diesen Muscheln. Rotes Kreuz auf weißem Grund, für das Erzbistum Trier und drei Muscheln auf schwarzem Grund, das Familienwappen der Metternichs.

Lothar von Metternich regierte von 1599 bis 1623.

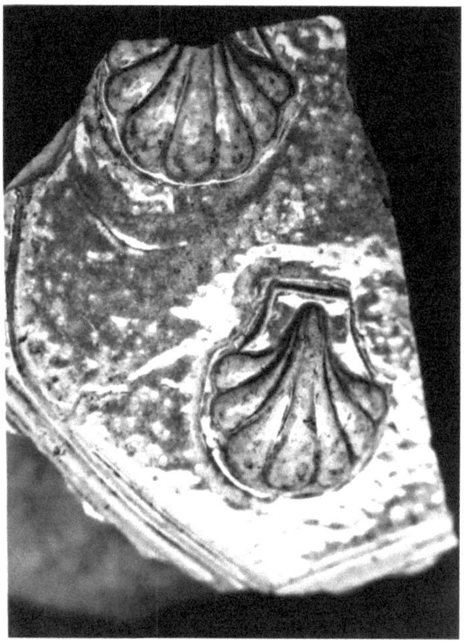

Keramikscherbe, gefunden in der Nähe des Klosters.

Margaretha von Metternich war eine Meisterin in dem Kloster.

Scherbe mit dem Wappen derer von Metzenhausen und den Grafen von Eltz, gefunden in den Weinbergen bei dem Kloster

Die enge Verbundenheit derer von Metzenhausen mit den Grafen von Eltz

Die Ritter von Eltz hatten ihren Hauptsitz in der zwei Reitstunden von Neef entfernten Burg in der Eifel am Eltzbach.

Schon lange bestand eine Verbindung des Eltz'schen Adelgeschlechtes zu den Herrschenden in Neef und auch zu dem Kloster Stuben. Einige Töchter hatten dort ihr Gelübde abgelegt. Die derer von Eltz und die derer von Neef trafen sich, übernahmen gegenseitig Patenschaften und bezeugten Verträge. Familienmitglieder der Metzenhausen's wohnten schon mal in der Burg Eltz und die Eltz'er in der Feste zu Neef. Ja, man trat sogar gemeinsam auf einem Wappen auf, wie es auf einer Grabplatte im Mainzer Dom zu sehen ist. Und durch die Heirat des Grafen Hans-Anton von Eltz mit Anna Elisabeth von Metzenhausen entstand sogar eine enge verwandtschaftliche Verknüpfung, die für Neef Geschichte schrieb.

Viele Töchter aus der Adelsfamilie derer von Metzenhausen waren Nonnen im Kloster Stuben.
(Auszug aus Johann III. von Metzenhausen Seite 35 von F.-J. Blümling)

Urschmitt

(Auszug aus 1000 Jahre Pfarrei Urschmitt; Festschrift 1980 von Herbert Morstein)

Kath. Pfarrkirche von Nordwesten vor dem Umbau des Schiffes

Die Kirche St. Petri im Dorfe Udmodsart weiht 98o (s. o.) Erzbischof Ekbert von Trier. Diese „Kapelle“ zu Ursmadia war 1190 im Besitz der Trierer Kirche, als Erzbischof Johann sie dem Kloster Stuben schenkte (MRUB II, Nr. 112 - MRR II, Nr. 654). Ursmieda erscheint dann um 1220 mit seiner Kapelle. Der Trierer Erzbischof Johann I. (1189-1212) bestätigte bereits im Jahre 1190 dem Kloster des hl. Nikolaus auf der Insel "Stupa" (Stuben bei Bremm/Mosel) die Kapelle zu "Ursmadia", so dass diese recht früh schon unter klösterliche Verwaltung und Obhut kam.

Im Jahre 1217 folgte dieser Kapelle ein Neubau, den das Kloster Stuben errichtete. Aus dieser Zeit stammt auch der alte romanische Westturm, der in die Nordwestecke des Schiffes einbezogen ist.

Am 16. Juni 1482 gestattete der Trierer Erzbischof Johann II. (1456-1503), dass an allen Sonn- und Feiertagen zu Urschmitt Gottesdienst gehalten werde. Nur an den hohen Festtagen mussten die Gläubigen in ihre Pfarrkirche zu Stuben gehen.

Ein altes Weistum von 1607 bezeugt, dass die edle Frau zu Stuben "Pastorin“ zu Urschmitt und Kliding war, dessen sie auch schuldig ist, einen Kaplan zu stellen. Sie bezieht den „Zehnten". Die Kapelle erscheint nun wieder in einem Protokoll des Archivdiakonates Karden aus dem Jahre 1475. Sie wird pastoriert vom Kloster Stuben und war auch derzeit dem Kloster inkorporiert (eingegliedert).

Erst im Jahre 1770 wurde Urschmitt eine selbständige Pfarrei. Der erste eigentliche Pfarrer dieses neuen Pfarrbezirkes war Johann Matthias Gerhards. Er stand der Pfarrei von 1770 bis 1794 vor. Im Kirchenbesitz waren 4 Kelche, von denen einer ganz aus Silber war. Das Einkommen des Pfarrers bestand aus 7 Malter Korn, 1 Fuder Wein vom Kloster Stuben sowie dem Ertrag aus dem "Wittum" (Pfarrsold).

URSCHMITT

KATHOLISCHE PFARRKIRCHE ST. QUIRIN

Das Portal ist mit glatten Bossen verziert, die auch über die Pilaster hinweggehen. In der Schlusssteinkartusche die Zahl 1713 und das Wappen der Anna Elisabeth von Elteren, verst. 1725, Vorsteherin des Klosters Stuben.

Hochaltar in der Pfarrkirche Urschmitt

Jüngst wurden an dem Altar in der Pfarrkirche wieder Arbeiten durchgeführt, die gut gelungen sind. Wir finden diesen Altar auch im Verzeichnis Bau- und Kunstdenkmäler des Regierungsbezirkes Koblenz. Mit Sicherheit stammt er aus dem Kloster Stuben. Nach dem Stifterwappen ist er ein Geschenk des Emmerich Ernst von Wiltberg, 1670 Herr zu Ulmen und Alken und seiner ersten Gemahlin Maria Agathe Cratz von Scharffenstein. An dem aus Kalkstein bestehenden und figurenreichen Altar wurden bereits einige Änderungen im Laufe der Zeit vorgenommen. So ist das frühere Sockelbild, die Grablegung, heute unter dem Altar als Antependium, an seiner Stelle ein Zopf-Tabernakel eingeschoben. Den Mittelpunkt des Altares nimmt die Auferstehung Christi ein. In den begleitenden Nischen im Mittelstreifen der hl. Quirinus und der hl. Ferreolus (mit Kette). Daneben die Emmaus-Jünger und rechts Christus als Gärtner. Oberhalb das Stifterwappen und zwei kniende Nonnen. Über dem Mittelbild Christi Himmelfahrt. Daneben eine Annaselbdritt (hl. Anna, hl. Maria und das Jesuskind). Rechts die Figur der hl. Margaretha. An der Altarspitze im Medaillon Gott Vater mit dem Leichnam Christi. Neben dem Tabernakel in Nischen die hl. Cosmas und Damian. Auf neuen, den Sockel verbreiternden Konsolen die großen Holzfiguren des hl. Quirinus und des hl. Donatus. Diese wertvolle Schnitzarbeit stammt aus dem 18. Jahrhundert. Die Figuren wurden nachträglich verankert.

Den Mittelpunkt des Altares nimmt die Auferstehung Christi ein. In den begleitenden Nischen im Mittelstreifen der hl. Quirinus und der hl. Ferreolus (mit Kette). Daneben die Emaus-Jünger und rechts Christus als Gärtner. Oberhalb das Stifterwappen und zwei kniende Nonnen.

Die Monstranz ist ein Geschenk des Klosters Stuben und mit wertvollen Edelsteinen besetzt.

Ein Muttergottes-Altar kam in die Kirche zu Eller

Erhalten blieb der rechte Seitenaltar, Sandstein, nach der Inschrift v. J. 1621, von Joh. Eichers und seiner Ehefrau Gertrud Morsch gestiftet, 1898 von K. Walter, Trier, instandgesetzt; nach alten Angaben aus Kloster Stuben. Der nicht signierte Altar gehört zu den besseren Arbeiten der Hoffmannschule. In sieben Hochreliefs ist bei schlichtem Stockwerkaufbau die Kindheitsgeschichte Christi und die Taufe im Jordan dargestellt; in der Mitte als großfiguriges Hauptbild die Muttergottes mit dem Kinde, von Engeln gekrönt und begleitet; zu ihren Füßen das Stifterehepaar. Den Dekor bilden Rankenvoluten und Fruchtwerk an Bändern und Köpfe mit Zackentüchern und dem bei Hoffman-Arbeiten beliebten indischen Kopfschmuck.

Ein Muttergottes-Altar kam in die Kirche zu Eller (s.o.), und ein anderer Altar nach Ernst (siehe E. Wackenroder). Der rechte Seitenaltar wurde nach den elterlichen Wappen vom Trierer Erzbischof Lothar von Metternich (1599-1623) gestiftet. Bescheidene Arbeit im Hochrelief: in kastenförmigen Rahmungen vielfigurige, intime Szenen aus der Kindheitsgeschichte Christi. Das Mittelbild mit einer Anbetung der Hirten, in den Seitennischen einfache Figuren der hl. Margaretha und Lucia.

Ernst. Kath. Pfarrkirche
rechter Seitenaltar

Kapelle Kövenig/Mosel
1789 benediziert; Altar und Glocke aus dem 1788 aufgehobenen Augustinerinnen-Kloster bei Bremm.

Die Matthiaskapelle in Neef und das Kloster Stuben

Im J. 1140 wird die Kirche zu Neve mit Zustimmung des Pfalzgrafen Wilhelm dem Kloster Stuben inkorporiert. Es steht nicht immer fest, ob sich die weiteren Nachrichten von der Kirche auf die alte, S. Peter geweihte Pfarrkirche auf dem Berge oder auf die Matthiaskapelle im Ort beziehen. In ihr wird 1316 ein Altar geweiht, 1352/53 eine Messe am Marienaltar von Aleid von Sponheim gestiftet. Im J. 1594 erscheint der Altar als male ornatum. Im J. 1656 waren die Herren von Metzenhausen und das Kloster Stuben abwechselnd im Besitz des Vergebungsrechtes der von Stuben abhängigen Filialkapelle. Damals war diese noch ohne Taufstein und enthielt zwei Altäre. Ein Marienaltar wurde 1739 von dem Prior Conzen in Stuben gestiftet (und 1747 in die neue Kirche versetzt). Die Kirche wurde 1747 bis auf den Turm neugebaut. Erst im J. 1804 wurde sie selbständige Pfarrkirche.

Das alte Gebäude vom J. 1747 war ein Saalbau von 54 Fuß Länge und 27 Fuß Breite mit dreiseitigem Chorschluß und Holztonnendecke; südlich ein älterer, nördlich ein späterer Sakristeianbau, dieser mit Gewölbe und einem Fenster. Noch vorhanden die alte zweiflüglige rundbogige Kirchentür (im Schlußstein die Jahreszahl 1747; eisernes Schlüsselschild in Form einer gotischen Kirche mit Doppelkreuz und den Buchstaben i i H).

- Es steht außerdem nur noch der romanische, südlich angebaute Turm (von 1140 ?) mit spitzbogigem Gratgewölbe im Erdgeschoss, spitzbogiger Öffnung zum Langhaus, spitzbogiger Wandnische und zweiteiligen Schallöffnungen an der Nord-, West- und Südseite in flachbogigen Nischen mit Mittelsäulen; darüber ein gotischer achtseitiger spitzer Helm mit zwei Dachfenstern.

Kloster Stuben; schmiedeeiserne Kanzel

vom J. 1663, jetzt in Trier, Städt. Museum

Am Fest des hl. Laurentius fand die Predigt auf der an der Aussenwand der Kirche angebrachten eisernen Kanzel statt, weil der Zustrom der Leute aus den benachbarten Winzerorten so gross war, dass die Kirche nur einen geringen Teil von ihnen fassen konnte. Auch hatten alle Besucher der Kirche an dem Tag die Möglichkeit, einen vollkommenen Ablass zu gewinnen. Leider wurde die Kanzel, welche die Jahreszahl 1663 trug, bei Abbruch der alten Pfarrkirche in die protestantische Schlosskapelle in Cochem verkauft.

Eine s c h m i e d e e i s e r n e K a n z e l v. J. 1663, selten in ihrer Art, wohl eine Vorlesekanzel aus dem Refektorium, wurde zunächst an der Kirche zu Bremm in der Nähe des Eingangs als Außenkanzel verwendet und kam unter Ergänzung von da 1874 in die Kapelle der Burg Cochem; die alten Teile jetzt im Städtischen Museum zu Trier. Eine ähnliche Kanzel aus Aldegund (Kreis Zell), 17. Jahrhundert, kam in die Kapelle der Eyneburg(Slg. Dr. Hans Nellessen) bei Hergenrath (vgl. Kd. Kr. Eupen-Malmedy, S. 129); zurückerworben 1958. Wegen Zeit, Nachbarschaft und gleichartiger Schmiedearbeit ist derselbe Meister anzunehmen.

Kanzel in der alten Kirche zu St. Aldegund

Holzkanzel aus dem Kloster Stuben vom Jahre 1618 (Eichenholz); war in der Kapelle der Fam. Liebig in Kobern-Gondorf

Fußboden der Klosterkirche

Fußboden am Originalplatz in der Ruine

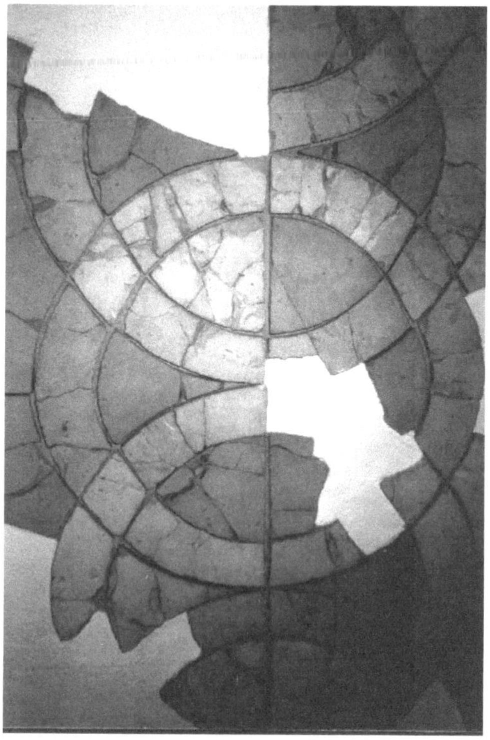

Fußboden nach der Bergung

Fußbodenrekonstruktion

Ofenkachelfragmente Kloster Stuben

Ofenkachelreste, gefunden beim Kloster

Ofen mit Halbzylinderkacheln

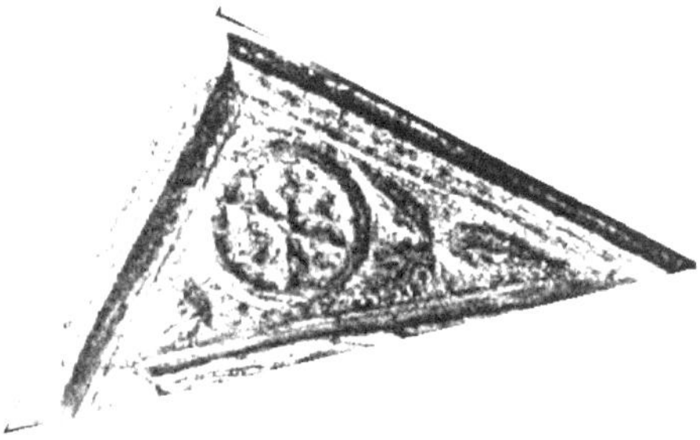

Halbzylinderkachel; gefunden
Einsiedelei Hochkessel

Halbzylinderkachel; 2. Hälfte d. 15. Jh.

Geländer aus der Klosterkirche

E. Wackenroder schreibt Seite 720 in „Die Kunstdenkmäler" des Landkreises Cochem, 1984: „Zwei Felder der Kommunionbank dienen als Geländerabschluss (Speicherbrüstung) im Treppenhaus von Haus- Nr. 47 (Ww. Wilh. Amlinger) in Bremm.

Grobe Docken auf dünnen Füßen.

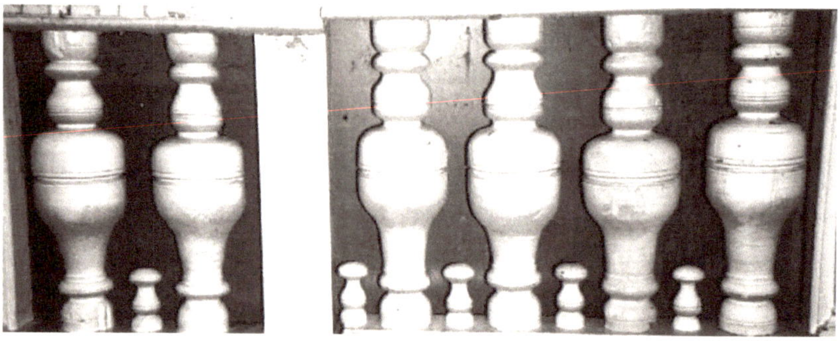

Lichter der Liebe leuchten bei Bremm

In der stürmischen Herbstnacht vor dem Feste des hl. Erzengels Michael starrte im Nonnenkloster zu Stuben ein adliges Fräulein aus ihrem Zellenfenster hinaus in die Finsternis. Der Wind heulte um die starken Klostermauern, der Wald orgelte ein schauriges Lied, längst schwiegen die süßen Stimmen der Stubener Nachtigallen.

Die Gedanken des Edelfräuleins Elsa von Treis weilten in der Ferne bei ihrem Bräutigam, dem Ritter Gottlieb von Schwanau. Gegen ihren Willen hatte sie ihr habgieriger Oheim und Vormund Pfalzgraf Hermann gleich nach dem Tode ihrer Eltern, da er sich ihres reichen Erbes bemächtigen wollte, gewaltsam ins Stift der adeligen Frauen nach Stuben verbracht. Aber der Geliebte hatte versprochen, sie noch vor Winteranfang zu befreien und nach Burg Schwanau als Gattin heimzuholen. Ob er noch an sein Versprechen dachte? Allzulange wartete sie schon ungeduldig Nacht für Nacht am einsamen Zellenfenster. Vielleicht hatte der Geliebte sie längst vergessen und sein Herz einer anderen geschenkt? Bange Zweifel nagten an ihrer Seele, wenn sie nach draußen in die Dunkelheit brütete.

Unterdessen teilte ein Ritter mit starken Armen die sturmgepeitschten Wogen der sonst sanft dahinziehenden Mosel. Er erreichte glücklich das jenseitige Ufer und eilte mit raschen Schritten dem Kloster zu. Dunkel ragte das mächtige Gebäude vor ihm auf. Kein Fenster war erleuchtet. Doch - da eines - Elsas Zelle! Ein Öllämpchen verbreitete spärliches Licht, aber genug, das Gottlieb das Gemach seiner Braut finden konnte. O, wie hoch war die Mauer! Er versuchte hinaufzuklettern und riß sich dabei die Finger blutig. Es schien, als wolle die feste Klostermauer das Eindringen eines Fremden nicht dulden. Verzweifelt blickte der Ritter zum Himmel. Hatte auch der sich gegen ihre Liebe verschworen? Wie sollte er sich nun der Braut bemerkbar machen? Eine Weile ruhte er nachdenklich und traurig aus, sandte ein Stoßgebet zu St. Michael, nahm dann eine Handvoll Erde und warf sie gegen das erleuchtete Zellenfenster. Elsa erschrak, öffnet das Fenster und spähte ins stürmische Dunkel draußen. "Elsa - EIsa!", klang es verhalten durch das Brausen des Windes. Da jubelte ihr Herz, denn sie hatte die Stimme des Geliebten erkannt. Rasch eilte sie an das Wandschränklein und entnahm ihm ein langes Seil, das sie vorsorglich für die Flucht bereitgelegt hatte. Wenige Minuten später glitt sie lautlos an der Mauer entlang zur Tiefe, geradewegs in die Arme Ritter Gottliebs. Da rief das Klosterglöcklein die Nonnen zur Mette. Die Liebenden erschraken, denn nun würde Elsas Flucht entdeckt werden.

Die Klosterkirche füllte sich mit den Schwestern. Nur Elsas Stuhl blieb leer. Die Meisterin der frommen Stubener Frauen eilte nach oben und fand auch die Zelle verwaist. Das weit offene Fenster und das Seil waren Beweis genug für die Flucht der Vermißten. Schauerlich hallte die Sturmglocke durch das Tal - die Felsen des Calmont warfen ihr Echo ans andere Ufer. Die Bewohner des Winzerdörfleins Bremm fuhren aus ihren Betten hoch. Inzwischen suchten EIsa und Gottlieb einen Weg durch Klostergarten und Auwald hinunter zur Mosel. Schon hörten sie den Lärm der suchenden Knechte und Weinbauern. Da riß die Wolkendecke auf und Elsa entdeckte unweit das glitzernde Band des Fusses. Nur wenige Schritte noch und sie tauchten in die Fluten. Gottlieb wußte nicht, wie lange er die kostbare Last im Arm, mit den Wellen gerungen hatte, als er plötzlich wie durch ein Wunder am anderen Ufer oberhalb des Dorfes stand. Moselabwärts drangen die Rufe der Verfolger zu ihnen her - dorthin mußte die Strömung die Fliehenden getrieben haben.

Der Morgen dämmert, als Gottlieb die Braut aufs Roß hob und mit ihr nach scharfem Ritt die schützenden Mauern von Burg Schwanau erreichte.

In seinem Herzen lebte die Gewißheit, daß Gott und St. Michael ihre Treue gesegnet und beide wunderbar vor den Verfolgern gerettet habe. Denn der Herrgott will nicht, daß ein Mensch gegen seinen Willen ins Kloster gezwungen werde.

Zum Danke für die Errettung baute Ritter Gottlieb später an der Stelle bei Bremm, wo er damals mit seiner nun vor Gott und der Welt angetrauten Eheliebsten das andere Ufer betreten hatte, dem Erzengel Michael eine Kapelle. Noch heute brennen dort zuweilen an Abenden Kerzen vor dem Bilde der Schmerzensmutter, die Liebende in ausweglos scheinender Herzensnot entzünden.

Willi Klein

Impressum: „Heimatkundliche Lesestoffe; Herausgegeben von der Kreislehrervertretung Cochem; Heft 1: Am Sagenborn der Heimat I; von Robert Krämer

Kapelle St. Michael in Bremm (Bleistiftzeichnung um 1890 von Edgar Barclay

Kruzifix
Mittelrheinisch (?), Mitte 14. Jahrh.
Eichenholz mit Farbfassung
Korpus H 75 cm
Trier, Bischöfliches Dom- und Diözösanmuseum

Ölgemälde aus dem
Kloster Stuben

Altarkreuz aus Stuben

Großes Altarblatt, im Hause vorgefunden, einfache Malerei des 18. Jh., angeblich aus dem Kloster Stuben

Gebetbuch der Antoinette v. Landenberg in Stuben

Auf der ersten Seite liest man den Namen P. Martini von Cochem. Dieses Buch wurde bei der Auswanderung mit nach Amerika genommen. Von da sendete man es wieder nach Jahren nach Eller zurück. Mit folgendem Brief:

Mein lieber Leo und Nelly,
Danke für Euer herzliches Schreiben, anbei sende ich Euch das Buch, das mein Vater mir 1910 gab, als ich in Eller war. Er hatte es von seiner Mutter geerbt und die hat es von Ihrer Großmutter geerbt, von einer Frau im Kloster Stuben „von Landenberg", denn mein Vater sagte mir, daß seiner Mutter Großvater den Backofen im Kloster gebaut hat.

Stuhl aus dem Kloster

Die 1. Seite einer Bibel aus dem Jahre 1584 aus dem Kloster Stuben.

Aus dem 17. Jahrhundert stammt die mit Eisen beschlagene Eichentruhe und hatte ihren Platz zunächst im Kloster Stuben. Hiernach wechselte sie ins Pfarrhaus nach Urschmitt.

Eine schön gelegene Nebenkirche zu Ehren der hl. Petrus und Paulus in Traben entstand 1911. In der Sakristei der Nebenkirche in Traben ein stattlicher Sakristeischrank (1934 beschafft, vorher im Besitz des Pfarrers Koster, früher in Alf, der Überlieferung nach aus dem Kloster Stuben) vom Ende des 17. Jh., zweiflüglig, 1,55 m breit, 2,07m hoch.

Türfüllung des Sakristeischrankes

Möbel aus dem Kloster Stuben

Küchenkacheln aus dem Kloster Stuben

Moselkern

Moselstr. 52 (Scholz) Auf dem Sturz der Haustür die Bauzahl 1738 und Johannes Scheter. Es war ein Halfenhaus mit Querflügel und Wirtschaftsgebäude am geschlossenen Hof. Die gedeckte Treppe führte in die Halfenkammern: ebenso deuten Eisenringe an der Front und zwei Schankfenster auf den Gastverkehr.

Im großen Vorderzimmer ein Paneel von etwa 800 Delfter Kacheln des 17. Jh., aus Kloster Stuben, mit holländischen Motiven aller Art, fast ohne Wiederholung

Die Käsezubereitung im Kloster Stuben

Das Siebmaterial ist vielfältig. Durchlöcherte Ton- und Holzgefäße sind bereits aus prähistorischer Zeit bekannt. Das Gefäß wurde zunächst aus einem einzigen Material geformt, und dann in den Boden bzw. in die Wände Löcher eingebohrt. Nach diesem Prinzip stellte man bis ins 20. Jahrhundert hinein irdene Durchschläge und tönerne oder hölzerne »Käskar« her. In der Milchwirtschaft spielen Seihgeräte eine große Rolle, doch gehören sie nur teilweise dem Küchenbereich an. Meist wird die Milch bereits im Stall durch ein Seihtuch oder einen Seihnapf mit Tuch oder feinem Sieb in die Kanne gegossen. In der Küche benützt man die kleinen Milchseiher, etwa um die Haut von der abgekochten Milch zurückzuhalten.

Seihgeräte, die für die Käsebereitung entwickelt wurden, fanden ebenfalls nur selten im Küchenraum Platz. Zum Abtropfen des Käsewassers gab man den Topfen/Quark in einen Seihnapf, in Süddeutschland »Kaskar« (mit mundartlichen Varianten) genannt. »Kar« bedeutet bereits in althochdeutschen Zeiten Gefäß/Geschirr schlechthin. Üblich war die viereckige Topfform mit kurzen Beinen, die ein Aufsitzen auf der Unterlage verhinderten; als Material kommen Weidenruten, vor allem aber Holz und Ton in Frage.

Original Dachschiefer von der jetzigen Ruine

Scherben aus der Nähe des Klosters Stuben

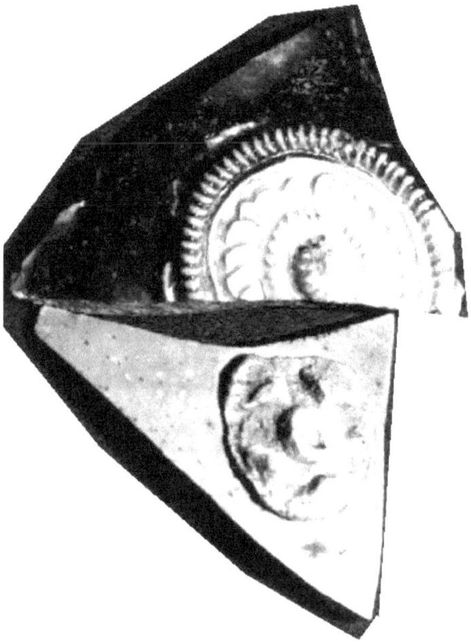

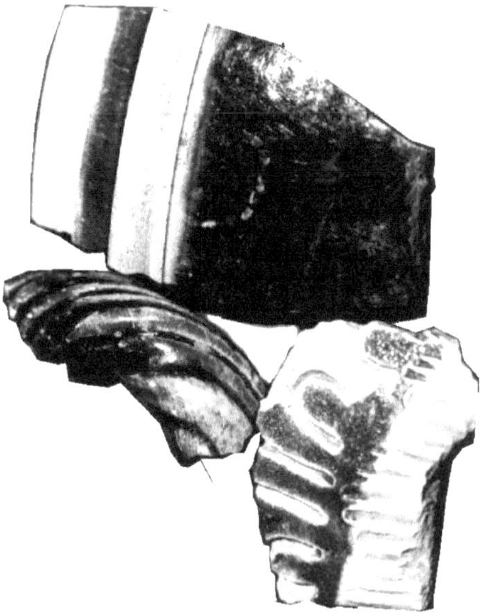

Kugelbauchkanne um 1700 Jh.,
graues, salzglasiertes Steinzeug,
blau bemalt ; (Beispiel)

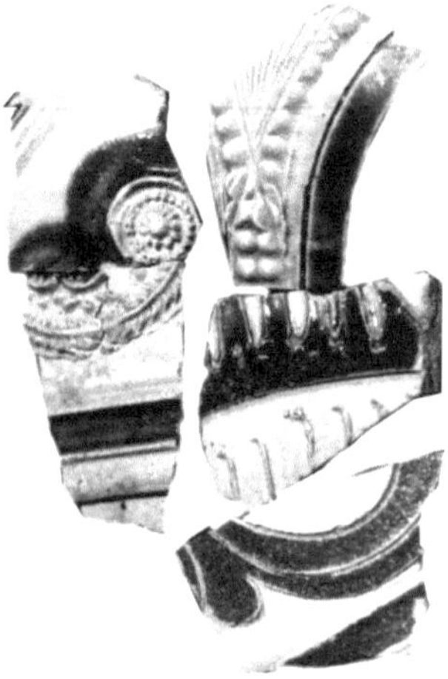

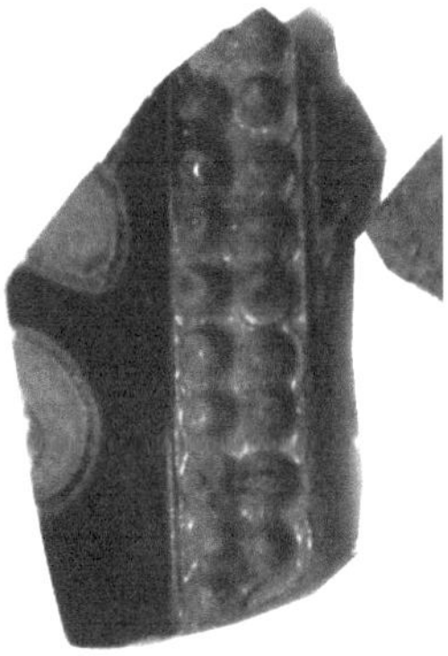

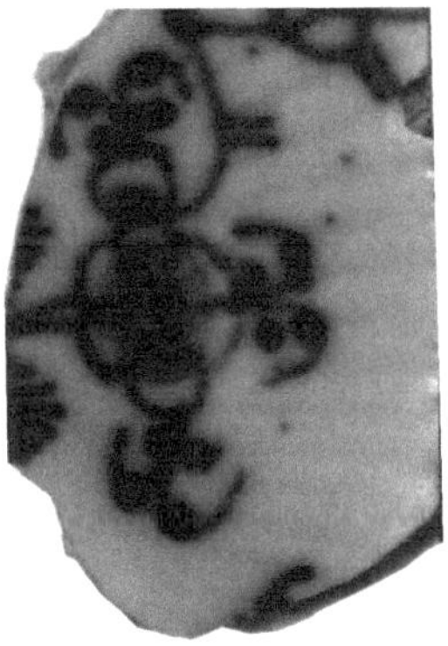

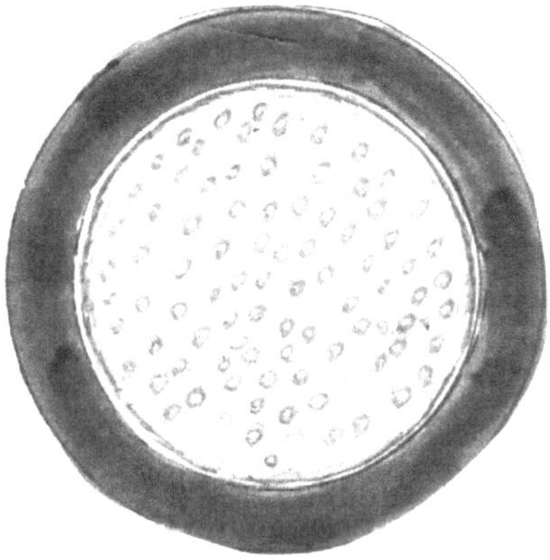

Rekonstruktion Sieb nach K. Bergen

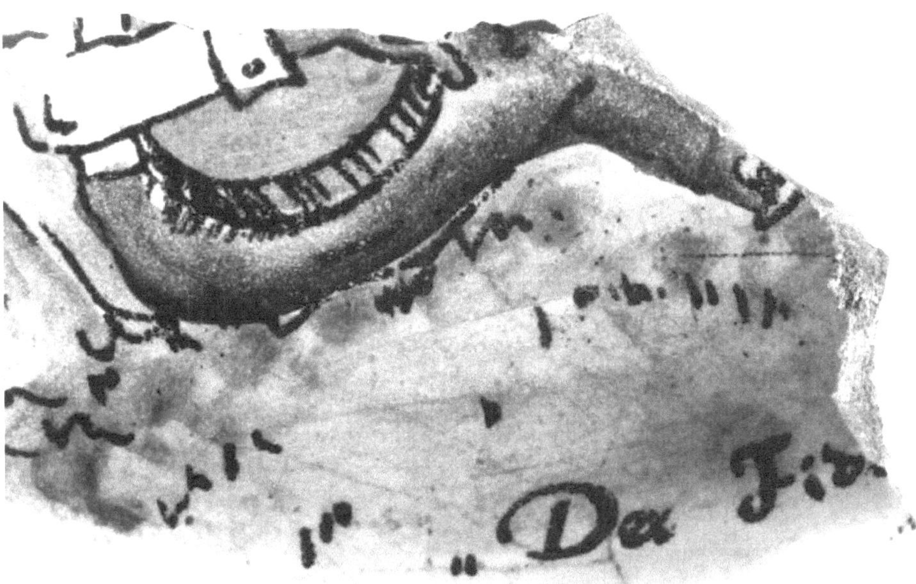

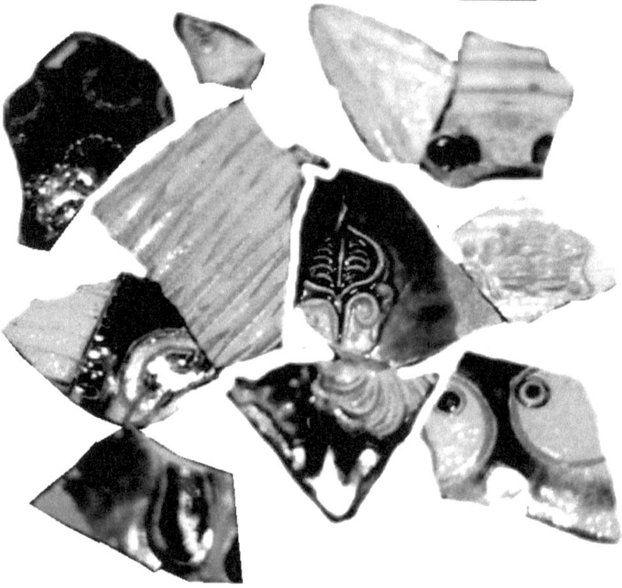

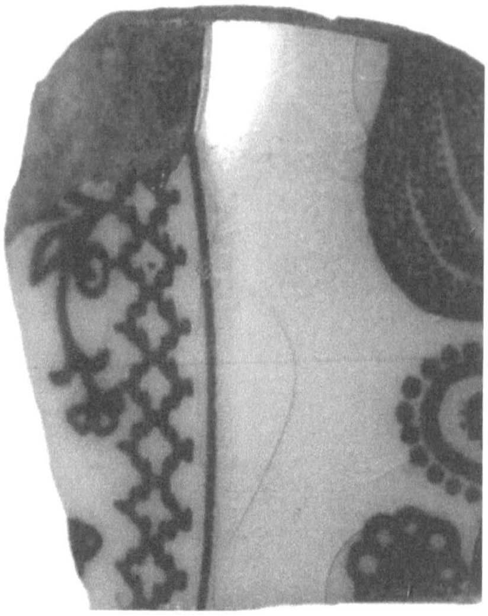

Der Hafen des Klosters

Das linke Bild (Ausschnitt aus Delkeskamp 1841), sowie das rechte Bild zeigen die Einbuchtung des alten Hafens.

Segelboote um 1858 im Hafen

Einbuchtung alter Hafen im Jahre 2001

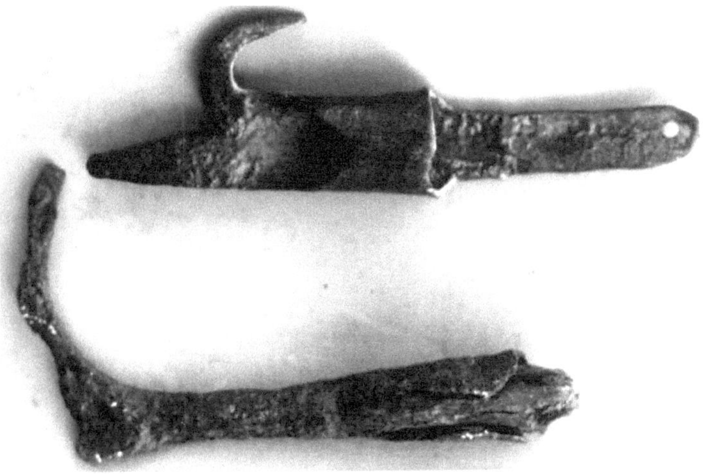

Alte Stakeisen, gefunden im alten Hafen.

Niklas, der Fährmann von Kloster Stuben

Wir schreiben das Jahr 1652. Am Fuße des Calmont, direkt am Moselufer stehen 5 Pilger, die nach dem Kloster übergesetzt werden wollen. Sie kommen von weit her und möchten die Staurothek besuchen, welche in der Kreuzkapelle hinter dem Kloster ausgestellt ist. Ein Kunstwerk, welches der Ritter Heinrich von Ulmen dem Kloster 1208 geschenkt hat. Seit dieser Zeit pilgern viele hierher, um diese Kostbarkeit zu sehen. Manche bleiben für ein paar Tage hier, um im Gebet ihr Seelenheil zu finden. Die Pilger, die nun übergesetzt werden wollen, rufen laut über die Mosel zum Stubener Hafen: „Niklas hol über!" Den Namen des Fährmannes erfuhren diese, als man in Ediger in der Halfenschenke eine Zwischenrast machte. Drüben am anderen Ufer steigt Niklas in seinen Nachen und rudert zu den Reisenden. Sein vom Wind und Sonne geprägtes braunes Ledergesicht lässt den Fährmann noch älter aussehen als er ist. Auf seinem Kopf ein alter Hut, der ihm etwas Schutz vor der Witterung gibt. Auf dem Wasser ist er zu Hause. Jede Untiefe kennt er hier. Schon als kleiner Junge half er dem alten Fährmann Hermann bei seiner Arbeit. Als dieser später starb, übernahm Niklas mit 17 Jahren seinen Beruf. Seine Eltern kannte der Junge nicht. Groß wurde er hier im Kloster. Die Nonnen behandelten ihn damals, als wäre es ihr eigenes Kind. Niklas ging es nie schlecht. Er hatte sogar ein eigenes Zimmer. Das Zimmer, „In der Mühl“. Bei den Pilgern am anderen Ufer angekommen, begrüßt er diese mit einem leichten Kopfnicken, sie steigen ein und mit kräftigen Ruderschlägen legt er vom Calmontufer ab. Nach einigen Minuten erreicht er die Anlegestelle am Hafen. Er hilft den Pilgern noch beim Aussteigen und Ausladen ihrer Säcke und Beutel und erkennt deutlich den Teil eines kräftigen Schinkens. Ein Fahrgast gibt dem Fährmann noch 2 Kupfer-münzen. „Danke“, sagt Niklas und schaut noch etwas den zum Kloster Gehenden nach. Um sich die Zeit bis zum nächsten Übersetzen zu vertreiben, nimmt er seine Angel und setzt sich an das Moselufer. Er fängt Barsche, Rotaugen und manchmal sogar einen Lachs. Den Fang bringt er dann am Abend zum Kloster, denn nach Einbruch der Dunkelheit setzt Niklas nicht mehr über. Jetzt hat er Feierabend. Am Abend sitzt er in seiner Kammer und ist mit Gott und der Welt zufrieden.

Funde um das Kloster

Münze des Trierer Kurfürsten Johann
Hugo von Orsbeck (1676-1711)
PETER MENTGER (Petermännchen)

Münze: Rückseite 1708

Sonnengöttin

Speerspitze

Die adeligen Rammler „von Stuben"

Von Rolf Goergen

Auf der rechten Stromseite, im inneren Bogen einer der typischen engen Moselschleifen, erhebt sich die Klosterruine "Stuben". Das zuletzt als adeliges Frauenstift dienende Kloster wurde vor über 200 Jahren - also zur Zeit Napoleons - aufgelöst und alsdann größtenteils zerstört. Die Ruine steht im Gemarkungsbereich der Gemeinde Bremm; diese sorgt auch dafür, dass das historische Gemäuer nicht gänzlich dem Verfall preisgegeben wird. In diesem Sinne hat man vor etlichen Jahren im oberen Bereich des Mauerwerks eine leichte Ausbesserung und Stabilisierung vorgenommen. So steht sie dort - und so wird sie wohl noch weitere 200 Jahre still und geduldig ausharren und dem weit über die Kreisgrenze hinaus bekannten Weinort – neben dem "Calmont" (Heißer Berg) - als Wahrzeichen dienen.

Foto: M. Britz, Bad Bertrich

Aber nicht nur Chronisten, Fotografen, Ornithologen (im Kloster nisten zahlreiche Vögel) und Urlauber wurden (und werden) vom brüchigen Gemäuer des Klosters angelockt, sondern die Jünger Huberti nicht minder. Es waren die Hasen, die es erfahrungsgemäß windgeschützt und trocken mögen, die sich - neben anderem Getier - gern im Kloster einschoben. Wollte man die Erfolgschancen, einen von ihnen in die Bratröhre zu bekommen, erhöhen, mußte man das Unternehmen mit mindestens drei Schützen angehen: Einer wurde am moselseitigen Nebeneingang postiert; der zweite kam gegenüber auf der südlichen Weinbergseite zu stehen, wo eine dicht verfilzte Hecke vorspringt; ja, und der dritte schließlich betrat vom westlich gelegenen Haupteingang her die klösterlichen Gemächer. Meist war es der damalige Jagdpächter, der am Kopfende der Hecke stand, weil er als meisterlicher Flintenschütze hier am erfolgreichsten "seinen Mann stand". An einem wunderschönen Wintertag um Weihnachten zogen wir zu fünf Jägern sowie Treibern frohgemut zum Kloster. Es lag Schnee. Kurz vor der Ruine wurde unser zügiger, tatendurstiger Schritt jäh unterbrochen. Alle standen wie vom Donner gerührt am Fleck. Auf dem verschneiten Wingertsweg, unweit der Mosel, stand imposant und gestochen scharf die Fährte einer starken Sau. Die Sauspezialisten unter uns schätzten sie auf etwa 80 kg. In bester Stimmung setzten wir unseren Weg fort, von dem "frommen" Wunsch beseelt, die Sau - einen Keiler? - im dichten Ufergeheck hochzumachen und möglichst zu erlegen ...

Die Treiberjungen unter der altbewährten Führung von Obertreiber "Juppes" aus dem benachbarten Beuren, der beim Anblick der Saufährte trotz seines fortgeschrittenen Alters kaum noch zu bändigen war, drangen mit "Hui" und "Hopp" ins dichte Geheck. Und sofort knallte es oben beim Doktor zweimal kurz hintereinander; mit gewohnter Sicherheit hatte der Meisterschütze zwei Hasen "über Kopf" gehen lassen, die hocheiligst die geheiligte und nunmehr so ungastliche Stätte zu verlassen trachteten. In seiner spontanen Art rief der Jagdherr frohgelaunt, daß man es drüben in Bremm hören konnte: "Horrido - und wieder zwei adelige Klosterrammler ...!"

Die INSEL *der Glücklichen*

Text: Georg Schwarz – Aufnahmen: Herbert Ahrens

Sommerzeltlager der Westmark Hitlerjugend in Stuben
Sie hausten in 27 weißen, spitzen Zelten

Ich weiß nicht, wer sie „entdeckt" hat, die **Insel der Glücklichen**. Auch das dickbauchigste Lexikon weiß nichts über sie zu berichten. Vergeblich wirst du in den Atlanten deinen Blick suchend über ferne Länder und Meere wandern lassen, um das glückhafte Gestade ausfindig zu machen. Es liegt weder irgendwo drunten am blauen Lido noch im fernen Inselparadies der Südsee.

Du mußt ganz bescheiden eine Heimatkarte unseres Gaues zur Hand nehmen, wenn du es verzeichnet finden willst, und von Trier aus ein paar Zentimeter mit dem Finger die Moselschleifen entlanggleiten bis zu dem großen, weitausholenden Bogen bei Bremm. Ja, hier den Finger drauf. Da ist das schöne Fleckchen Erde, das wir meinen: Die **Halbinsel Stubben**.

Im stillen, romantischen Moselparadies liegt das grüne, glückliche Eiland. Ringsum türmen sich die Berge steilaufragend empor. Die Reben klettern die felsigen Hänge hinan, der Sonne zu. Weite Wälder krönen die Höhenzüge. Drunten windet sich das Silberband der Mosel an den Felsriesen vorbei. Zwischen Fluß und Berge hat sich das stille Dörfchen Bremm gezwängt. Die alten, malerischen Häuschen schmiegen sich traulich zusammengekuschelt an die Höhen an.

Der Eingang zum Lager ist durch ein Tor aus knorrigen Stämmen gekennzeichnet. Zwei kleine Kerle halten Wache. Ihrer stolzen Pflicht bewußt, schreiten sie gemessenen Schrittes auf und ab, noch selbstbewußter in dem Augenblick, da fremde „Eindringlinge“ nahen und dieser jugendfrischen disziplinierten Haltung die selbstverständliche Achtung erweisen. Der Schlagbaum geht empor, das Reich der Jungen eröffnet sich uns, ein wahres Paradies. Ueberflüssig, auch nur einen der 270 Pimpfe aus unserer Westmark zu fragen, wie es ihm gefällt. Die sonnengebräunten Gestalten, die frohen, lachenden Gesichter, die blitzenden Schelmenaugen verraten mehr als es Worte vermögen.

Man kann sie nur beneiden, die kleinen Kerle, die hier in den 27 weißen, spitzen Zelten hausen. Hausen? Nein, das ist nicht das rechte Wort. Jungbannführer Saffig, der Lagerführer, hält auf Disziplin und Ordnung. Das tut der richtigen Pimpfenstimmung keinen Abbruch. Im Gegenteil! Wenn morgens 270 verschlafene Gesichter aus den Zeltplanen auftauchen und dann vor dem Spitzbohnenkaffee die jungen Knochen in den ersten Sonnenstrahlen beim gemeinsamen Frühsport recken, dann geht die Fröhlichkeit schon an. Und sie bleibt den ganzen Tag über bei der glücklichen Schar als treuer Gast.

„Ich bin der Bub vom Westerwald"

Die Halbinsel Stubben, das Sommerparadies der Pimpfe

Selten hat die Mosel eine so ausgelassene Schar an ihrem Ufer gesehen und in ihre kühle Flut aufgenommen. Ja, das Baden! Das ist eine besondere, feine Sache. Jupp, der Turn- und Sportlehrer, hat eine eigene Badeanstalt eingerichtet, fein säuberlich mit Stangen eingezäunt, damit nichts passiert. Und dann stellt er immer noch Schwimmwachen aus, wenn die Kleinsten im Wasser herumtollen, sich in langer Reihe, Hand an Hand, in die Flut stürzen und nach einem mehr komischen als kühnen Sprung wieder ans Trockene kriechen. Und wenn erst der „Fliegende Fisch" von jungen Armen hochgeschleudert über dem Wasser dahinschwingt! Das ist ein Heidenspaß!

Oder wie schön ist es, wenn die Kerle zusammensitzen und es wird aus der Geschichte der Bewegung erzählt, wenn beim Klang der Klampfen und Quetschkommoden ein lustiges Lied ertönt, wenn nachmittags ausmarschiert wird, wenn . . . Jede Stunde bringt neue Freude auf dieser Insel der Glücklichen.

Sie alle haben diese Insel, den schönen Moselstrand, die freundlichen Winzer, die gleich neben dem Lager ihre schwere Arbeit verrichten, ihre Zeltstadt, den Briefträger und vieles andere in ihr Herz geschlossen. Nicht zu vergessen natürlich den Koch, der mit seiner treuen jungen Helferschar tagtäglich die 270 hungrigen Mägen satt zu kriegen hat. Die Küchenbaracke ist ein mindestens ebenso lockendes Ziel wie das Moselbad.

Paul Heckert, der Koch, hat alle Hände voll zu tun, bis er die täglich benötigten 4,5 Zentner Kartoffeln, die 37,5 Kilo Fleisch, die 120 Liter Milch, die entsprechende Menge Gemüse, die Wurst, die Butter, die Marmelade und all das andere, was er für seinen reichhaltigen und abwechslungsreichen Küchenzettel braucht, herangeschafft und mit seinen sechs kleinen „Küchenbullen" verarbeitet hat. Aber er hat auch die größte Freude, wenn seine kleinen Kostgänger all die Mengen, die vier riesige Kessel zu liefern vermögen, verfuttern, als wären sie bei Muttern zu Haus.

Wirklich, man kann sie nur beneiden diese jungen Kerle, die hier auf der Halbinsel Stubben und in den anderen Sommerzeltlagern der Westmark-HJ., auf der Festung Mont Royal, auf der Freudenburg, im Weishaus- und im Stadiongelände vor Trier und dem Bürgerstück bei Simmern dank der Arbeit der Gebietsführung und der finanziellen Unterstützung der NSV. so herrliche Ferientage verbringen können.

Wir jedenfalls haben sie beneidet, die jungen „Belagerer" der Insel der Glücklichen . . .

Das Stubener Land

Früher bestand das Stubener Land aus Feldern und Wiesen.

Auch einige Neefer Bürger hatten hier Wiesen. Man brachte das Heu mit dem Nachen nach Neef.
Hier Neefer bei der Heuernte im Stubener Land.

10 Pf-Schein April 1921

Kaffeepause am

Stubener Mark im Weinberg

Man teilte die Felder und Wiesen zunächst in Abteilungen und begrenzte diese mit roten Sandsteinen, von denen man heute noch einzelne in den Weinbergen findet.

Gruppenausflüge zum Kloster Stuben

Ausflüge zum Kloster
in den 40er Jahren von
Neefer Bürgern.

Beim Betriebsausflug gab es Geschichte zum Anfassen
Mitarbeiter des Amtes für Vor- und Frühgeschichte aus Koblenz haben während eines Tagesausfluges Station bei der Kirchenruine Kloster Stuben in der Nähe von Bremm gemacht. Der Stand der Restaurierungsarbeiten wurde in Augenschein genommen und durch einen Rundgang und eine nähere Untersuchung der Ruine ergänzt. Foto: Peter Barzen

RZ vom 24.07.01

High-Tech für das Kloster

Im Rahmen des Calmont-Projektes wird derzeit die Klosterruine Stuben von einer Spezialfirma aus dem Raum Freiburg vermessen. Das aufwendige Verfahren nennt sich Fotogrammetrie und ist nur mit einem speziellen Gerät möglich. Die Messungen entscheiden darüber, ob das betagte Gemäuer einer weiteren Sanierung bedarf und wie kostenaufwendig das wird. Geplant ist, in den nächsten Jahren Veranstaltungen in der Klosterruine durchzuführen.

(Foto Hermann Schausten; RZ-Artikel 2000)

Das Kloster Stuben 2002

Bildersammlung aus dem Buch in Farbe

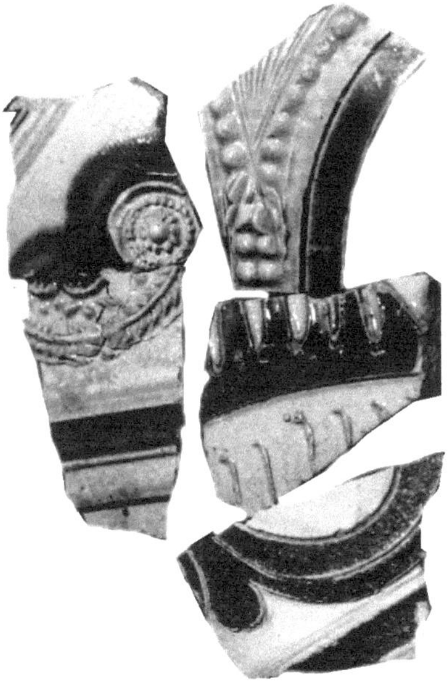

Friedhof mit Peterskapelle auf dem Eulenköpfchen bei Neef M. Bätz

Kloster Stuben.

Schlusswort

So, nun ist es endlich geschafft und alle meine Mühe hat sich gelohnt. Jetzt liegt es vor mir, das Gesammelte von vielen Monaten. Über 1200 km bin ich dafür gefahren, über 35 Filme wurden entwickelt, hunderte von Kopien gemacht und viele Büchereien und einige Archive besucht. Auch viele Telefongespräche habe ich geführt, in unzähligen Stunden Thomas und seinen Computer genervt, viele Scherben gesucht und geputzt, Alpträume mit den Klosternonnen verbracht und trotz allem hat es mir sehr viel Spaß gemacht. Bis zur letzten Seite. Einiges Unbekannte vom Kloster Stuben kam hierbei wieder ans Tageslicht.

Ich möchte mich hiermit bei allen, die mich unterstützt haben, recht herzlich bedanken. Besonders bei meiner Frau Brigitte sowie Herrn Thomas Krämer, der mir mit Rat und Tat zur Seite stand. Manches Gläschen Moselwein haben wir hierbei getrunken. Auch ein „Frauenberger" Wein war dabei. Ein guter Tropfen, der uns bei der richtigen Wortwahl hoffentlich geholfen hat.
Wir würden uns sehr freuen, wenn Ihnen dieses Buch an manchen Abenden zuhause oder hier bei uns im Urlaub etwas Freude bringen würde.

Hier der Autor Kurt Bergen mit seinen edlen Klosterfrauen

Quellen und Literaturhinweise

Burger, F.:
Kloster Stuben a. d. Mosel, in:
DIE BRÜCKE (Beilage der RZ v. Juni 1953)

K. de Faria E Castro:
Die Nationalgüter im Arrondissement Koblenz und ihre Veräußerung in den Jahren 1803-1813, in: Rheinisches Archiv, Bd. 85, Bonn 1983

Franzen, Fr.:
Nonnenklöster in unserer Heimat, in: HEIMAT (Beilage der RZ v. April 1969)

ders.:
Aus Zucht wurde Unzucht, in: HEIMAT (Beilage der RZ v. Mai 1971)

Fenger / Müller:
Der Kreuzfahrer Heinrich v. Ulmen und das Schicksal berühmter Kunstwerke, in: Eifel-Kalender 1935

Friderichs, A.:
Das byzantinische Siegeskreuz im ehemaligen Kloster Stuben, in: Jahrbuch des Hunsrückvereins e.V. 1974

Heyen, Fr. J.:
Stuben, in: der Mittelrhein im Mittelalter, RZ-Dokumentation, Koblenz 1988

Kees, P.:
Blüte und Verfall des Kloster Stuben, in: HEIMAT (Beilage der RZ v. April 1969)

Kuhn, H. W.:
Heinrich von Ulmen, der vierte Kreuzzug und die Limburger Staurothek, in: Jahrbuch für westd. Landesgeschichte, Bd. 10 v. 1984

Landeshauptarchiv Koblenz:
Bestand 181,1 und Verzeichnis des Rhein- und Moseldepartements, Nr. 7370

Ph. de Lorenzi:
Beiträge zur Geschichte sämtlicher Pfarreien der Diözese Trier - Regierungsbezirk Koblenz - Trier 1877

Marx, J.:
Das adelige Nonnenkloster Stuben an der Mosel, in: Geschichte des Erzstiftes Trier, II. Bd., II. Abtl., Trier 1862

Pauly, F.:
Das Inventar des Augustinerinnenklosters St. Nikolaus in Stuben a. d. Mosel im Jahre 1789, in: Archiv f. Mittelrh. Kirchengeschichte 33 Jg. v. 1981

ders.:
Das Augustiner-Nonnenkloster Stuben, in: Aus der Geschichte des Bistums Trier, Trier 1968

ders.:
Das Landkapitel Kaimt-Zell, in: Siedlungs- und Pfarrorganisation im alten Erzbistum Trier (Rheinisches Archiv Bd. 49, Bonn 1957)

Rausch, J.:
Die Limburger Staurothek, in: Das Münster, Jg. 8 v. 1955

Rettinger, E.:
Historisches Ortslexikon Rheinland-Pfalz, Bd. 1: Ehemaliger Landkreis Cochem-Zell, in: Geschichtliche Landeskunde, Bd. 27, Stuttgart 1985

Schorn, C.:
Eiflia-Sacra, Bonn 1888/9, Bd. 1

Thome, N.:
Das ehemalige Kloster Stuben bei Bremm, in: Heimatbuch des Kreises Cochem, Kaisersesch 1926

Wackenroder, E.:
Die Kunstdenkmäler des Kreises Cochem, München 1959

Des weiteren möchte ich mich bedanken für die Genehmigung zur Veröffentlichung bei:
Biblio Verlag Bissendorf ehem. Zeller Verlag bei Herrn Zeller
Bistumsarchiv Trier
Bischöfliches Ordinariat Limburg Dezernat Bau
Landesamt für Vermessung und Geobasisinformation Koblenz
Verlag der Fr. Lintzschen Buchhandlung Trier
Landesamt für Denkmalpflege Mainz

und für die Bereitstellung von Fotos und Zeichnungen bedanke ich mich bei folgenden Personen: Peter Barzen, Joachim Barden, Bernhard Boos, Reinhold Christoffel, Bernhard Franzen, Wilfried Franzen, Alfons Friedrichs, Bernhard Kirch, Alfons Kreuter, Norbert Krötz, Otto Keuthen, Richard Kranz, Klaus Layendecker, Josef May, Fam. Moos, Erika Mofakhamsani, Erich Markert, Fam. Carl-Fritz Nicolay, Werner Nelius, Rainer Pellenz, Herbert Schmitz, Josefa und Hildegard Scheid, Fam. Scholz, Walter Sossong, Wolfgang Wolpert, Walter Thullen, Gertrud Boendgen-Schinnen, Udo Marx, Richard Müllen, Fam. Georg Treis und Fam. v. Landenberg.

Für die freundliche und materielle Unterstützung durch den Heimat- und Verkehrsverein Neef möchte ich mich recht herzlich bedanken (Tel. u. Fax 06542/21575).

ISBN 3-89906-267-1

http://www.videel.de

Gesamtherstellung: videel, Niebüll

Titelfoto: Moselschleife von Peter Barzen, Ediger-Eller